JN253740

新・日本の会社法

〔第2版〕

河本一郎・川口恭弘〔著〕

商事法務

第２版はしがき

本書は、会社の実態に即して、日本の会社法の解説を行うものである。令和元年に会社法の改正があり、これに合わせて、第２版を出すこととした。

本書の前身である『日本の会社法』の初版は平成５年に出版された。その後、同書は改訂を重ね、平成 25 年には「新訂第 10 版」となった。平均して約２年に１度のペースで改訂がなされたのは、本書の特色から、経済活動の動きに合わせて、データ・資料を更新する必要があり、さらに、この時代、商法・会社法の改正が頻繁に行われたことによる。

今回の改訂でも、同様のコンセプトから、改正法の内容を盛り込むとともに、すべての統計について、最新のものに差し替えた。これによって、本書の内容は、現在の日本の会社の実態を反映したものとなっている。さらに、今回から、実務的に非常に重要な地位を占めながら、一般的な六法には掲載されない「コーポレートガバナンス・コード」を巻末に掲げ、本文で触れた事項について、原文を参照できるようにした。

最後に、本書の改訂にあたり、株式会社商事法務取締役の渡部邦夫氏にお世話になった。また、編集作業では、同社編集部の櫨元ちづるさんに、大変なご苦労をおかけした。本書では、改訂に膨大なデータの差し替えが不可欠であり、これについて、出典にさかのぼって、すべての資料をチェックいただいた。形式面のみならず、内容面についても、適切な助言をいただいた。この場を借りて、心より御礼を申し上げる。

令和２年８月

川口恭弘

はしがき

日本は、世界第3位の経済大国で、その経済力を支えているのは会社である。会社法は、会社の誕生から終了までを規律し、その経営基盤を定める法律である。そのため、会社法は、「日本経済を牽引する会社という機関車のレール」に例えることもできる。会社法を知ることは、日本経済の仕組みを理解することでもある。

会社は会社法の定めるルールの範囲内で経営を行わなければならない（脱線は許されない）。この点で、会社法は会社の実務のあり方やその方向性に大きな影響を与える。他方で、経済情勢や会社の実務の変化は会社法の改正を促す要因となる。時代遅れの規制は、個々の会社のみならず、日本経済全体にとってもマイナスである。会社法は、改正の頻度が最も多い法律の1つといっても過言ではない。このように、会社法は、経済の動きに連動するダイナミックな法領域である。

本書は、株式会社に関する会社法のルールを概説するものである。本書の特色は次の点にある。

第1に、本書は、会社の実態に即して会社法の規定の解説を行うものである。会社法は、実務に密接に関連するものでありながら、多くの人々にとって、身近なものとはいい難い。会社法の定める規律とその実態を実感することができるように、多くの統計資料を使用している。なお、本書に登場する同志社物産株式会社は架空の会社である。

第2に、本書は、幅広い範囲の会社法初学者を読者対象としている。特に、読者として、企業内で会社法の知識が必要となった社会人（総務部、人事部などを含む）、大学で会社法を始めて学ぼうとしている学生を想定している。法律に馴染みのない学生（経済学部、商学部など）にも理解可能なように、できるだけ分かりやすい記述を心がけた。さらに、法学部の学生の勉学に資するように、「会社法判例百選」に掲載されている重要判例をほぼ網羅している。

第3に、本書は、上記の読者が、最初から最後まで、通読できる書物を目指した。通読することで、会社法の全体像を把握することが可能となる。そのために、以下の工夫を行った。まず、第1章「総説」は、会社法の視点に立って、日本経済と会社との関わりを概観するものである。会社法の沿革では、法改正の経済的・政治的背景を明らかにするように努めた。本章は、第2章以下の導入部分の役割も果たしている。また、第2章以下では、会社法の条文の並びにとらわれず、その内容を4つの章に分けて解説している。これらの内容には、技術的で複雑なものも少なくない。そこで、本書では、記述の内容に濃淡をつけることにした。

本書の前身は、『日本の会社法』(河本一郎ほか共著、商事法務) である。同書は、日本の会社法の内容を経済的背景などとともに海外に紹介するために書かれた(平成5年以降、新訂第10版まで公刊されている。なお、英語版は、Wolters Kluwer社により公刊されている〔I. Kawamoto, Y. Kawaguchi and T. Kihira, Corporations and Partnerships in Japan (2012)〕)。もっとも、同書は、会社法に関する世界全集の1つであり、日本の風土や政治などの記述のように、会社法の内容と直接には関係がなく、また、日本の読者には不要のものも含まれていた。そのため、今回の改訂では、旧版のコンセプトは維持しつつも、日本の読者を対象とした内容に大幅に記述を改めることとした。

今回の改訂に当たり、記述を大幅に書換え、多くのデータを追加し、実際上、新しい書物として本書が公刊されることとなった。そのため、『日本の会社法』の他の共著者の承諾のもと、今回から、2名の共著とすることとし、書名も『新・日本の会社法』と改めた。

『日本の会社法』が再び日の目を見ることができることとなったのは、株式会社商事法務取締役の渡部邦夫氏と同教育事業部の飯泉拓野氏の説得のおかげである。また、出版に当たり、同書籍出版部の川戸路子氏および庄司祐樹氏に多大なご尽力をいただいた。なお、本書の校正と索引の作成等について、同志社大学大学院法学研究科の犬童寛之君、山根万弥さんにお世話になった。ここに記して、これらの方々に御礼を申し上げる。

平成27年9月

河本一郎

川口恭弘

凡　例

1　法令名等の略語

条数のみ	会社法
整備または整備法	会社法の施行に伴う関係法律の整備等に関する法律
施	会社法施行規則
計	会社計算規則
商	商法
旧有	有限会社法（平成17年廃止前）
特例法または商法特例法	
	株式会社の監査等に関する商法の特例に関する法律（平成17年廃止前）
商登	商業登記法
振替	社債、株式等の振替に関する法律
金商	金融商品取引法
金商令	金融商品取引法施行令
開示府令または企業内容等開示府令	
	企業内容等の開示に関する内閣府令
大量保有府令	株券等の大量保有の状況の開示に関する内閣府令
上場規程	有価証券上場規程（東京証券取引所）
上場規程規則	有価証券上場規程施行規則（東京証券取引所）
承継法	会社分割に伴う労働契約の承継等に関する法律
憲	日本国憲法
民	民法
刑	刑法
民保	民事保全法
独禁または独占禁止法	
	私的独占の禁止及び公正取引の確保に関する法律
銀行	銀行法
信託業	信託業法
保険業	保険業法
担信	担保付社債信託法

政資	政治資金規正法
CG コード	コーポレートガバナンス・コード～会社の持続的な成長と中長期的な企業価値の向上のために～（東京証券取引所）
SS コード	「責任ある機関投資家」の諸原則《日本版スチュワードシップ・コード》～投資と対話を通じて企業の持続的成長を促すために～（スチュワードシップ・コードに関する有識者検討会）

2　文献の略語

民録	大審院民事判決録
民集	大審院・最高裁判所民事判例集
刑集	最高裁判所刑事判例集
集民	最高裁判所裁判集民事
高刑	高等裁判所刑事判例集
判時	判例時報
判タ	判例タイムズ
金法	金融法務事情
金判	金融・商事判例
百選	会社法判例百選〔第3版〕（有斐閣、2016年）

3　裁判例の表記

年月日・出典の示し方は次のとおりである。
最判平2・12・4民集44・9・1165
→最高裁判所平成2年12月4日最高裁判所民事判例集44巻9号1165頁

目　次

第2章　企業金融（コーポレート・ファイナンス）

第3章　企業の経営と統治(コーポレート・ガバナンス)

第 1 章
総　　説

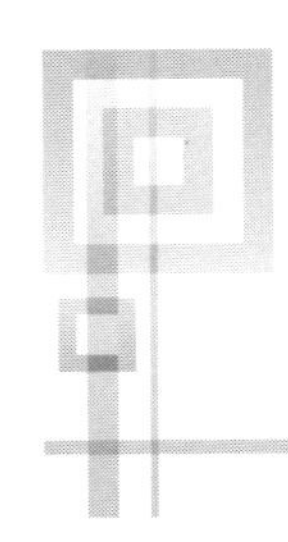

第1節　日本経済と会社の実態

1　日本経済の発展と企業

(1)　データによる国際比較

〔1〕　平成30年（2018年。以下、国際比較が必要な場合に、西暦を併記する）の日本の名目国内総生産（Gross Domestic Product〔GDP〕。日本人がその年に国内で生み出した財・サービスをその年の価格で表した値。これに対して、物価上昇で膨らんだ部分を除いた値で表したものを実質GDPという）は、4兆9,564億ドル

〈主要国の名目GDPと1人当たりの名目GDP〉

（10億ドル）

	2000年	2005年	2010年	2015年	2018年
米　国 （世界に占める比率、%） 1人当たりの順位	10,284.8 （30.7%） 5位	13,036.6 （27.4%） 7位	14,992.1 （22.6%） 9位	18,224.8 （24.3%） 5位	20,580.2 （23.9%） 6位
中　国	1,198.2 （3.6%） –	2,286.0 （4.8%） –	6,087.2 （9.2%） –	11,015.6 （14.7%） –	13,894.9 （16.1%） –
日　本	4,730.1 （14.1%） 4位	4,578.1 （10.0%） 14位	5,700.2 （8.6%） 13位	4,390.0 （5.9%） 20位	4,956.4 （5.7%） 20位
ドイツ	1,947.2 （5.8%） 15位	2,845.7 （6.0%） 17位	3,396.4 （5.1%） 16位	3,360.5 （4.5%） 15位	3,947.6 （4.6%） 13位
イギリス	1,548.6 （4.6%） 9位	2,538.7 （5.3%） 9位	2,475.2 （3.7%） 18位	2,928.6 （3.9%） 11位	2,855.3 （3.3%） 16位
フランス	1,368.4 （4.1%） 17位	2,196.1 （4.6%） 18位	2,642.6 （4.0%） 17位	2,438.2 （3.3%） 18位	2,777.5 （3.2%） 19位

（内閣府「国民経済計算年次推計」より作成）

であった。世界のGDPに占める割合は、米国が23.9％であるに対し、日本は5.7％である。日本の割合は徐々に低下して、平成17年に10％を下回った。これに対して、中国の名目GDPは、平成22年に日本を追い越した。これは、中国が著しい経済成長を遂げているのに対して、日本の経済成長率が低下した結果である。

〔2〕　国民１人当たりのGDPは、日本は、かつて世界第１位であった。しかし、1990年代に徐々に低下し、平成29年には20位となった。日本やドイツは、重化学工業を中心とした製造業大国として、優れた製品を世界に輸出することによって成長を続けてきた。しかし、IT（情報通信技術）が経済活動をリードするようになり、従来製造業大国ではなかった国々も、IT関連の新産業を切り開くことによって著しく成長するようになった。

〔3〕　このような状況とはいえ、日本経済は、米国、中国に次いで第３位を維持している。米国の経済誌『フォーチュン』の「Fortune Global 500」（企業の総収入をもとに世界の企業をランクづけしたもの）（2019年版）によれば、国別企業数では、米国121社、中国119社などに次いで日本は52社である。日本企業では、トヨタ自動車が第10位にランクされている（なお、第１位はアメリカのWalMart、第２位は中国のSinopec Group、第３位はオランダのRoyal Dutch Shellであった）。

〈Fortune Global 500にランクインした日本の企業10社〉（2019年）

世界順位	国内順位	会社名	業種・事業	総収入（百万ドル）	利益（百万ドル）	資産（百万ドル）
10	1	トヨタ自動車	自動車	272,612	16,982	469,296
33	2	三菱商事	商社・卸売	145,243	5,328	149,388
34	3	本田技研工業	自動車	143,302	5,504	184,505
52	4	日本郵政	郵便・金融	115,221	4,324	2,585,802
64	5	日本電信電話（NTT）	通信	107,147	7,708	201,456
65	6	伊藤忠商事	商社・卸売	104,627	4,514	91,251
66	7	日産自動車	自動車	104,391	2,878	171,251
98	8	ソフトバンクグループ	通信	86,605	12,728	326,163
102	9	日立製作所	電機	85,508	2,007	86,984
105	10	JXTGホールディングス	石油	82,733	2,907	76,604

〔4〕 日本は、アジア大陸の東端に沿って点在する小さな島国である。総面積は37万7,780平方キロメートルで、これは、世界の総面積の0.3％にすぎない。しかも、その国土の73％は、山地で占められ、資源の少ない国である。特にエネルギーの自給率が極端に低く、一次エネルギーの自給率は9.5％にすぎない（資源エネルギー庁「エネルギー白書」〔2019〕）。これは、OECD加盟国（35国）のうち34位の水準であった（米国は92.6%、イギリスは68.2％、フランスは52.8%、ドイツは36.9%であった（IEA Energy Balances of OECD Countee））。国土が狭く、資源の少ない日本では、企業活動による経済活動が国民の生活を支えてきた。

〔5〕 日本は世界有数の「貿易立国」である。平成29年の日本の貿易輸出額は81兆4,788億円、貿易輸入額は82兆7,033億円で、それぞれ世界195国中第4位であった。この額は、同年度の日本の国家予算（約97兆円）に匹敵するものである。資源の乏しい日本は、原油などの燃料資源や工業原料などを海外から輸入し、それを企業が製品化して輸出する加工貿易で経済成長を遂げた。このように、日本経済を支えたのは企業の製造業であった。もっとも、為替相場が円高で推移したこと、さらに、より安い人件費・材料費などを求めて、特に、アジアの国々に工場を建設し、現地生産を行う日本企業が増加した。統計上に見られる米国や中国などに対する自動車部品の輸出は、日本企業（日系企業）が、自動車を現地生産するためのものである。また、電気機器や化学製品の輸出もアジア向けが大半で、そこに製造拠点を移した日系企業の工場で製品の組立てを行うためである。海外に生産拠点を移す企業は大企業に限らず、中小企業も積極的に海外進出する動きを見せている。このような現象により、国内産業が海外に移転し、国内の産業の空洞化が進むという懸念もある。

(2) 経済構造と企業

〔6〕 日本で事業活動を行う企業数は385万6,457で、このうち、法人が48.7％、個人の事務所が51.3％であった。もっとも、売上高は、法人が全体の98.2％を占めている。法人のうち、会社は企業数において42.2％、売上高において86.3％を占めている。会社を資本金で区分した分類によると、資本金1億円以上の会社は、数では全体の1.8％に過ぎないものの、売上高は、全体の

〈日本の貿易相手国と主な輸出品・輸入品〉（2018年）

輸出国（単位100億円）

順位	国名	総額（シェア）
1	中国	1,590（19.5%）
2	米国	1,547（19.0%）
3	韓国	579（7.1%）
4	台湾	468（5.7%）
5	香港	383（4.7%）
6	タイ	356（4.4%）
7	シンガポール	258（3.2%）
8	ドイツ	231（2.8%）
9	オーストラリア	189（2.3%）
10	ベトナム	181（2.2%）

輸入国（単位100億円）

順位	国名	総額（シェア）
1	中国	1,919（23.2%）
2	米国	901（10.9%）
3	オーストラリア	505（6.1%）
4	サウジアラビア	373（4.5%）
5	韓国	355（4.3%）
6	アラブ首長国連邦	305（3.7%）
7	台湾	300（3.6%）
8	ドイツ	287（3.5%）
9	タイ	277（3.4%）
10	インドネシア	238（2.9%）

輸出品（単位億円）

順位	品名	総額（シェア）
1	自動車	123,072（15.1%）
2	半導体等電子部品	41,502（5.1%）
3	自動車の部分品	39,909（4.9%）
4	鉄鋼	34,412（4.2%）
5	原動機	29,488（3.6%）
6	半導体等製造装置	27,286（3.3%）
7	プラスチック	25,574（3.1%）
8	科学光学機器	23,141（2.8%）
9	電気回路等の機器	20,776（2.5%）
10	有機化合物	20,513（2.5%）

輸入品（単位億円）

順位	品名	総額（シェア）
1	原粗油	89,063（10.8%）
2	液化天然ガス	47,389（5.7%）
3	衣類・同付属品	33,067（4.0%）
4	通信機	30,868（3.7%）
5	医薬品	29,622（3.6%）
6	半導体等電子部品	28,165（3.4%）
7	石炭	28,121（3.4%）
8	石油製品	20,740（2.5%）
9	電算機類（含周辺機器）	20,290（2.5%）
10	非鉄金属	19,997（2.4%）

（財務省「貿易統計」より）

66.0％を占めている。産業別では、製造業（24.4％）、卸売業・小売業（30.8％）、金融業・保険業（7.7%）の売上高が多い。

〔7〕　産業別の企業数を見てみると、法人の割合が高いのは、「電気・ガス・熱供給・水道業」（97.2％）、「情報通信業」（94.9％）、「金融業、保険業」（81.5％）などである。大規模に事業を展開するには、株式会社組織が適している（→20）。これに対して、個人経営の割合が高いのは、「生活関連サービス業、娯楽業」（82.4％）、「宿泊業、飲食サービス業」（80.9％）、「教育・学習支援業」（75.0％）などであった。従業員の数では、全産業のうち、「卸売業、小売業」が20.8％、

〈経営組織別・資本金階級別の企業（等）数、売上高および付加価値額〉

経営組織	企業等数	合計に占める割合（%）	売上高（100万円）	合計に占める割合（%）	付加価値額（100万円）	合計に占める割合（%）
合計	3,856,457	100.0	1,624,714,253	100.0	289,535,520	100.0
法人	1,877,438	48.7	1,595,338,037	98.2	277,116,043	95.7
会社企業	1,629,286	42.2	1,402,408,015	86.3	244,181,161	84.3
会社以外の法人	248,152	6.4	192,930,022	11.9	32,934,882	11.4
個人経営	1,979,019	51.3	29,376,216	1.8	12,419,477	4.3

資本金階級	企業数	合計に占める割合（%）	売上高（100万円）	合計に占める割合（%）	付加価値額（100万円）	合計に占める割合（%）
合計	1,576,364	100.0	1,397,668,010	100.0	243,246,305	100.0
1000万円未満	886,919	56.3	70,725,227	5.1	20,482,671	8.4
1000～3000万円	546,245	34.7	187,691,190	13.4	42,098,688	17.3
3000万円～1億円未満	114,705	7.3	216,298,228	15.5	39,936,483	16.4
1億円以上	28,495	1.8	922,953,365	66.0	140,728,463	57.9

（総務省統計局「平成28年経済センサス—活動調査」5頁、7頁より）

「製造業」が15.6%、「医療、福祉」が13.0%となっており、上位3産業で全産業の5割弱を占めている。また、第三次産業で77.3%を占めている。

〈産業分類別企業数、売上高および従業員数〉

産業大分類	企業等数	産業ごとの企業等数に占める割合（%）		売上高（100万円）	産業ごとの売上高に占める割合（%）		従業員数（人）	合計に占める割合（%）
		法人	個人		法人	個人		
合計	3,856,457	48.7	51.3	1,624,714,253	98.2	1.8	56,872,826	100.0
農林漁業（個人経営を除く）	25,992	−	−	4,993,854	−	−	363,024	0.6
鉱業，採石業，砂利採取業	1,376	91.2	8.8	2,044,079	99.8	0.2	19,467	0.0
建設業	431,736	67.1	32.9	108,450,918	97.9	2.1	3,690,740	6.5
製造業	384,781	65.5	34.5	396,275,421	99.6	0.4	8,864,253	15.6
電気・ガス・熱供給・水道業	1,087	97.2	2.8	26,242,446	100.0	0.0	187,818	0.3
情報通信業	43,585	94.9	5.1	59,945,636	100.0	0.0	1,642,042	2.9
運輸業，郵便業	68,808	76.9	23.1	64,790,606	99.8	0.2	3,197,231	5.6
卸売業，小売業	842,182	50.1	49.9	500,794,256	98.0	2.0	11,843,869	20.8

金融業，保険業	29,439	81.5	18.5	125,130,273	100.0	0.0	1,530,002	2.7
不動産業，物品賃貸業	302,835	54.2	45.8	46,055,311	97.7	2.3	1,462,395	2.6
学術研究，専門・技術サービス業	189,515	46.8	53.2	41,501,702	95.1	4.9	1,842,795	3.2
宿泊業，飲食サービス業	511,846	19.1	80.9	25,481,491	85.4	14.6	5,362,088	9.4
生活関連サービス業，娯楽業	366,146	17.6	82.4	45,661,141	96.5	3.5	2,420,557	4.3
教育，学習支援業	114,451	25.0	75.0	15,410,056	97.7	2.3	1,827,596	3.2
医療，福祉	294,371	42.8	57.2	111,487,956	94.9	5.1	7,374,844	13.0
複合サービス事業	5,719	42.3	57.7	9,595,527	99.8	0.2	484,260	0.9
サービス業（他に分類されないもの）	242,588	80.6	19.4	40,853,581	98.7	1.3	4,759,845	8.4

（総務省統計局「平成28年経済センサス――活動調査」2頁、6頁より作成）

〔8〕　日本の農業就業人口は168万人で、10年前と比較して35％も減少した（農業従事者の高齢化と関連がある〔平均年齢66.6歳〕）。農業経営体数は、137.7万で、5年前と比較して18％減少した。農業経営体を組織形態別に見ると、法人化しているものは1万8,857でその内訳は、農事組合法人が5,163で、会社が1万2,115、各種団体が810であった。会社では、株式会社がその大部分を占めている。農業を営む会社は5年前と比較して44.3％増加している。法人経営体の増加に伴い、農産物販売金額全体に占める法人企業体の販売金額シェアは27％となり、10年前の15％から大きく増加し、農業生産における存在感が増している（農林水産省「農林業センサス（2015）」）。

〈農業事業体の組織形態別の法人経営体の推移〉

	平成17（2005）年	平成22（2010）年	平成27（2015）年
農事組合法人	1,663	3,077	5,163
会社	6,016	8,395	12,115
各種団体	643	652	810
その他	378	387	769
合計	8,700	12,511	18,857

（農林水産省「農林業センサス（2015）」より）

〔9〕　日本では、株式会社による農地所有や農業経営が制限されてきた。これは、農地改革以来、自作農を創設することに力を注いできたためである。もっとも、上記のように、農業従事者は減少し、高齢化の傾向にある。耕作が放棄される農地も増えている。以上のことを背景に、株式会社による農地の所

有や賃貸を許容し、農業への参入を広く認めるべきとの議論が起こった。平成12年の農地法の改正で、株式会社などが農業生産法人として農地を所有することが認められた。その要件として、株式会社については、株式の譲渡制限が付されていること（→311）、①構成員の要件として、農業関係者（常時従事者、農地を提供した個人、地方公共団体、農協等）の議決権が3／4以上であること、②役員の要件として、（イ）その過半が農業に常時従事する構成員であること、さらに、（ロ）その常時従業者である役員の過半が農作業に従事していることなどが定められていた。平成28年施行の改正農地法では、①の要件が1／2超に引き下げされ、②の要件のうち、（ロ）について、役員または重要な使用人（農場長等）のうち、1名以上が農作業に従事していれば良いものとされた。これらの改正により、株式会社の農業への参入がさらに加速することが期待されている。

〔10〕　ところで、株式会社による学校経営は認められなかった（学校教育法）。教育には、一定水準以上のものが平等にかつ安定的・継続的に供給される必要があり、営利を目的とする企業による参入は問題があると指摘されてきた（中央教育審議会大学分科会「株式会社等による学校経営への参入について（検討メモ）」〔平成15年11月26日〕）。平成15年の構造改革特別区域法の改正で、特別区において、内閣総理大臣の認可を受けることで、株式会社による学校経営の道が開かれることとなった。もっとも、私学助成金の交付がないなど、財政的に不利な点があり、株式会社による学校教育事業への参入は進んでいない（多くは、通信制の高等学校という現状にある）。

産業の東京集中化

〔11〕　日本では、人口の東京圏集中が進んでいる。総務省の人口移動状況に関する調査によれば、平成30年、東京圏（東京、埼玉、千葉、神奈川）では、転入者が転出者を13万9,868名上回った（転入超過は23年連続）。年齢別では、「15歳から29歳」が全体の90％以上を占めている。平成26年の東京都の事業所数は、全国の12.3％であった。また、東京都の従業員数は全国の15.5％を占めている。経済の東京集中とともに、地方の過疎化と産業衰退が問題となっている。

〔12〕　本社機能を東京に移転する企業も増えている。たとえば、大型銀行の合併などが進み、再編後の企業の本店を大阪から東京に移す動きがあった（住友銀行→三井住友銀

行、三和銀行→東京三菱 UFJ 銀行)。また、関西で起業した丸紅、住友商事、日清食品 HD なども同様に、本社機能を東京に移転させている。

2　会社の種類と数

(1)　会社の種類

〔13〕 生産、サービスその他の経済活動を継続的かつ計画的に行うために企業は存在する。国民経済全体から見ると、数の上でも生産高の点でも、私企業、すなわち民間企業のウエイトが圧倒的に大きい。私企業は、事業に失敗すると倒産する。現代の経済社会では、競争によるプレッシャーと事業の損益は自己が負担するという自己責任を通じて、私企業の活動が行われ、その結果、国民経済全体が発展する仕組みとなっている。

〔14〕 私企業は、個人企業と共同企業に分けることができる。個人企業は私企業の中でも最も単純な企業形態である。個人企業では、事業リスクの危険が事業者である個人に帰属する。そのため、事業の規模を拡大するには限界がある。また、個人企業は、事業者の死亡によりその存在基盤を失うことになるので、永続的な企業形態としても適切なものとはいえない。以上のことから、共同企業が生まれることとなった。共同企業では、複数の人間が資金を持ち寄り、失敗した場合でも損失を分かち合うことができるため、大規模な事業が可能になる。

〔15〕 現代社会において、共同企業形態の典型とされるのが会社である。会社は、営利を目的とする企業である（営利性→ 158）。会社法上の会社は「株式会社」（会社法第２編）と「持分会社」（会社法第３編）に分類される。持分会社には、合名会社、合資会社および合同会社がある。会社の出資者は「社員」とよばれる（この点で、日常的に使われる用語と異なることに注意が必要である）。持分会社である３種類の会社の違いは、主に社員の責任（有限責任、無限責任）による。

〔16〕 合名会社では、原則として各社員が業務を執行する権利を有し、義務を負う。定款で定めれば、一部の社員を業務執行社員にすることもできる

（590条1項）。業務執行は、社員の過半数または業務執行社員の過半数の決議で行う（同条2項）。日常業務は各社員が単独で行うことができる（同条3項）。会社の債権者に対しては、各社員が直接に連帯して無限の責任を負う（580条1項）（無限責任社員）。社員の意思のみで退社が認められ（606条3項）、退社した社員には出資の払戻しがなされなければならない（611条）。その反面、持分の譲渡には他の社員全員の承諾が必要である（585条1項）。

〔17〕　以上のような法的諸特徴を持った合名会社にあっては、各社員、すなわち各資本所有者がその所有に基づいてそれぞれ異なった経営方針を主張する可能性がある。このことは、それ自体として1つの統一的経営意思を持たなければならない企業にとって、その円満な運営を不可能にし、ついには社員の退社による企業解体を導く危険性がある。この危険を避けるためには、血縁者または信頼のできる知人の範囲内から出資者を集めるほかはない。

〔18〕　合資会社では、無限責任社員のほかに、有限責任社員が存在する（576条3項）。有限責任社員は、会社の債権者に対して直接連帯責任を負担するものの、その責任は出資額を限度とする（580条2項）。無限責任社員の経営する企業に有限責任社員が出資して、利益の分配にあずかるのが合資会社である。そこには、所有と経営の分離の萌芽が見られる。しかし、合資会社にあっても、社員の結合において、人的関係が重視されるから、無限責任社員の持分の譲渡に制限がある（585条1項）。有限責任社員の持分譲渡も、緩和されているとはいえ制限が存在する（同条2項）。

〔19〕　合同会社は、有限責任社員のみからなる会社である（576条4項）。この点で、株式会社と共通の特徴を持つ。社員が有限責任を享受するために、配当規制や債権者保護の手続が法定されている。一方で、会社の内部関係や社員間の関係については民法上の組合と同様の規律が適用される。機関設計、社員の権利関係に強行規定がほとんど存在せず、広く契約自由の原則が妥当する。この点で、合名会社や合資会社に類似する。

〔20〕　株式会社の特徴は、①株主の有限責任、②株主の出資の払戻しの禁止、③株式譲渡の自由および④資本多数決の原則である。株式会社にあっては、株主は、その有する株式の引受価額を限度として責任を負うにすぎない（①）。株主は、会社の債権者に対しては責任を負わないため、債権者にとって重要な

のは会社の財産のみである。そこで、株主への出資の払戻しによって会社財産が減少しないように、原則として株主の退社は認められない（②。自己株式の取得→352）。その代わりに、株式の譲渡による換金の方法が保証されている（③）。①のゆえに、株式会社は社会に散在する資本を集めることができる。出資者としての株主は会社の実質的所有者である。株主は株主総会における議決権行使を通じて会社の経営に関与する。そこでは、各株主がそれぞれ１個の議決権を有するのではなく、各株主はそれぞれ持株数に応じた数の議決権を有している（④）。

〔21〕　株式会社では、株主総会で取締役が選任される。３名以上の取締役で取締役会が組織される（取締役会を置かない会社も許容される→462、464、607）。取締役会で、会社の代表機関である代表取締役が選任される。会社法は、会社の意思決定権限を、株主総会、取締役会および代表取締役に分配している。取締役の行為を監視する機関として、株主総会において監査役が選任される。このような一般的な会社と大きく異なるガバナンス体制を有する指名委員会等設置会社や監査等委員会設置会社の採用も可能である（→28-2，718-755）。

〔22〕　平成17年の会社法制定前、有限会社法（昭和13年法律74号）に基づく有限会社が規定されていた。有限会社は、商法上の会社ではなかったものの、実質的に商法上の会社と異ならず、商法以外の法律では商法上の会社とみなされていた（旧有89条）。有限会社は、社員が有限責任を負うという点で株式会社と類似する。しかし、有限会社は設立手続およびその機関が株式会社に比べて簡易化されており、さらに社員の数が制限されるなど会社の閉鎖性が強調されていた。有限会社は、小規模企業の経営形態として利用することが予定されていた。

〔23〕　会社法の制定とともに、有限会社法が廃止された。会社法施行時に、有限会社法に基づき設立されている有限会社（旧有限会社）は株式会社として存続するものとなった（整備２条１項）。会社法では、小規模株式会社の存在を認め、その規律を有限会社法のものに近づけることにしている。もっとも、かかる会社法の規律は有限会社法のそれと同一のものではない。そこで、旧有限会社のために、有限会社法に特有の規律の適用を維持するための特別の手当て

がなされている（整備3条〜44条）。かかる特別の規律を受けることを選択した有限会社（特例有限会社）は、通常の株式会社と区別するため、商号中「有限会社」の文字を用いなければならない（整備3条1項）。特例有限会社は、定款変更で株式会社に商号変更（登記）することにより、通常の株式会社に移行することができる（整備45条、46条）。

(2)　会社の数

〔24〕　株式会社は、その本店の所在地において設立の登記をすることによって成立する（49条）（→916、945）。株式会社の登記は、商業登記簿のうち株式会社登記簿で行われる（商登6条5号）。商業登記簿に登記されているもののなかには、事業を全く行っていない会社が含まれている。このような会社を「休眠会社」という。休眠会社は、会社法の規定により整理される。すなわち、一定期間全く登記をしなかった株式会社は、所定の手続を経たうえで、解散したものとみなされる（472条1項）（→975）。

〔25〕　このように、商業登記簿に登記されている会社の数には休眠会社が含まれているので、その数字からは活動している会社の数はわからない。活動中の会社の数は税務統計から明らかとなる。それによると、日本の会社の数は、①株式会社——255万4,582社、②合名会社——3,371社、③合資会社——1万4,170社、④合同会社——9万8,652社となっている。株式会社の数は、他の会社を圧倒している（93.3%を占めている）。もっとも、その多くは小規模株式会社である。資本金が1,000万円以下の株式会社は全株式会社数の85.9%を占める。他方で、資本金1億円超の会社は0.8%にすぎない。

〔26〕　株式会社は、株主の有限責任や株式譲渡の自由が認められ（→20）、本来大規模企業に適している。そのような組織をなにゆえ小規模企業が好んで選ぶのかが問題である。個人企業の所有者は、節税のためにその企業を法人にしようとする（「法人成り」とよばれる）。事業所得が同じ額であったときには、個人企業より法人企業のほうが一般的には税負担は軽くなる場合がある。株式会社、合名会社、合資会社および合同会社はすべて法人である（3条）（→163）。したがって、税負担を軽くするためであれば、上記の4つの会社の形態のうちのどれを選択してもよいはずである。平成17年の会社法制定前

〈会社の種類と規模別の数〉

区　分	1,000万円以下	1,000万円超 1億円以下	1億円超 10億円以下	10億円超	合計	構成比
（組織別）	社	社	社	社	社	%
株式会社	2,195,273	338,461	15,174	5,674	2,554,582	93.3
合名会社	3,197	151	9	14	3,371	0.1
合資会社	13,666	502	−	2	14,170	0.5
合同会社	97,865	672	101	14	98,652	3.6
その他	50,230	16,438	676	430	67,774	2.5
合計	2,360,231	356,224	15,960	6,134	2,738,549	100.0
構成比（%）	（86.2）	（13.0）	（0.6）	（0.2）	（100.0）	−

（国税庁長官官房企画課「平成30年度分会社標本調査−調査結果報告−税務統計からみた法人企業の実態」〔令和２年５月〕14頁より）

まで、有限会社法に基づく有限会社が存在していた（→22）。小規模事業の事業主が出資者として有限責任を享受したいのであれば、有限会社を選択することができた（もっとも、現実には、債権者からは事業者の個人保証が求められるため、有限責任を享受することは難しい）。それにもかかわらず、日本では小規模企業が好んで株式会社形態を選択してきた。その理由は、第１に、法律制度の不備にあり、第２に、わが国の経営者の社会的意識にある。

〔27〕　平成２年の改正前、有限会社については最低10万円の資本金が必要であると定められていた。しかし、株式会社については最低資本金の定めがなかった。ただし、株式会社を設立するには７名以上の発起人が、それぞれ１株以上を、１株当たり５万円以上の発行価格で引き受けなければならなかった。そのため、株式会社を設立するには最低35万円が必要であった（現行法では発起人は１名で足りる→919）。昭和57年10月１日より前は、１株当たりの発行価格は500円以上であればよかったから、3,500円で株式会社を設立することができた。会社設立の際に必要な資本の額が以上のようなものであれば、必要な資本の額の差は、株式会社と有限会社のいずれを選ぶかの判断に際し、それほど大きな意味を有しない。「株式会社」という名称の方が社会的により立派に見えるので、本来有限会社に適している小規模企業までが株式会社形態を選ぶようになった。

〔28〕　有限会社と異なり、株式会社では、より厳しい規定（たとえば、計算

書類の公告の定め）を守らなければならない。しかし、小規模会社の大部分はこれを守らなかった。それを守らないために罰せられたということも聞かなかった。株式会社形態の濫用の結果として一種の無法地帯が出現してしまった。平成2年の改正では、このような株式会社形態の濫用を正すために、株式会社の最低資本金を1,000万円と定め（改正前商168条ノ4）、同時に有限会社の最低資本金も10万円から300万円に引き上げた（旧有9条）。しかし、1,000万円という資本金の額は、大規模会社と小規模会社の区分を行う基準としては適切とはいえない。会社法では、最低資本金制度が撤廃された（→800-802）。そのため、1円の資本金で会社を設立できる。さらに、会社法では、このような法律と実態の乖離問題を是正するため、有限会社を株式会社に一本化し、小規模株式会社法制を整備した（→129）。

〔28-2〕日本の株式会社は、原則として、機関設計を選択することができる（→456）（特定の機関を設置することが義務づけられるものもある→458-461）。従来は、監査役・監査役会設置会社が主流であった。平成14年の改正で、現在の指名委員会等設置会社が規定された（→718）。さらに、平成26年の改正で、監査等委員会設置会社の制度が創設された（→743）。指名

〈会社法上の機関設計の選択状況〉

（社）

	年	社数	指名委員会等設置会社	監査等委員会設置会社	監査役会設置会社
市場第一部	2019	2,148	63（2.9%）	576（26.8%）	1,509（70.3%）
	2018	2,099	60（2.9%）	512（24.4%）	1,527（72.7%）
	2017	2,021	65（3.2%）	440（21.8%）	1,516（75.0%）
市場第二部	2019	488	4（0.8%）	163（33.4%）	321（65.8%）
	2018	511	3（0.6%）	161（31.5%）	347（67.9%）
	2017	523	2（0.4%）	156（29.8%）	365（69.8%）
マザーズ	2019	291	5（1.7%）	75（25.8%）	211（72.5%）
	2018	259	4（1.5%）	48（18.5%）	207（79.9%）
	2017	241	3（1.2%）	39（16.2%）	199（82.6%）
JASDAQ	2019	712	4（0.6%）	187（26.3%）	521（73.2%）
	2018	729	4（0.5%）	169（23.2%）	556（76.3%）
	2017	752	4（0.5%）	163（21.7%）	585（77.8%）
全上場会社	2019	3,639	76（2.1%）	1,001（27.5%）	2,562（70.4%）
	2018	3,598	71（2.0%）	890（24.7%）	2,637（73.3%）
	2017	3,537	74（2.1%）	798（22.6%）	2,665（75.3%）

（東京証券取引所「東証上場会社における独立社外取締役の選任状況及び指名委員会・報酬委員会の設置状況」（2017・2018・2019）より）

委員会等設置会社を採用する数は少数にとどまっている。これに対して、監査役・監査役会設置会社から監査等委員会設置会社に移行する会社が増えている（→ 746）。

3　会社の株主

(1)　持株比率

〔29〕　東京証券取引所に上場されている会社数は3,714社である（令和２年６月末現在）。日本には、東京証券取引所のほか、名古屋証券取引所（上場会社数291社（うち67社が単独上場））、福岡証券取引所（上場会社数110社（うち25社が単独上場））、札幌証券取引所（上場会社数58社（うち16社が単独上場））がある。

〔30〕　全国の上場会社の株式を保有する個人株主の数（延べ人数）は約5,619万人であった。もっとも、個人株主が所有している株式数は合計しても20％に満たない。これに対し、金融機関（銀行、保険会社など）、事業法人、証券会社（金融商品取引業者）の所有株数を合計すると53.6％になる。上場会社の事業報告に載っている大株主のリストの中には、ごく少数の同族会社の場合を除いて、個人の名前はもはや見いだされない。

〔31〕　日本では、銀行や事業会社が互いに株式を持ち合う慣行が行われてきた。敵対的企業買収から身を守るために、このような株式の持合いが進展していた。もっとも、保有株式を時価で評価する制度が導入されたことや、バブル崩壊後の景気の悪化に伴い、各社において持合い株式を売却する動きが加速した。かつては、持合い株式は上場会社の株式時価総額の50％を超えていたが、平成30年度末にはその比率は約9.2％となっている（令和元年９月４日付日本経済新聞）。また、平成27年６月１日から、東京証券取引所において、コーポレートガバナンス・コード（→ 50）の適用が始まった。これにより、上場会社は、政策保有株式の縮減に関する方針・考え方などの政策保有に関する方針の開示、さらに、毎年、取締役会で、個別の政策保有株式について、保有目的、保有に伴う便益・リスクが資本コストに見合っているか等を具体的に精査し、保有の

〈上場会社の株主数と保有割合〉

	株主数・人（割合）	持株比率
合　計	58,181,824（100%）	100.0%
①政府・地方公共団体	1,341（0.0%）	0.1%
②金融機関	96,380（0.2%）	29.5%
a 都銀・地銀等	14,448（0.0%）	2.9%
b 信託銀行	41,643（0.1%）	21.7%
（a+b のうち投資信託）	10,706（0.0%）	8.7%
（a+b のうち年金信託）	11,295（0.0%）	1.0%
c 生命保険会社	20,058（0.0%）	3.2%
d 損害保険会社	3,847（0.0%）	1.0%
e その他の金融機関	16,384（0.0%）	0.7%
③証券会社	87,426（0.2%）	2.0%
④事業法人等	759,125（1.3%）	22.3%
⑤外国法人等	510,419（0.9%）	29.6%
⑥個人・その他	56,727,133（97.5%）	16.5%

（東京証券取引所ほか「2019 年度株式分布状況調査」より）

適否を検証するとともに、その検証内容を開示することが求められる（CGコード原則1－4）（→907-2）。

〔32〕 なお、外国法人による持株比率は 29.6%であった。売買高を見ると、外国法人等によるものは、全体の7割近くを占めている。日本の景気回復への期待感の高まりなどを背景に、外国法人は積極的に日本株への投資を行ってきた。

〔33〕 日本の上場会社では、外国人持株比率が 50%を超えるものもある。これには、外国企業の日本法人、関連法人のほか、機関投資家などが純投資として保有するものもある。これらの機関投資家には、株主総会の議決権行使を通して、会社の経営者に対する圧力を強めるものがある。

〔34〕 イギリスでは、機関投資家が資金の運用を委託する者に対する責任を十分に果たしているかという問題意識から、機関投資家が果たすべき役割が7つの原則としてまとめられた（スチュワードシップ・コード。スチュワードシップという用語は、中世のイギリスで荘園領主に雇われてその地所を管理する者をスチュワードとよんでいたことに由来する）。日本でも、平成 26 年2月に、金融庁が「『責任ある機関投資家』の諸原則《日本版スチュワードシップ・コード》

〈外国人持株比率が高い会社の例〉

（2020 年 7 月 7 日時点）

社名	外国人持株比率（%）
LINE	94.50
日本オラクル	89.60
ネクソン	86.60
中外製薬	77.90
シャープ	67.50
日産自動車	65.50
東芝	62.90
HOYA	62.80
マクドナルド	59.20
ソニー	56.70
富士通	51.00
任天堂	50.90

（Stock Weather Web サイトより）

～投資と対話を通じて企業の持続的成長を促すために～」を策定・公表した。これは、機関投資家が投資先企業との間で建設的な「目的を持った対話」が行われることを促すものである。もっとも、それ自体に法的拘束力はなく、これに賛同し、受け入れる用意のある機関投資家に対して、その表明を期待する形式を採用している。令和 2 年 6 月 30 日時点で、受入れ表明をした機関投資家は合計で 284 にのぼる。

〔34-2〕　機関投資家には、信託銀行、保険会社、証券会社など、特定の企業と密接な関係にあるものも少なくない。機関投資家は資金の受託者として、委託者のためにその資金の運用を行わなければならない。保有する株式に関する議決権行使についても同様である。もっとも、特定の企業との関係から、適切に議決権行使がなされているか疑問もあった。平成 29 年のスチュワードシップ・コードの改訂により、機関投資家は議決権行使の結果を個別の投資先企業および議案ごとに公表しなければならなくなった（SS コード指針 5-3）。このような開示は、機関投資家の適切な議決権行使を後押しする効果が期待できる。

影の大株主

〔34-3〕　年金積立金管理運用独立行政法人（Government Pension Investment Fund:GPIF）は、厚生年金と国民年金の積立金の管理・運用を行う、世界最大規模の資金運用機関であ

る（運用資産は約160兆円）。年金積立金については、長期的な観点から、安全かつ効率的に運用を行うことが要請されている。かつては、比較的安全な国内債券などで運用されていたが、安倍政権のもと、株式運用比率を増加させた（現在では、国内債券25％、国内株式25％、外国債券25％、外国株式25％というポートフォリオが組まれている）。GPIFは、信託銀行や資産運用会社に運用を委託しているため、直接に株式を保有することはできないものの、実質的に、多くの会社の大株主となっている。さらに、日本銀行が、日本株式に投資する上場投資信託（ETF）を積極的に購入している。ここでも、日本銀行が実質的に会社の大株主となっている（保有残高は31兆円で、これは東京証券取引所市場第一部の時価総額の6％弱を占める（日本経済新聞2020年5月21日））。GPIFと日本銀行は、実質的に、国内最大の株主である。これらの動向は、株価を引き上げる（換言すると、引き下げを抑制する）要因となっている。また、株主としての経営監視の欠如という、コーポレートガバナンス上の問題もある。

議決権行使助言会社

〔34-4〕 機関投資家は、リスク回避の手段の一つとして、その資金を分散投資する。そのため、機関投資家（特に海外の機関投資家の場合）は、投資先の企業の個別の議案について、それを検討する十分な時間がなく、また、検討のためのコスト負担を行うインセンティブに欠けることが多い。このような機関投資家に対して、個々の企業の議案について議決権行使の推奨を行うものに議決権行使助言会社がある。議決権行使助言会社には、米国のISS（Institutional Shareholder Services）、グラス・ルイス（Glass Lewis）などがある。これらの会社は、議決権行使指針を公表している。機関投資家は議決権行使助言会社の推奨に応じる義務はないものの、事実上、その推奨は、日本の会社の株主総会の結果に大きな影響を有するものとなっている。

〔34-5〕 議決権行使を助言する会社は数社の寡占状態にある。また、議決権行使助言会社自身も個別の議案に対する十分な調査時間がない、さらに、会社に対してコンサルティング業務を行っているために機関投資家に対して利益相反があり、適切な助言がなされているか疑問も提起されている。平成29年のスチュワードシップ・コードの改訂で、「議決権行使助言会社は、業務の体制や利益相反管理、助言の策定プロセス等に関し、自らの取組みを公表すべき」とされた（SSコード指針5-5）。議決権行使助言会社の影響力が大きくなるなか、その規制の在り方が問題となっている。

⑵ 企業グループ

〔35〕 第二次世界大戦前までは、財閥が日本経済を支配していた。第二次世界大戦後、これらの財閥は解体された（→889）。その後、三井、三菱、住友といった旧財閥系企業集団と、大手都市銀行が日本経済の高度成長期に取引

先企業を中心に結成した芙蓉、三和、第一勧銀といった銀行系の企業集団が誕生した（六大企業集団とよばれた）。このような企業集団では、メンバー企業が相互に株式を保有することで強い結びつきを維持した。企業集団内の株式の持合いは、敵対的企業買収（→63）を防ぐ効果もあった。

〔36〕　経済成長の過程において、六大企業集団は、日本経済において大きな影響力を持ち、競争秩序に与える影響も無視できないものとなった。もっとも、バブル経済崩壊後、金融機関や事業法人による株式の相互保有率は減少した。さらに、六大企業集団の中核をなす銀行の再編が進み、企業集団も大きく変容した。合併などにより、三井住友、三菱UFJ、みずほの３大メガバンクが誕生した。金融グループは、金融持株会社が各業態の金融機関を子会社等とすることで形成されている（三井住友フィナンシャルグループはグループの名称ではなく、金融持株会社の商号として使用されている）。

〔37〕　企業集団は、株式の相互保有という横のつながりのみならず、議決権の保有などによる経営への影響力の行使といった縦のつながりによっても構築される。上場会社が提出する有価証券報告書には、「関係会社の状況」において連結子会社と持分法適用会社が記載される。連結子会社は、株主総会の議決権の50％超の保有など、経営方針に積極的に関与できる会社をいい、この場合、親会社において子会社の財務諸表上のすべての項目が合算される（全部連結）。これに対して、経営の決定権を有するほどではないものの、影響力を有する議決権を保有している場合（たとえば、20％超）、対象会社の持分割合の純資産のみを連結させるものとしている（一行連結）。トヨタ自動車の連結子会社は、日野自動車（トヨタ自動車による議決権保有割合は50.29％）、ダイハツ工業（同100.00％）など500社以上におよぶ。従業員は、トヨタ自動車本体を含め連結で37万人を超える。持分法適用会社は、デンソー（同24.57％）、豊田自動織機（同24.92％）、アイシン精機（同24.96％）、豊田通商（同22.05％）など57社であった（トヨタ自動車の2019年３月期有価証券報告書による）。これらの会社では、さらに、多くの連結子会社と持分法適用会社を有するものもある（たとえば、デンソーは150社を超える子会社と、70社を超える持分法適用会社を有している）。このような形で、トヨタ自動車を頂点として巨大な企業集団が構築されている（企業集団の内部統制システムの構築義務→588）。

子会社上場

〔38〕 親会社を有する子会社が証券取引所にその株式を上場することがある。大手電機メーカーや総合商社などの子会社が上場するケースが多かった。東京証券取引所「東証上場会社コーポレート・ガバナンス白書2019」によると、親会社を有する会社の84.1%（全体の8.7%）は親会社も上場会社である（かつて、親会社等が東証の上場会社であることが子会社の新規上場の要件とされていたことが大きな理由である）。親会社は、子会社の株式の一部を投資家に売却することで、あらたな資金調達が可能である。また、子会社を上場企業とすることで、人材確保や従業員のモチベーションの向上が図られる。もっとも、子会社は親会社が実質的にその経営を支配している。そのため、子会社のコーポレート・ガバナンスの点で問題があるとの指摘がある。すなわち、子会社の大株主である親会社と子会社の少数株主（一般投資家）の間で利益相反が生じる危険性がある。東京証券取引所は、子会社の上場を認める際、①事実上、親会社等の一事業部門と認められる状況にないこと、②子会社の不利益となる取引行為を強制・誘引しないこと、③出向者の受入状況が親会社等に過度に依存しておらず、継続的な経営活動を阻害するものでないと認められることを求めている（上場審査等に関するガイドライン）。

⑶　会社の民営化

〔39〕 第二次世界大戦後の日本経済の再建復興のためには、国土の開発、交通網の整備、産業振興が不可欠であった。しかし、民間企業にこれらを委ねるのは、資金の面や採算性において困難であったため、国の業務としてこれを行わざるを得なかった。そこで、業務・財務・人事等の各部門の管理において、民間の手法を取り入れて、効率的な業務運用ができるように、国の行政組織から分離して、独立の法人格をもった特殊法人にこれらの業務を行わせることにした。

〔40〕 特殊法人にあっては、国の監督が強いために、自立性・自主性が失われ、事業が非効率である、経営内容が不透明である、経営責任体制が不明確であるなどの欠点が指摘された。国の行財政の簡素合理化が必要となるとともに、行政改革の一環として特殊法人の改革が主張されるようになった。こうして、まずは、特殊法人の代表格とされていた日本国有鉄道、日本電信電話公社、日本専売公社の3公社の民営化が行われることとなった。

〔41〕 昭和60年に、日本電信電話公社と日本専売公社が民営化され、それ

〈NTT グループの概要〉

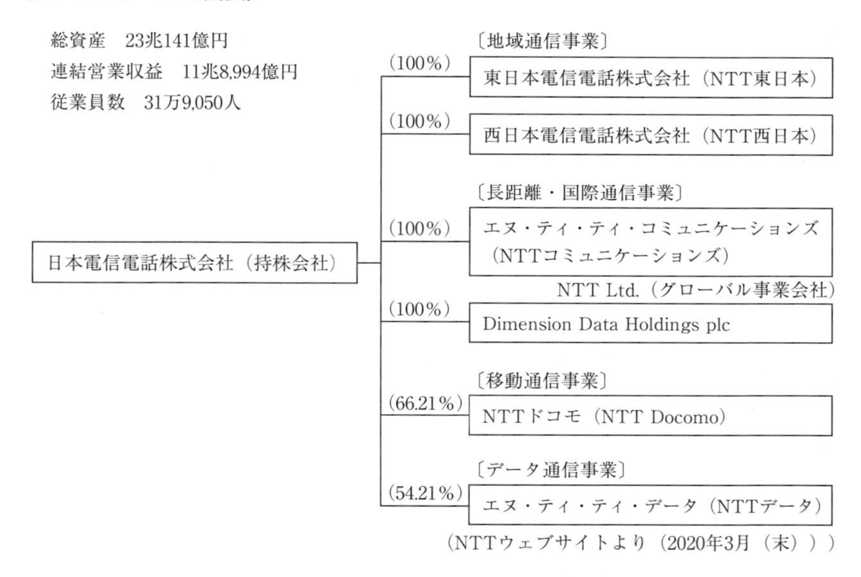

（NTTウェブサイトより（2020年3月（末）））

ぞれ日本電信電話株式会社（NTT）および日本たばこ産業株式会社（JT）となった。NTT は昭和 62 年に、JT は平成 6 年にそれぞれ株式を上場した。なお、NTT は平成 11 年に純粋持株会社となり、NTT 東日本、NTT 西日本、NTT コミュニケーションズ、NTT ドコモ等はその子会社となった。また、昭和 62 年、日本国有鉄道も民営化され、6 つの旅客鉄道株式会社（JR）と 1 つの貨物鉄道株式会社となった。JR 東日本は平成 5 年に、JR 西日本は平成 8 年に、JR 東海は平成 9 年に、それぞれ株式の上場を果たした。その後、段階的に、3 社合計で発行済株式総数 824 万株のすべての政府保有株が売却された。

〔42〕　郵政事業は、郵政省の管轄のもと国営で行われていた。郵政事業は、郵便、貯金および簡易保険の 3 分野が中心で、全国の郵便局がその窓口となっていた。郵便局は、特定郵便局、普通郵便局および簡易郵便局があったが、全郵便局（約 2 万 4,000）の約 4 分の 3 が特定郵便局であった。郵政民営化には、特定郵便局長を支持基盤とする自民党、郵政系の労働組合を支持基盤とする民主党、さらに、郵政省の官僚などの強力な反対勢力があった。小泉内閣のもと、衆議院のいわゆる「郵政解散」が行われ、総選挙で与党が圧勝し、郵政民営化

は大きく動き出した。

〔43〕　平成17年、「郵政民営化法および郵政民営化等の施行に伴う関係法律の整備等に関する法律」が国会を通過し、10月21日に公布された。これに基づき、平成19年10月に政府が全額出資する①日本郵政株式会社（持株会社）が設立され、その下に、②郵便事業株式会社（日本郵便）、③郵便局株式会社（郵便局）、④郵便貯金銀行（ゆうちょ銀行）、⑤郵便保険会社（かんぽ生命保険）という株式会社が設立された。平成17年10月からの準備期間、平成19年10月からの移行期間を経て、最終的な民営化の実現は、平成29年10月となる予定であった。しかし、平成21年の衆議院選挙により民主党が勝利し、連立政党である社会民主党・国民新党は、郵政株式売却凍結法を成立させた。これによって、①の株式（政府が保有）と④および⑤の株式（日本郵政株式会社が保有）を、別に法律で定める日まで処分してはならないと定めた。もっとも、平成24年4月、自民党政権のもと、郵政民営化法の改正案が可決・成立した。同法により、②と③が合併し⑥「日本郵便株式会社」として統合され、さらに④と⑤の株式売却を凍結していた郵政株式売却凍結法が廃止された。以上により、政府は、保有する①の株式を3分の1超を保有することが義務づけられるものの、他については、できる限り早期に処分するものとされた。さらに、①は、④と⑤の株式を平成29年9月末までに完全処分するものとされたが（完全民営化）、その後、2社の経営状態、全国サービス確保への影響を勘案するとして、具体的な期限は廃止された。なお、⑥については、全株式保有を継続することとなる。

〈郵政民営化〉

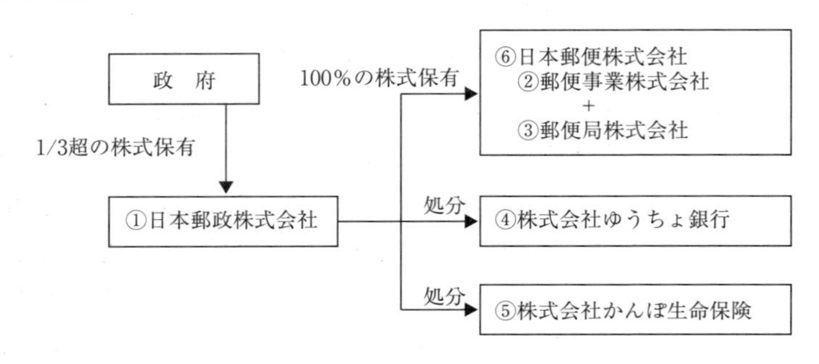

4　会社の経営者

(1)　経営者支配

〔44〕　米国の法律学者バーリーと経済学者ミーンズは、1932年に「近代株式会社と私有財産」という有名な古典的業績を発表した。そのなかで、バーリー＝ミーンズは、1929年末の米国における経済力の集中、株式所有の分散および所有と支配の分離の事実を実証的に論証した。そこでは、数の上ではわずかなものにすぎない大規模会社が、株式会社の資産の多くを占めるに至ったことを明らかにし、さらに、会社が大きくなればなるほどに、その株式の所有は大衆の間に分散すると結論づけた。株式の分散が進むと、会社を支配するだけの持株を有する個人や集団は存在しなくなり、ここに、所有と支配との間に分離が生じることになる。そこでは、最小限度の所有に基づいて会社財産に対する支配が可能となり、ついに、所有が全くなくても支配が可能となる。すなわち、「支配なき富の所有および所有なき富の支配が株式会社発展の論理的帰結として出現する」こととなる。以上のことから、バーリー＝ミーンズは、大規模会社において経営者支配が実現するとしている。少数の株式しか所有しない株主は、株主総会での議決権行使に興味を示さないために、全くこれを行使しないか、あるいは、経営者によって選出された委員会にその行使を委ねてしまうため、結局、経営者は自分たちの後継者を事実上指名することができる。

〔45〕　1929年の調査では、経営者支配の会社は、数の上で44%、資産額で58%を占めていたが、1963年では、それぞれ84.5%および85%を占めることが明らかとなり、大規模会社において、経営者支配は確立したと評価されている（Larner, Ownership and Control in the 200 Largest Nonfinancial Corporations, 1929 and 1963, 6 Am. Econ. Rev.777）。もっとも、米国では、その後、年金基金、投資信託などの機関投資家が所有する株式の比率が高まっている。公的年金基金の株主としての行動は、1990年代に入ってから活発化した。その内容は、1970年代に盛んであった企業の社会的責任を追及するというものではなく、業績不振企業を対象として、取締役会のあり方を改善し、株主のために経営陣の監督をより適正に遂行しようとする観点に立つものである。

〔46〕 従来、公的年金は、その所有する株式の発行会社の経営や業績に不満がある場合、所有する株式を市場で売却することで対応してきた（これを「ウォール・ストリート・ルール」という）。しかし、所有株式数が増加するとともに、市場に影響を与えずに所有株式を売却することが困難となり、経営そのものの改善を要求する方向に舵を切った。この点で、米国の経営者も、株主を無視した経営をすることはできなくなった。

〔47〕 日本においても、株式会社における個人株主所有の分散が進行するとともに、法人による持株比率は高水準となった（法人化現象→30）。米国と異なり、日本では銀行の株式保有が認められ（独禁法上の規制は存在する→903）、また、株式の相互保有や安定株主工作による保有も行われてきた。大規模会社において、個人の大株主が消滅し、個人所有の分散が進行している点は米国と同様である。相互保有株式や安定株主工作による保有株式については、経営者の意向に反した議決権行使がなされることは考えにくい。そのため、日本の大規模会社においては、法人支配ではあるものの、経営者支配であることに変わりはなかった。日本では、取締役は株主総会で選任される（→547）。もっとも、前述の特殊な株主構造から、経営者側が提出した議案は、そのまま株主総会で可決されるのが通常である。したがって、会社の次期経営者は、現経営者が事実上指名する慣行が行われてきた。

〔48〕 大規模株式会社において、何ものにもコントロールされない経営者支配が成立しうるとすれば、そこでの支配的経営者の暴走を防止するための配慮が必要となる。他方で、日本経済の発展は会社が支えてきたことは事実で、その過程では、経営者の無責任主義の発生は抑止されてきたといえる。一般的に、会社の経営者の自己規律が働いてきたことは否定できない。さらに、経済復興と高度成長に必要な資金は銀行借入れが主流であり（間接金融→191）、資金提供者の銀行による審査が外部規律として作用した（会社内部でも借入金による投資判断において厳しい審査による規律が働いた〔内部規律〕）。また、日本の会社は、従業員の内部昇進型が大半で、会社に対する強い帰属意識があった。従業員の収入上昇の機会は会社の発展にかかるため、従業員の意識は、経営者の無責任体制の発生を防ぐ有力な原因となっていた。

〔49〕 もっとも、このような会社運営に対する規律の仕組みが1980年代に

大きく変容した。大規模会社の資金調達として証券発行が行われ（→ 193）、それとともに、会社運営に対する銀行の他律機能は弱まった。近年は、従業員が、スキルアップの上、他の会社に転職することも珍しくなくなった。経営者の監視システムとして、会社法は、監査役制度（→ 681-717）や株主代表訴訟制度（→ 654）を規定している。もっとも、株主総会の形骸化により（→ 466）、そこで選任される監査役に必ずしも十分な期待を寄せることのできない状況にある（監視される経営者が監視する監査役を事実上選任している。監査役のポジションを社内の人事異動の一環と考えている会社も少なくない）。また、株主代表訴訟は、任務懈怠を行った取締役に民事責任を課すものであるが、その対応は、事後的なものにならざるを得ない。日本では、コーポレート・ガバナンスをめぐる議論が盛んである。この片仮名言葉によって表わされているものは、経営者支配の下における株式会社の運営をどのように規律するかということであった。

〔50〕　これに対して、近年、「攻めのガバナンス」が強調されるようになった（不祥事の防止策などは「守りのガバナンス」とよばれる）。そこでは、日本企業の「稼ぐ力」、すなわち、中長期的な収益性および生産性を高めるためのコーポレート・ガバナンスの強化が重要視されている。東京証券取引所は、平成27年6月1日、コーポレートガバナンス・コードを上場規程に盛り込んだ。同コードは、実効的なコーポレート・ガバナンスの実現によって、経営者の企業精神の発揮を後押しすることを主眼とするものである。そこでは、①株主の権利、②株主の平等な取扱い、③株主以外のステークホルダーの役割、④開示と透明性、⑤取締役会の責任、株主との対話といった項目について原則的な考え方が示されている。もっとも、会社の持続的成長と中長期的な企業価値の向上という観点から、どのようなガバナンス体制が最適であるかは、各社の置かれた状況によって異なり得る。そこで、ルール・ベースの規律によって特定のガバナンス体制を一律に強制するのではなく、原則（プリンシプル）を明示した上で、その原則を実施するか、実施しない場合には、その理由を説明させるという手法を採用している（プリンシプルベースの規律とコンプライ・オア・エクスプレイン）。

(2) 社外役員（社外取締役と社外監査役）

〔51〕 日本の会社法では、日常的に取締役の行為を監視する機関として監査役制度を定めている。監査役3名以上で、監査役会が設置される会社もある。監査役会設置会社では、監査役の半数以上は「社外監査役」でなければならない（→689）。これは、日本の会社の監査役が取締役や従業員のなかから選ばれることから、取締役を監視するためには社外の者を入れる必要があると判断されたことによる。さらに、近年になって、監査役設置会社・監査役会設置会社において「社外取締役」の設置を義務づける動きが加速している。

〔52〕 東京証券取引所は、平成21年12月、上場会社に対して、1名以上の「独立役員」の設置を義務づける規則改正を行った。「独立」の定義は会社法の「社外」よりも厳しい要件とされた。これは、役員の独立性は、会社法の「社外」要件では不十分であると判断されたことによる。もっとも、「独立」の要件を満たす限り、役員は取締役でも監査役でもよかった。その後、平成26年の会社法の改正で、一定の会社（公開会社かつ大会社で有価証券報告書提出会社である監査役会設置会社）は、社外取締役を置いていない場合は、定時株主総会において、社外取締役を置くことが相当でない理由を説明しなければならなくなった（同時に、「社外」の定義も改正されている→553-555）。これは、社外取締役の設置を法律が義務づけるものではない。もっとも、社外取締役を置くことが相当でない理由の説明が求められることから、多くの場合、社外取締役の設置を強制する効果があった。その後、令和元年の改正で、上記の会社について、社外取締役の選任を義務づける改正がなされた（→550、551）。

〔53〕 上場会社などでは、社外取締役の設置は急激に進展している。さらに、複数の社外取締役を置くことを求める動きもある。東京証券取引所は、コーポレートガバナンス・コードにおいて独立社外取締役を2名以上選任することを求め、選任しない場合には、その理由を開示（コーポレート・ガバナンス報告書にて）させるものとした（CGコード原則4-8）（→139）。その結果、市場第一部上場会社では、2名以上の独立社外取締役を選任する上場会社の比率は9割を超えている。さらに、独立社外取締役が、全取締役の3分の1以上を占める上場会社の比率も58.7%と5割を超えている。

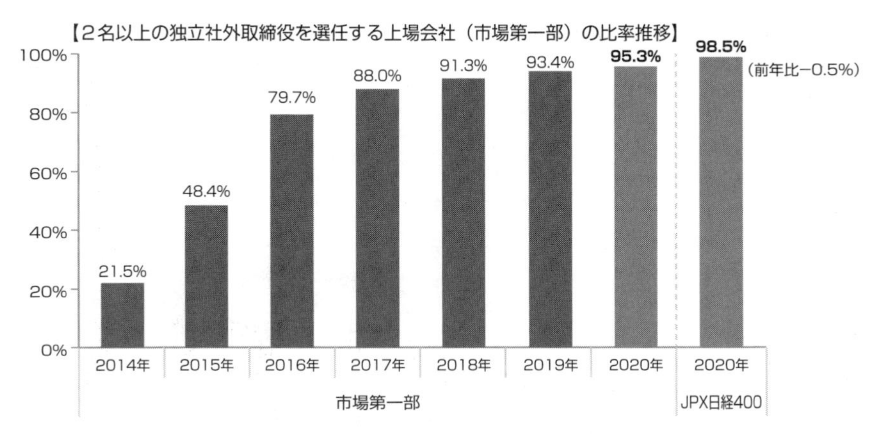

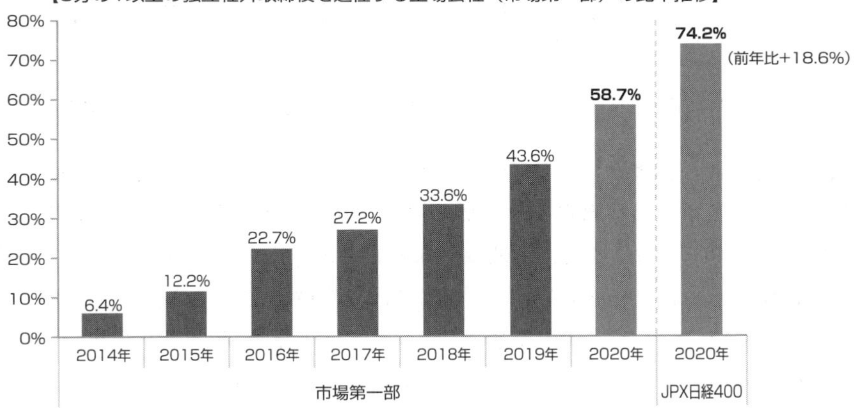

（東京証券取引所「東証上場会社における独立社外取締役の選任状況及び指名委員会・報酬委員会の設置状況」〔2020年9月7日〕より）

〔54〕　なお、会社役員に女性を積極的登用することを要請する動きもある。日本の上場会社の女性取締役の比率は4.1％で、世界全体でみると低い割合に止まっている（令和元年９月時点。内閣府ウェブサイトによる）。経済の成長戦略の柱の１つに女性の活躍を挙げる安倍晋三政権は、上場会社に最低１名以上の女性役員の選任を求めている。海外では、役員に占める女性の割合を一定以上求める制度（クオータ制）を採用する国もある。日本では、コーポレートガバナンス・コードで、「取締役会は、その役割・責務を実効的に果たすための知

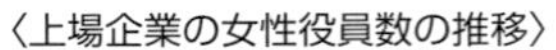

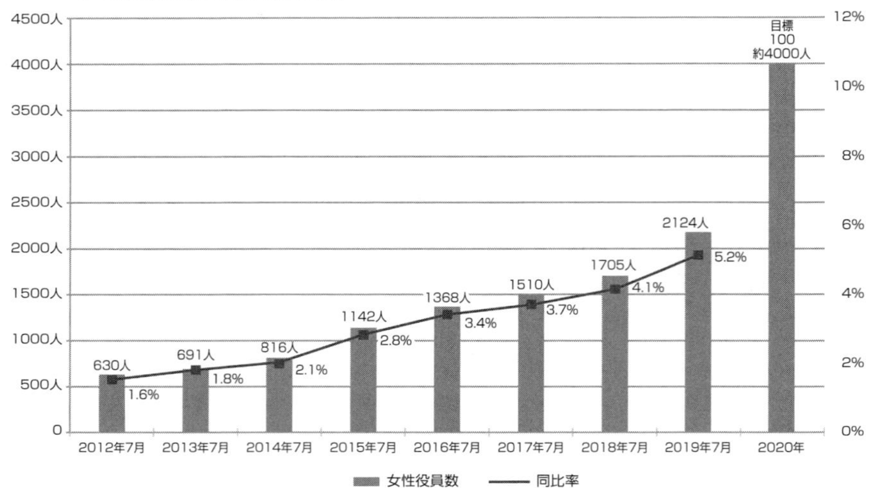

（内閣府男女共同参画局　「上場企業における女性役員の状況」(2018年8月3日）より）

識・経験・能力を全体としてバランス良く備え、ジェンダーや国際性の面を含む多様性と適正規模を両立させる形で構成されるべきである。」と規定された（CG コード原則 4-11）。また、機関投資家の議決権行使に大きな影響を与える議決権行使助言会社（→ 34-4）のなかには、取締役などの候補者に女性が一人もいない会社に対して、株主総会で会長・社長となる取締役の選任議案に反対を推奨するものをある（たとえば、グラスルイス・議決権行使に関する助言方針 2018）。

(3)　経営者の報酬

〔55〕　金融商品取引法の規則（開示府令）の改正により、日本では、平成 22 年 3 月期決算から、報酬が 1 億円以上の役員の氏名と報酬額の個別開示が義務づけられた（有価証券報告書による）。これにより、役員報酬 1 億円以上を開示した企業は 255 社、人数は 530 名であった。グローバルな人材確保のため、報酬の高額化も進んでいる。

〈役員報酬開示人数〉（2020年３月期）

順位	会社名	業種	人数（前年）
1	日立製作所	電気機器	18（17）
2	三菱UFJフィナンシャル・グループ	銀行業	10（8）
3	ファナック	電気機器	8（10）
3	東京エレクトロン	電気機器	8（9）
3	三菱商事	卸売業	8（8）
3	三井物産	卸売業	8（7）
7	バンダイナムコホールディングス	その他製品	7（8）
7	三井不動産	不動産業	7（5）
7	野村ホールディングス	証券、商品先物取引業	7（1）
10	ソフトバンクグループ	情報・通信業	6（7）
10	エーザイ	医薬品	6（6）
10	ダイキン工業	機械	6（5）
10	トヨタ自動車	輸送用機器	6（5）
10	伊藤忠商事	卸売業	6（5）
10	ソフトバンク	情報・通信業	6（5）

（東京商工リサーチ調査より）

〈役員報酬１億円以上開示企業〉

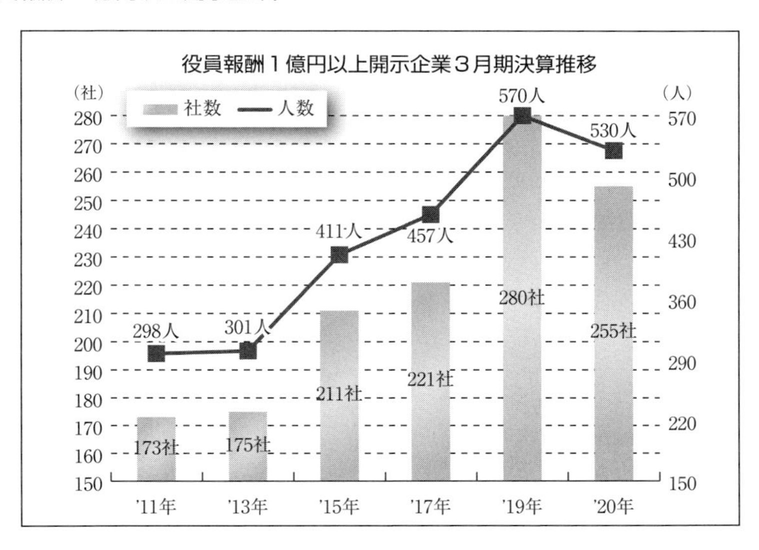

（東京商工リサーチ調査より）

〔56〕 米国の企業の役員報酬が高額であるといわれる。このような高額報酬は、会社の業績の向上による株価の値上がりによることが多い。その典型的なものがストック・オプション（Stock Option）の権利行使によるものである。ストック・オプションは、株式を購入する権利で、株価があらかじめ定められた行使価格を上回った場合に、権利を行使することで利益を得ることができるものである。この点で、業績連動型報酬の1つといえる。

〈米国企業の役員報酬の例（2018年）〉

順位	企業名	氏名	報酬額（億円）
1	ウォルト・ディズニー	Robert A. Iger	26.08
2	コムキャスト	Brian L. Roberts	19.74
3	アリトリア・グループ	Martin J. Barrington	19.48
4	タイム・ワーナー	Jeffrey L. Bewkes	18.54
5	オムニコム・グループ	John D. Wren	16.30
6	アップル	Timothy D. Cook	14.11
7	フィデリティ・ナショナル・インフォメーション・サービシス	Gary A. Norcross	13.76
8	21世紀フォックス	James Rupert Murdoch	12.31
9	グッドイヤー・タイヤ・アンド・ラバー	Richard J Kramer	12.17
10	インターパブリック・グループ・オブ・カンパニーズ	Michael Isor Roth	11.50

（「米国会社四季報」で読み解くアメリカ優良企業（2018年5月28日）東洋経済オンラインより）

〔57〕 最近では、株式そのものを付与する形での報酬体系が利用されている。たとえば、リストリクテッド・ストック・プラン（Restricted Stock Plan）では、譲渡制限（一定期間）の付された株式（株式の譲渡制限→311）が報酬として交付される。また、パフォーマンス・シェア・プラン（Performance Share Plan）は、あらかじめ設定された業績目標を達成した場合に、その達成度に応じて現物株式が交付されるものである。これらの報酬体系では、株式を売却する際に高株価であれば高い利益を得ることができる点ではストック・オプションと同じであるが、株価が下がったとしても、市場価格分での報酬は確保される点でストック・オプションと異なる（ストック・オプションでは、株価が権利行使価格を下回れば、権利は無価値となる）。さらに、通常のストック・オ

プションでは、株価が権利行使価格を上回らない場合、役員は権利行使を見送ることになる。この場合、役員は、それ以上のリスクを負担しないため、株価下落傾向の場面では、業績達成に向けたインセンティブ機能が働かない。これらの理由から、株式自体を報酬とする制度が普及している。

〔58〕　日本では、取締役の報酬は株主総会の決議（または、定款の定め）による（→617）。他方で、米国では、役員報酬は株主総会の決議を経る必要はない（社外取締役が中心となる報酬委員会がその内容を決定するシステムがある）。米国では、企業間の人材獲得競争が激しく、有能な人材を引き抜くため、さらに、自社から有能な経営陣の流出を防ぐために、報酬が高く設定されるという事情もある。しかし、近年、役員報酬の多額化に批判が高まり、株主による監視を強化する動きが見られる。たとえば、2010年の金融規制改革法（ドット・フランク法）によって、「セイ・オン・ペイ（Say On Pay）」とよばれる制度が導入された。これは、取締役会などが決めた役員報酬について、株主が株主総会で賛否を表明できるものである。決議の法的拘束力はないものの、経営陣に一定の圧力となることが期待されている。

〔59〕　日本の企業の役員報酬は、米国の企業と比べて多くはない。日本の企業の経営者に対してストック・オプションの付与による報酬の支払いも行われているが（新株予約権〔→385〕の付与によって行われる）、役員がその在任中に、権利行使によって取得した株式を売却することは多くない。このような違いが日米の企業の報酬の違いに影響している。売上高１兆円以上の米国企業の経営者は中央値で16億2,000万円の報酬であったが、日本企業の経営者は１億3,000万円にとどまったという統計がある。もっとも、業績や株価に影響されない固定報酬では、米国企業の経営者は１億4,500万円にとどまり、日本企業の経営者は7,400万円となり、その差は大きく縮小する（デロイト・トーマツコンサルティング News Release（2020年７月20日））。なお、日本企業の経営者の報酬において固定報酬の割合が多いものの、業績悪化などの場合には、責任をとって、その額が削減されることが少なくない。その結果、日本の経営者の報酬は「負の業績連動」になっている（業績が向上してもさほど報酬は増えず、業績悪化の場合に報酬が減額される）。このことは、事業の失敗を恐れて事業リスクをとらないインセンティブを生みだすと指摘されている（神田秀樹ほか編著

『日本経済復活の処方箋　役員報酬改革論（増補改訂第2版）』〔商事法務、2018〕305頁）。

〔60〕　日本でも、新しい報酬体系が模索されている。従来、日本では、役員報酬は、①定額報酬、②賞与および③退職慰労金から構成されることが多かった。これは、会社の役員（取締役）は、社内の従業員から昇格する者が多く（内部昇進型。そのため、サラリーマン重役ともよばれる）、役員報酬も従業員報酬と同じシステムで支払われてきたことによる。もっとも、近年、③を廃止し（→ 629）、業績連動型報酬に切り替える企業も増えている。さらに、特に、上場会社において、企業価値の向上に向けて経営陣にインセンティブを付与する目的で、業績連動型報酬の導入を行う動きも加速している。連結売上高の多い会社、外国人株式所有比率が高い会社ほど、業績連動型報酬制度を採用する会社の比率が高い（東京証券取引所「東証上場会社コーポレートガバナンス白書2019」76頁）。

〈インセンティブ付与に関する施策の実施状況（上場会社）〉

	ストック・オプション	業績連動報酬	その他
全社	33.6%	31.7%	19.1%
JPX 日経 400	37.6%	60.7%	30.6%
市場第一部	32.0%	43.5%	23.7%
市場第二部	20.4%	20.4%	16.4%
マザーズ	85.5%	5.9%	5.5%
JASDAQ	28.9%	15.1%	12.3%

（東京証券取引所「東証上場会社コーポレート・ガバナンス白書2019」75頁より）

〔61〕　日本の役員が内部昇進型であったことから、高額な役員報酬は馴染まないとされてきた。もっとも、企業業績の好調を受け、役員報酬は増加傾向にあり、役員報酬ほどの増加が見られない従業員の給与との格差は拡大している。もっとも、米国と比較して、両者の格差は小さいものに止まっている。米国では、役員報酬が高すぎるとの批判を受け、前述の金融規制改革法で、上場企業に対して、従業員の年間給与の中間値とCEO（→ 545）の報酬額に対する比率（ペイ・レシオ）を示すデータの開示を義務づけた。これによれば、2018年のペイ・レシオの中央値は254倍であった（Financial Times 電子版2019年4月16日）。

〈役員と社員の年収格差が大きい会社〉

順位	会社名	年収格差	役員平均報酬	従業員平均給与
1	ネクソン	59.59 倍	3 億 3133 万円	556 万円
2	ソニー	53.92 倍	5 億 4625 万円	1,013 万円
3	プロスペクト	47.86 倍	4 億 3700 万円	913 万円
4	LINE	45.06 倍	3 億 2220 万円	715 万円
5	東京エレクトロン	41.77 倍	4 億 4840 万円	1,076 万円
6	ファーストリテイリング	30.34 倍	2 億 4000 万円	791 万円
7	扶桑化学工業	29.84 倍	2 億 500 万円	687 万円
8	サカイホールディングス	27.84 倍	1 億 775 万円	387 万円
9	SANKYO	27.82 倍	1 億 9333 万円	695 万円
10	土屋ホールディングス	26.74 倍	1 億 4200 万円	531 万円

（「社員と役員の年収格差が大きいトップ 500 社」東洋経済オンライン
（2018 年 9 月 17 日）より）

5　会社の M&A

(1)　国内外の企業買収

〔62〕　会社は、規模の拡大、新規事業への進出などのために、他の会社の取得を行おうとする。企業買収（M&A）は、日本の会社の間で行われるほか（IN-IN という）、外国の企業が日本の会社を買収する例もある（OUT-IN という）。さらに、海外進出を目指して、日本の会社が外国の企業を買収することも少なくない（IN-OUT という）。IN-OUT の M&A は、アジアの企業を相手とするものが全体の約 40％を占めている。なかでも、中国の企業を対象とするものが多く、この数字にも中国の高い成長力が示されている。

〈M&A 件数と金額〉

	2017 年		2018 年		2019 年	
	件数	金額（100 万円）	件数	金額（100 万円）	件数	金額（100 万円）
IN-IN	2,180	2,326,838	2,814	2,969,260	3,000	6,029,271
IN-OUT	672	7,675,414	777	18,360,453	826	10,401,395
OUT-IN	198	3,607,878	259	8,004,744	262	1,481,180

（MARR 2020 年 8 月号 14 頁、16 頁より）

〈IN-OUT　地域別件数と構成比〉

	2017年		2018年		2019年	
	件数	構成比	件数	構成比	件数	構成比
北米	241	35.9%	276	35.5%	258	31.2%
欧州	144	21.4%	176	22.7%	195	23.6%
アジア	221	32.9%	259	33.3%	303	36.7%
その他	66	9.8%	66	8.5%	70	8.5%
合計	672	100.0%	777	100.0%	826	100.0%

（MARR 2020年8月号18頁より作成）

(2)　友好的買収と敵対的買収

〔63〕　企業買収の手段として、合併（→833）、事業譲渡（→860）、株式（議決権）取得（公開買付け→877）などがある。合併および事業譲渡には会社間の契約が必要である。したがって、基本的に、対象会社の経営陣が反対する買収（敵対的企業買収）は実現しない（友好的企業買収）。他方で、株式の取得は、対象会社の経営陣の意向に反して行うことも可能である。もっとも、市場で株式を買い集める方法は、コストが上昇するため、不首尾に終わる可能性が高い。これに対して、株式公開買付け（TOB）は、取得コストを確定した上で、株式取得をすることができるため（公告により、買付け価格、買付け予定数などを開示した上で、売付けの勧誘を行う）、敵対的企業買収に利用することが可能である。

〔64〕　株式公開買付けにより、敵対的買収が実現することに対抗するため、いわゆる買収防衛策を導入する会社もある。日本では、事前警告型買収防衛策を採用する会社が多い。これは、買収者が大規模な買付行為をしかける場合に守るべきルールを、対象会社が事前に策定・公表し、買収者がこのルールを守らない場合などに、対抗措置を採ることを警告するものである。防衛手段として、新株予約権（→385）を使うことが多い。日本では、過度の買収防衛策は、経営陣の保身につながる危険性もある。このことから、株主総会で買収防衛策の継続に反対する動きも見られている。コーポレートガバナンス・コードは、買収防衛策が、経営陣の保身を目的とするものであってはならないとして、その導入・運用について、必要性・合理性を検討し、株主に十分な説明を行うべきとしている（CGコード原則1-5）。

〔65〕　なお、株式取得の方法では、すべての株式を買い付けることは難し

〈買収防衛策（事前警告型）〉

			2013年	2014年	2015年	2016年	2017年	2018年	2019年
手続	導入時	取締役会決定型	14	15	14	11	9	7	4
		株主総会承認型	493	475	459	432	396	374	317
		（うち定款変更を伴うもの）	(216)	(215)	(211)	(199)	(188)	(176)	(159)
	発動時	取締役会決定型	199	186	174	153	125	108	84
		（委員会設置型）	(193)	(181)	(170)	(149)	(121)	(105)	(82)
		株主意思確認型	51	49	43	43	39	39	37
		（委員会設置型）	(26)	(24)	(23)	(25)	(26)	(27)	(29)
		折衷型	257	255	256	247	241	234	200
		（委員会設置型）	(250)	(248)	(251)	(243)	(237)	(231)	(198)
内容	買付者の基準	15％～	10	10	9	9	7	6	2
		20％～	490	473	457	428	393	370	314
		25％～	7	7	7	6	5	5	5
	評価（熟慮）期間	原則90日まで	500	484	467	437	400	376	319
		原則90日超	7	6	6	6	5	5	2
	対抗措置	新株予約権のみ	189	184	186	179	167	153	126
		その他	318	306	287	264	238	228	195
有効（更新）期限	１年		27	23	19	15	13	12	12
	２年		35	30	29	26	22	20	15
	３年		435	426	415	395	366	347	294
	その他		10	11	10	7	4	2	0
導入社数			507	490	473	443	405	381	321

（MARR 2019年6月号31頁より）

い（既存株主は、公開買付けに応じる義務はない）。そこで、他の会社を完全子会社化するためには、公開買付けにより、株主総会の特別決議を可決できる数の株式を取得し、その後、同決議で、全部取得条項付株式への転換などを行った上で、全株式を取得する方法がとられてきた（→246）。平成26年の改正では、少数株主を締め出すことを容易にする制度が創設された（キャッシュ・アウト法制の整備→247）。

〔65-2〕　ところで、会社の経営者などが公開買付けによって、その会社の株式の買付けを行うことがある。このような取引をMBO（Management Buyout）という。MBOは、上場会社が上場廃止を目的に行われることも多い（→341）。MBOを実施する際に、短期的な利益を追求する株主の意向を排

除して、長期的な経営戦略を立てる必要性が強調される。他方で、MBOには、一般株主が不在となり、市場の監視が行き届かなくなるといった問題が指摘されている。さらに、MBOでは、株式の買い手が取締役であるため、売り手である株主との間で利益相反が生じることが懸念される。売買では、買い手（安く買いたい）と売り手（高く売りたい）との間で利益相反が生じる。MBOでは、買い手が、会社の内部者でその実情を熟知した取締役であり、買付け価格が公正なものとならない（株主の利益が害される）危険性がある（取締役の責任→645-2）。

〈MBOの件数と金額の推移〉

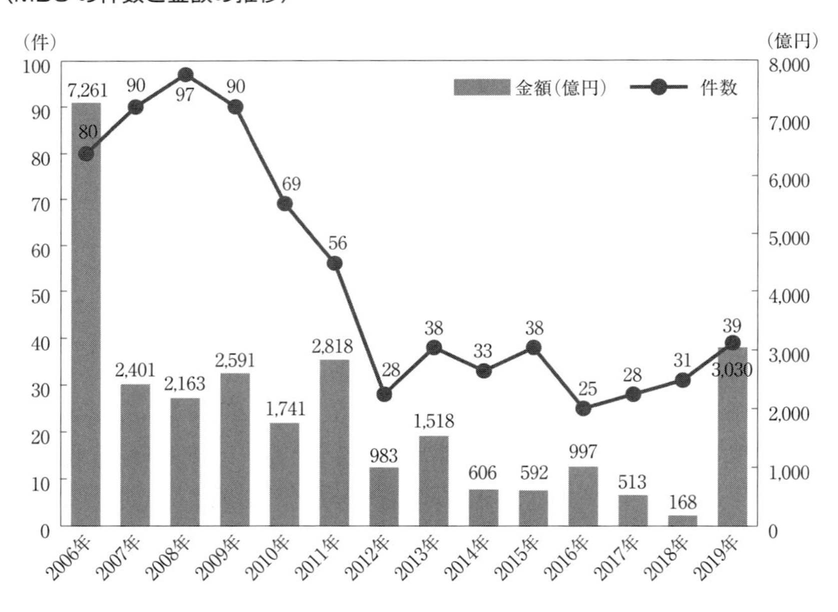

（MARR 2020年6月号27頁より）

第2節　日本経済・社会の発展と会社法の変遷

1　商法の制定とその後の改正

(1)　資本主義経済への移行と会社制度の導入

〔66〕 明治時代以前、日本では、企業は個人形態で営まれていた。明治時代の始まりとともに、経済体制は封建経済から資本主義経済に移行した。そのためには近代的企業形態である会社制度を導入することが必要であった。会社制度を最初に法的に承認したのは、明治5年の国立銀行条例である。これは、米国の国法銀行（national bank）の制度に倣ったものであった。

〔67〕 明治政府は、日本を近代国家に作り上げるために全力を注ぎ、当初は繊維産業を中心にして工業化を推進した。さらに、明治30年には、近代的製鉄業を行わせるため、官営の八幡製鉄所が設立された。このような経済の発展に対応して、すべての業種に適用される一般会社法が、明治23年の旧商法典によって初めて制定された。この法典は、ドイツ人ヘルマン・ロエスラーによって作成された。

〔68〕 旧商法典の内容は、日本の旧来の慣習への無配慮などから、国内における評判は悪く、その施行は何度も延期された。しかし、経済界の実情から会社法は早く制定しなければならなかった。そのため、旧商法中会社法の部分は、手形法および破産法の部分とともに全体から切り離して明治26年に施行された。

明治23年商法（旧商法）

〔69〕 「商事会社総則」「合名会社」「合資会社」「株式会社」「罰則」「共算商業組合」

からなる。株式会社の設立には政府の免許が必要とされていた（新商法では、免許を要しない準則主義が採用されている）。なお、ロエスラーによる草案では、取締役は「頭取」、監査役は「取締役」、定款は「申合規則」、決算は「清算」という用語が使用されていたが、旧商法においては、現在の用語に改められている。

〔70〕　明治32年に、旧商法典に代わって新商法典が施行された（明治32年3月9日法律48号）。その第2編が会社法であり、内容的には相当整備されたものとなった。この商法典は、平成17年の会社法制定まで、日本の会社に関する根本的な規律を定めることとなる。

(2)　近代株式会社法の整備

〔71〕　日本では、日露戦争の前後に鉄鋼業の飛躍的発展と化学工業の勃興を見た。しかし、この戦争の後に泡沫企業も多く発生した。その原因として会社法、ことに株式会社法の欠陥が指摘された。そのため、明治44年に、商法の会社編の大改正が行われた。そこでは、発起人、取締役、監査役の民事責任を明確にするとともに、新たにこれらの者の刑事責任についての規定が定められた。

〔72〕　その後、第一次世界大戦は、日本の経済に飛躍的発展をもたらした。しかし、昭和2年の金融恐慌を経て独占が進展するとともに会社法改正運動が起こった。昭和13年には商法の改正法が成立し、昭和15年から施行された。この改正の大きな特徴は、株主総会の権限を拡大することによる取締役の権限の制約と取締役の民事・刑事責任の強化にある。さらに、企業金融の方法の拡充として無議決権株、転換株式、転換社債を認めた。計算規定の改善、会社に対する裁判所の関与の拡大、特別清算の制度の採用がなされたのもこの改正によってである。なお、同年、ドイツ法に倣った有限会社法も施行された。

〔73〕　日本の株式会社法は、明治32年に成立し、明治44年と昭和13年の改正によって株主総会を中心とする「近代株式会社法」の形を整えるものとなった。

2　第二次世界大戦後の改正

(1)　米国占領下の改正

〔74〕　第二次世界大戦後、日本の資本主義の枠組みを作ったのは、日本を占領した連合国軍総司令部、実質的には米国である。米国は、農地解放、教育改革、労働組合の保護育成、軍隊・財閥の解体を徹底的に行った。特に、会社法と関係が深いのは、財閥解体である。戦前、持株会社を通じて大企業を支配していた財閥本社は解散し、その持株は民間に放出された。これにより、会社の所有と経営の分離が急速に進展した。また、昭和22年に制定された独占禁止法は、持株会社の設立を禁止した（平成９年になって、純粋持株会社の設立が解禁された→890）。さらに大企業の分割も行われ、主要企業の役員約3,000名以上が追放され、経営者の若返りが一気に進んだ。

〔75〕　以上のような基本的枠組みのもと、壊滅的損害を被った日本経済の建て直しが始まった。そのための会社経営の法的枠組みを提供したのが、昭和25年の商法改正であった。既述のように、日本の会社法は、もともとドイツ法を範としたものであった（→67）。しかし、第二次世界大戦後の米国の占領下にあって、それは、著しく米国法に接近することとなった。

〔76〕　昭和25年の改正については、特に、取締役会制度の導入が重要である。企業の経営（支配）と所有の分離の現象の進展に対応するため、従来最高かつ万能の機関であった株主総会の権限を大幅に縮小し（法律・定款で定める事項に限る）、他の業務執行の決定は、取締役会に委ねられることとなった。取締役会が決定した業務執行の実行は、取締役会によって選任された代表取締役が行うものとされた。取締役会は、業務執行の決定を行うのみならず、代表取締役の職務の執行を監督することにした。このような権限分配の仕組みは、日本におけるコーポレート・ガバナンスの根幹をなすものとなった（→585、591）。

〔77〕　さらに、機動的な資金調達を実現するため、一定の枠内における新株の発行は、原則として取締役会の権限となった（授権資本制度→254）。また、社債の発行も取締役会の決定でできることにされた（→425）。

昭和25年の改正

〔78〕　昭和25年の改正では、取締役の権限が拡大された。これに対応して、株主の権限が強化された。すなわち、株主に、取締役の責任を追及するための代表訴訟提起権を認めたほか（→654）、取締役の違法行為差止請求権（→676）、会計帳簿閲覧権（→506）、取締役解任請求権（→566）、会社解散請求権（→974）などの権利が認められた。取締役会に代表取締役の職務の監督権限を与えたことの反面として、監査役の権限を会計監査に縮減した。さらに、株主の投資者としての利益を保護するために、株式譲渡の絶対自由の原則を定めた。また、合併等の場合に反対する株主に株式買取請求権が認められた（→846）。なお、株主の新株引受権の有無または制限を必ず定款で定めさせることにした。この規制は、昭和30年の改正によって、株主は、原則として新株引受権を有しないことになるまで続いた。

〔79〕　昭和25年の改正の特徴は、社外取締役を中心とした取締役会が代表取締役を監督するという米国式のコーポレート・ガバナンス制度の導入を図ったことである。しかし、日本の企業社会では、従業員の中から、切磋琢磨して取締役に出世するという慣習が定着している。そこで、このタイプの取締役会は根づかなかった。したがって、その後、監督権限は、監査役に与える方向に復し、日本の会社法は、監査役（会）の権限を最大限まで強化する道をたどった。それが、再び米国式の独立社外取締役を導入して、取締役会による監督の強化へ方向転換したのは最近のことである（→51）。

昭和37年と昭和41年の改正

〔80〕　昭和37年の改正によって、計算規定の大改正が行われ、会計学の成果を大幅に取り入れて、期間損益計算を可能にした。その翌年には、「株式会社の貸借対照表、損益計算書、営業報告書及び付属明細書に関する規則」が制定され、これによって計算書類の記載方法が詳細に定められた。

〔81〕　昭和41年の改正によって、株式の譲渡制限制度が導入された。昭和25年の改正では、株式譲渡の絶対自由の原則が規定された（→78）。同年の改正では、これを廃止し、定款で株式の譲渡については取締役会の承認を要する旨を定めることができることにした（現行法では、種類株式の1つとして定められている→235）。これによって、日本の株式会社の大部分を占める中小企業の閉鎖性維持の要望に応えた。そのほか、この改正によって、記名株券の譲渡に際しての裏書の廃止（有価証券の種類としては無記名証券となった）、株券の不所持制度の採用、議決権の不統一行使の承認等がなされた（→492）。

⑵　高度経済成長と粉飾決算の防止

〔82〕　昭和25年の朝鮮戦争勃発による特需の発生を契機として、日本の経済は、昭和28年後半には敗戦前の水準に戻り、昭和30年から昭和48年にかけて、成長率10%の高度経済成長を達成した。エズラ・ボーゲルの『ジャパンアズナンバーワン』が発刊されたのが、1979年（昭和54年）であった（本書は、広中和歌子、木本彰子訳によって、同年に日本でも出版された）。この書物の題名に象徴されているように、日本は、昭和43年には、国民総生産（GNP）が米国に次いで第２位になった。このような経済成長を支えたのは、初期においては、旺盛な設備投資であった。しかし、昭和39年頃から設備投資の行きすぎから不況に陥り、同年にサンウエーブと日本特殊鋼（現・大同特殊鋼）が、翌年に山陽特殊鋼が倒産した。このなか、倒産企業のほとんどが粉飾決算をしていたことが判明した。

〔83〕　粉飾決算を防止するためには、関係者に民事責任を負わせることが有効であると考えられた。そのため、昭和46年の証券取引法改正により、有価証券届出書の虚偽記載について責任のある会社役員、公認会計士等に損害賠償責任を負わせる規定を設けた（規制は現在にも受け継がれている。金商21条１項１号・２項２号）。

〔84〕　同じく粉飾決算を防止するために、昭和49年の商法改正で、昭和25年改正でいったん奪った取締役の業務執行に対する監査役の監査権限を復活した。すなわち、会計監査に限定されていた監査役の権限は取締役の業務全体の監査に拡大された（→681）。さらに、「株式会社の監査等に関する商法の特例に関する法律」（商法特例法）を制定し、大会社では会計監査人（公認会計士または監査法人）を選任して、会計監査に当たらせることにした。他方、小会社にあっては、監査役の権限は、従来通り会計監査に限られ、会計監査人を置かなくてよいとされた。

⑶　企業の社会的責任論の盛り上がり

〔85〕　昭和49年の改正に際し、衆議院法務委員会は、その付帯決議（昭和48年７月３日）において、「会社の社会的責任、大小会社の区別、株主総会の

あり方、取締役会の構成及び1株の額面金額等について所要の改正を行なうこと」について政府は早急に検討すべきであると決議した。また、参議院本会議における商法改正附帯決議（昭和49年2月22日）は、「現下の株式会社の実態にかんがみ、小規模の株式会社については、別個の制度を新設して、その業務運営の簡素合理化を図り、大規模の株式会社については、その業務運営を厳正公平ならしめ、株主、従業員及び債権者の一層の保護を図り、併せて会社の社会的責任を全うすることができるよう、株主総会および取締役会制度の改革を行うため、政府は、速やかに所要の法律案を準備して国会に提出すること」と決議した。昭和49年改正（→84）を行ったその国会が、引き続きより根本的な会社法改正の準備を政府に勧奨した理由としては、次のような社会・経済的事情があった。

〔86〕　昭和47年頃から企業の社会的責任に関する記事が、毎日のように新聞に載るようになった。その背後には、企業による土地買占め、カルテルの締結等の反社会的行動によって地価や物価の高騰を招いたということがあった。このような批判に鑑み、また、昭和47年暮れの総選挙によって共産党の躍進を見たことが、財界全体の危機意識を高め、企業の社会的責任について実に多くのことが語られた。個々の企業も、社会的責任の名のもとに、業務の事前評価機能の強化、環境指導の作成、地域社会課の新設、行動基準の作成、会社施設の地域住民への解放ならびに学術のための寄付や財団の設立等など様々な行動をとった。このようにして、日本にも企業の社会的責任論が定着したかのように思われた。

(4)　企業の不祥事と再発防止

〔87〕　ところが、このことを全く否定するような不祥事が相次いで生じた。それは、第一次石油危機に伴う一部の大企業の反社会的行動が次々と暴露されたことである。昭和49年2月に公正取引委員会によって告発された石油業界の違法カルテル事件（東京高判昭55・9・26高刑33・5・511によって有罪）に続いて、昭和49年2月5日から、衆議院予算委員会において、商社、石油関連企業の代表者を参考証人として招いて、物価問題の集中審議が行われ、石油危機に便乗した生活必需物資の売り惜しみや便乗値上げなどの実態の追及がなさ

れた。

〔88〕　しかも、その後日本経済が長期的不況に陥るとともに、なおも悪質な事件が発生した。昭和49年7月に捜査を受けた日本熱学の倒産、昭和50年の東京時計、東邦産業の粉飾決算および興人の倒産、その翌年の東洋バルヴの倒産など、株式会社の管理機構の欠陥が明らかとなってきた。

〔89〕　以上のような事情を背景にして、法務省は、昭和49年9月より会社法の根本改正の作業に着手した。しかし、昭和54年7月に、従来の一括全面改正の方針を変更して、分割して一部を早期に改正することが決定された。突然の方針変換の原因となったのは、昭和53年2月に明るみに出た航空機輸入に絡む疑惑事件（ダグラス・グラマン事件）であった。このような事件の再発を防ぐために、「政治倫理の確立」「行政の公正確保」と並んで「企業の不正支払い防止のためのチェック機能の整備強化」が必要とされた。以上のことを実現するための制度整備を会社法改正作業においても急ぐようにとの要請が政府から強まった。昭和56年の改正は、このような期待をもってなされたものであった。その多くは、現行の会社法に引き継がれ、その根幹をなしているといってよい。

昭和56年の改正

〔90〕　昭和56年の改正は多岐にわたる。まず、取締役会に取締役の職務の執行の監督権限があることが明定された（→591）。このような監督機能は、従来法解釈上当然認められていたが、日本の取締役には、彼ら自身が代表取締役を監督するとの意識が希薄であったことから、それを明確にするために条文の規定が置かれた。

〔91〕　また、監査役の監査機能をさらに強化するために、大会社にあっては、監査役は2名以上でなければならず、しかも、そのうちの少なくとも1名は常勤でなければならないことにした。その他、監査役の権限の強化およびその独立性の確保のための規定を新設した（使用人に対する事業の報告請求権〔→705〕、取締役会招集請求権〔→703〕）。監査役の独立性を保障する趣旨で、その報酬は、取締役の報酬とは別に定款または株主総会で定めるべきものとされた（→699）。会計監査人は、それまで取締役会によって選任されていたが、その独立性を確保するため、この改正によって株主総会で選任されることになった（→756）。

〔92〕　株主総会の取締役に対する監督機能を強化するため、株主総会における株主の取締役または監査役に対する説明請求権（→515）、株主提案権（→481）を認めた。

また、株主の意思を直接総会に反映させるために書面投票制度を導入した（→500）。

〔93〕 ところで、日本の株式会社の株主総会を形骸化させてきた最大の原因の1つに「総会屋」の存在があった。この総会屋をなくすために、会社の計算で総会屋に財産上の利益を与えることを禁止し、違反に対しては刑事制裁を科すことにした（→468）。その後の罰則の強化および法執行の励行によって、総会屋は、ほぼ姿を消したといってよい（→470）。

〔94〕 株主の権利を強化すると同時に、極端に零細な株主をなくすために、新設の会社の発行する額面株式1株の金額の最低限を5万円に引き上げた。既存の会社には、暫定的制度として単位株制度を導入した。その後、平成13年の改正によって、額面株式はなくなり、無額面株式のみとなり、単位株制度に代わって恒久的制度として単元株制度が設けられた（→219-223）。

〔95〕 大会社の株主総会の実態からして、貸借対照表および損益計算書の審議のような専門的・技術的知識を要する事項は、株主総会の議題とするには不適当である。そのため、監査役および会計監査人の適法意見があるときは、これらの計算書類は取締役会の承認のみで確定することにし、株主総会の承認を不要とした（→787）。

〔96〕 最後に、日本の経済の発展とともに個人株主の総数は増えた。しかし、その所有する株式の比率は、低下の一途をたどり、他方、会社所有の株式の比率は高まって7割を超えるに至った。しかも、会社間の株式の相互保有が増大した。このように、会社間の株式持合いが進むと、株式会社の各機関のチェック・アンド・バランス機能が働かなくなるなど、種々の弊害が出てくる。昭和56年の改正は、会社間の株式の持合いを規制するために、子会社による親会社の株式の取得を禁止した（→906）。さらに、相互保有株式の議決権に制限を設けることとした（A会社が、B会社の発行済株式総数の4分の1を超える株式を所有している場合、B会社は、その所有するA会社の株式については、議決権を行使することができない→906）。

(5) 大小会社区分の試み

〔97〕 昭和56年の改正は、もともと会社法の全面改正を目指していた。しかし、日本の社会・経済を揺るがすような大きな不祥事の勃発を理由に分割改正となった（→89）。そこで、その後、全面改正の課題のうち残された改正事項についての審議が始まり、平成2年の改正に結実した。この改正によって、株式会社について最低資本金制度が設けられ、株式会社を設立するには、最低1,000万円の資本金がなければならないことになった。有限会社の最低資本金額は、300万円に引き上げられた。これによって、比較的規模の大きい会社は株式会社形態を、規模の小さい会社は有限会社形態を利用することが期待され

た。しかし、このような立法政策は、平成17年の会社法によって完全に廃止された（→802）。

(6) バブルの発生・崩壊と日米構造問題協議

〔98〕 昭和50年代の日本の経済の成長は、日本型雇用システム（長期雇用、年功賃金、企業別組合）や株式の持合いなどを特徴とする「日本型資本主義」のもと、世界の模範であると喧伝された。その繁栄ぶりは異常な地価と株価の高騰として現れた。ところが、平成の時代に入ると、地価や株価が急激に下がり始め、平成4年頃には、経済の沈滞が著しくなり、先の好景気は、バブルであったことが分かった。このようなバブルがどのようにして発生したかが問題である。

〔99〕 日本と米国との貿易摩擦は過熱し、米国連邦議会では、対日強硬派が勢いを増し、日米安全保障体制が経済によって揺るがされかねない状況になった。このような危機を前にして、日本政府は、昭和60年9月22日ニューヨークにおける5か国蔵相会議（G5）での「プラザ合意」によって、円高（円高＝ドル安になれば、日本から米国への輸出は困難となる）への誘導の方針を固めた。この方針のもと、為替市場への協調介入と協調利下げにより、プラザ合意前1ドル240円だった円相場は、昭和61年には152円と高くなった。この結果、日本の経済は、円高不況に陥った。しかし、日本の輸出産業は、大変な合理化を行うことによってこの危機を乗り越えた。

〔100〕 このように、為替調整だけでは、日本の輸出は減らないことが明らかになり、日米貿易摩擦はさらにエスカレートした。米国は、日本に対し、より効果的な「内需拡大」を求め、これに応える形で昭和61年春に発表されたのが、元日銀総裁前川春雄氏が執筆責任者となった「前川レポート」であった。これによって、日本は世界に対して、内需拡大と市場開放によって貿易収支の大幅な黒字を縮小することを公約した。この公約を実行するために中曽根内閣は、昭和62年5月に5兆円という空前の財政出動（公共事業の拡大）による内需拡大策を発表した。他方、プラザ合意以後一貫して、低金利政策と内需拡大のための財政出動によって国内にカネが溢れることになった。このカネが「株」と「土地」に集中し、国内にバブルが発生したのである。

〔101〕 バブルは必ず崩壊する。平成元年大納会で日経平均株価が最高値3万8,915円を付けたのをピークとして、株価は一気に崩落した。土地は絶対値下がりしないとの土地神話も崩壊し、東京の商業圏の地価は、ピーク時の平成3年から8割以上下落した。

〔102〕 バブルの崩壊に伴い、大企業にからむ大きな不祥事が明るみにでた。平成3年6月に発覚した大手証券会社4社をはじめ、準大手・中堅証券会社13社による大口顧客に対する損失補塡の事実であった。このような不祥事に関連して、監査役制度の強化の声が各方面から上がった。それを後押ししたのが、平成元年から平成4年にかけて行われた日米構造問題協議（以下「協議」という）であった。

〔103〕 協議が行われた背景には、当時の日本経済の目覚ましい発展振りがあった。平成元年には、ソニーが米国の映画会社コロンビアを買収し、三菱地所がニューヨークの中心のロックフェラーセンターを買収した。このような日本の金融力の増大（これらは実はバブルであったのであるが）に米国は脅威を感じた。さらに、経常収支において日本の黒字、米国の赤字が継続するのは、円が不当に安いからであり、この対米黒字を減少させるために、問題のある日本の「構造」そのものを変更せよと米国は日本に要求してきた。その中には、会社法に関するものが含まれていた。米国が協議のなかで日本の会社法の改正を要求したのは、日本の会社に投資する米国の株主の利益を保護するためである。日米の交渉の後、平成5年の改正では、監査役の権限強化などの改正が行われた。

日米構造問題協議と平成5年の改正

〔104〕 米国は、日本の会社法の改正点として、次の諸点を要求した。

①株主の会計帳簿へのアクセスの改善——閲覧請求する株主の持株要件の緩和（発行済株式総数の10%を1%に）

②株主総会の招集通知の発送期限の延長（2週間を1月に）

③証券取引所の上場基準において社外取締役から構成される監査委員会の設置の義務づけ

④株式の持合いを解消させるための自己株式取得・保有の緩和

⑤非居住者である株主の議決権行使を実質的に保障するための制度の確立

〔105〕 米国のこれらの要求のうち、②と⑤については、日本は、改正を拒絶し、次の

点についての改正を行った。まず、①については、会計帳簿の閲覧・謄写のための株主の持株要件を発行済株式総数の10%から3%に引き下げた（→506）。③に対しては、その代わりに監査役の機能を強化する改正を行った（すなわち、監査役の任期を2年から3年に延長し、大会社にあっては、監査役の員数を2人以上から3人以上に増加し、監査役会制度を新設した）。④については、株式の持合いの解消とは直接結び付けることなく、平成6年の改正により日本独自の立場で、自己株式の取得規制の緩和が実施された（→350）。

〔106〕 なお、平成5年の改正では、次の改正もなされている。すなわち、株主代表訴訟は、財産権上の請求でない請求に係る訴えとみなすこととされ、手数料は一律8,200円（現在は1万3,000円）となった（→658）。これは、米国から要求されたものでないものの、従来代表訴訟の活性化のために日本が独自に検討したことをこの機会に実現したものである。

〔107〕 さらに、平成5年の改正では、長年の課題であった社債法の改正が、会社法の他の部分と切り離して行われた。社債法の改正をこの時期に行ったのは、平成5年4月1日から実施された日本の金融証券制度の根本的改革（→114）に対応するためであった。社債発行による企業資金の調達の必要が大きくなり、この必要に応えるために社債発行限度額の定めを撤廃した（→446）。他方、無制限に社債を発行できることから生じる社債権者にとってのリスクを防止するために、社債管理会社（現在では社債管理者）の設置を強制した（→441）。従来、社債の受託会社としての銀行が社債発行の段階において社債の内容についてまで干渉することがあったため、社債管理会社の権限は、発行後の社債の管理に限ることを明らかにした（→442）。

(7) 企業結合法制の整備

〔108〕 平成9年の改正で、長年の懸案であった合併法制の整備がなされた。これによって、吸収合併の場合の報告総会および新設合併の場合の創立総会が廃止された。これらは、従来、実務界より無用の手続として廃止が要求されていたものである。

〔109〕 平成9年に独占禁止法が改正され、事業支配が過度に集中する場合を除いて、純粋持株会社が解禁された。しかし、従来の商法では、完全親会社を作り出すには、現物出資、事後設立の手続などをとらねばならず、不便であった。そこで、平成11年の改正では、株式交換または株式移転によって、完全親会社を円滑に作り出すための手続が定められた（→893-900）。

平成９年と平成 11 年の改正

〔110〕 平成９年に、合併法制について、実務界において合理化が強く求められていた債権者保護手続の改正がなされた。すなわち、債権者に対する公告を官報および公告方法として定款で定めた日刊新聞に掲げてしたときは、債権者に対する格別の催告を要しないことにした（→ 853）。簡易合併が新設された（→ 851）。他方、合併に関する開示を充実させるために、事前備置書類の充実をはかり（→ 840）、事後開示制度を創設した（→ 855）。

〔111〕 株式交換・株式移転制度の創設で完全親子会社、ことに純粋持株会社の設立が多くなると、株主は従来有していた子会社に対する直接の監督是正権を失うことになる。そこで、平成 11 年の改正では、親会社の株主に、子会社の株主総会議事録、取締役会議事録、定款等、計算書類等および会計帳簿の閲覧・謄写を請求する権利を与えた（→ 899）。さらに、親会社の監査役の子会社調査権が強化された（→ 706）。

〔112〕 平成 12 年の改正で、会社分割法制が整備された（→ 866）。先に述べた合併法制の整備およびこの会社分割制度によって、日本の会社が収益改善を目指して企業再編を行うための法制度は一応整備されたことになる。

⑻ 「失われた 10 年（15 年）」と規制緩和

〔113〕 バブル崩壊後の 10 年あるいは 15 年（20 年ともいう）は、「失われた 10 年（15 年）」といわれる。日本の実質 GDP 成長率は、平成４年には 1% を下回り、平成９年度以降はマイナス成長になった。このように、日本の経済がなかなか回復せず、一方米国経済がこの時期に力強い成長を遂げたのは、日本には米国に存在しない規制があるからであり、経済復興には規制緩和が必要であるとする規制緩和論が日本中を席巻した。

平成 10 年の金融システムの改革

〔114〕 企業法制に関して規制緩和がなされたものに、金融システムの大改革（金融ビッグバン）がある。平成 10 年４月には、外国為替及び貿易管理法が改正され、対外金融・資本取引が完全に自由化された。６月には金融システム改革法（「金融システム改革のための関係法律の整備等に関する法律」）が成立した。これによって、従来の護送船団方式といわれた金融行政を大転換し、徹底した金融自由化を行った。具体的には、証券業の免許制から登録制への移行によって、証券業への新規参入を容易にして新しい金融商品の開発、販売を可能にしようとした。さらに、証券取引所の株式売買手数料の自由化など、

証券分野における規制を緩和するのみならず、銀行や保険会社などの業務規制をできるだけ取り払って、効率的な金融市場の育成を目指した。

〔115〕　会社法に関する規制緩和として、自己株式の取得規制の緩和がある。日本では、自己株式取得は禁止され、例外を認める形で徐々に規制が緩和されてきた。平成６年の改正で、このような例外が大幅に拡大された。この改正によって、会社は、使用人に譲渡するためまたは利益消却のために自己株取得ができるようになった。さらに、平成９年の改正によってストック・オプション制度が導入された。これによって、会社は、取締役または使用人に付与するために最長10年間自己株式を取得することができるようになった。この改正で特筆すべきは、ストック・オプションに関する商法改正が議員立法として急遽行われたことである。これは、法制審議会商法部会の審議を経ずに商法改正が行われた初めての立法であって、立法手続において極めて異例であった。しかし、その後、経済界からの要望に応える形で議員立法による重要な法改正がなされることとなる。

〔116〕　自己株式に関しては多くの改正が行われた。これらは、自己株式取得の禁止の例外を拡大するというものであった。もっとも、平成13年６月の改正で、自己株式の取得規制が、原則禁止・例外許容から、原則許容に改められた。すなわち、従来原則的に取得を禁止してきた姿勢を改め、株主総会の決議を経れば取締役会の裁量による自己株式の買受を可能とし、かつ無期限で保有を続けることができるようにした（「金庫株」の許容）。金庫株の承認は、財界の強い要望と自由民主党の後押しによって実現した。その目的は、株価対策と企業再編の促進を図ることにあった。

平成13年の改正

〔117〕　平成13年には３回の改正が行われた。平成13年６月の改正では、金庫株の許容のほか、それまで暫定的な制度であった単位株制度に代わって、恒久的な制度として単元株制度が設けられた（→219）。また、従来その意義が問われていた額面株式を廃止し、無額面株式への統一が図られた。

〔118〕　さらに、６月の通常国会に議員立法として提出・継続審議となった株主代表訴

〈商法時代の自己株式取得規制の沿革〉

（条数は当時のもの）

	法改正	内容
全面禁止時代	明治32年 商法制定	自己株式の取得・質受けの全面禁止（151条1項）
原則禁止・例外許容の時代	昭和13年 商法改正	禁止の例外を規定 ①株式消却のため（210条1号）→遅滞なく失効（211条） ②合併・営業全部の譲受け（210条2号）→相当の時期に処分（211条） ③権利の実行にあたり、目的達成に必要な場合（210条3号）→相当の時期に処分（211条）
	昭和25年 商法改正	例外の追加 ④株式買取請求（合併・営業譲渡）によるもの（210条4号）→相当の時期の処分（211条。その後、組織再編手続の改正に伴い追加）
	昭和56年 商法改正	自己株式の質受けの許容（発行済み株式総数の20分の1まで。210条本文）
例外許容の拡大の時代	平成6年 商法改正	例外の拡大 ⑤譲渡制限会社における譲渡人等からの買取り（210条5号）→相当の時期に処分（211条） ⑥譲渡制限会社における相続人からの買取り（210条の3）→相当の時期に処分（211条） ⑦使用人に譲渡するため（従業員持株制度の運用を円滑にするため。210条の2）→6月以内に使用人に譲渡（211条） ⑧利益消却のため（定時株主総会の決議にもとづく）
	平成9年 商法改正	例外の拡大〈議員立法〉 ⑦′取締役に譲渡するためを追加（ストック・オプションのため。210条の2）→ストック・オプションの場合、権利行使期間（10年間）内に処分（211条。限度の拡大3%→10%）
	平成9年 株式消却特例法の制定	例外の拡大〈議員立法〉 ⑧′利益消却が、定款の授権により、取締役会の決議で可能に（特例法3条）
	平成10年 株式消却特例法の改正	例外の拡大〈議員立法〉 ⑧″資本準備金を原資とした利益消却が可能に（特例法3条の2）
	平成11年 土地再評価法の改正	例外の拡大 土地の再評価差益による消却が可能に
原則禁止から原則容認の時代	平成13年（6月）商法改正	取得・処分の自由化のための法改正〈議員立法〉 ・自己株式の取得（210条の全面改正） 　目的・数量・保有期間の制限の撤廃→金庫株の解禁（処分義務なし） 　（手続規制・財源規制） 　子会社からの取得（211条の3の全面改正） ・自己株式の処分（従来、特段の規定なし。211条の全面改正） 　取締役会決議による。新株発行の規定を準用 ・取締役会決議による任意消却可能に（213条の全面改正） 　定時総会の決議による消却制度の廃止 　株式消却特例法の廃止
	平成15年 商法改正	取締役会による取得が可能に（定款授権）（211条の3の部分改正） 　〈議員立法〉（消却目的の有無にかかわらず可能に）

訟等に関する改正が12月の臨時国会で成立した。これには、監査役の考慮期間の延長（30日が60日に→655）、会社の取締役への補助参加の許容（→664）などが含まれる。自由民主党は、株主代表訴訟における取締役の責任の軽減を認めるべきであることを提唱していた。平成13年12月の改正により、取締役の賠償責任を報酬の４年分（代表取締役は６年分）を限度とすることが可能となった（→647）。同じ改正で、監査役制度の強化が行われた（監査役会の監査役の半数は社外でなければならないこと〔→689〕、任期を３年から４年に延長すること〔→695〕など）。財界は、取締役の責任軽減を立法化するために、上記のように監査役の権限強化案を抱き合わせにしたものと解されるが、監査役制度はこれによってほぼ極限まで強化された。

〔119〕　このほか、法制審議会商法部会の検討を経て、平成13年11月の改正で、株式制度の見直しが実現した。これまで優先株にしか認められてこなかった無議決権株を普通株にも認める改正が行われた。さらに決議事項の一部についてのみ議決権を与えることも可能となり、これらは、議決権制限株式として種類株式の１つとして扱われることになった（→232）。このほか、株主総会または取締役会の決議事項の全部または一部について、種類株式株主のための種類株主総会の決議を要することを定款で定めることができるようになった（→249）（拒否権付株式）。強制転換条項付株式が法定された（→239）。

〔120〕　なお、新株予約権という概念が導入された（→385）。ストック・オプションの付与は、新株予約権の発行によってなされることになった。また、従来の新株引受権付社債（→419）や転換社債（→417）に相当するものとして、新株予約権付社債が創設された。

(9)　モニタリング・モデルの導入

〔121〕　平成14年の改正では、株式会社のコーポレート・ガバナンスに関する改正が注目される。そこでは、社外取締役制度を中核とする米国型の企業統治システムが導入された。従来の取締役会・代表取締役・監査役（監査役会）からなる制度のほかに、社外取締役が過半数を占める委員会（指名委員会、報酬委員会、監査委員会）を含む取締役会と業務執行を担当する執行役員からなる制度（委員会等設置会社。現在では指名委員会等設置会社）が創設された（→718）。会社は従来の制度と新しい制度を選択することができるものとされた。

〔122〕　平成13年の改正で、監査役制度をこれ以上考えられないところまで強化しておきながら（→118）、その翌年には、監査役制度と相排斥するガバナンス体制を法律上用意した。その大きな理由は次の点にある。まず、監査

〈監査役制度に関する主な改正〉

法改正	内容
旧商法の制定 （明治 23 年）	・監査役制度の法定（当時は、「取締役」として規定） （業務執行が法律、命令、定款、株主総会の決議に適合することを監視する機関） ・監査役の資格を株主に限定
新商法の制定 （明治 32 年）	・監査役の権限を規定（業務監査と会計監査を行う機関として位置づける） ・監査役の兼任を規制（取締役・支配人の兼務禁止） ・会社と取締役の間の訴訟について監査役が会社を代表すると規定（訴訟代表権）
昭和 13 年改正	・監査役の資格を株主に限定する規定を排除
昭和 25 年改正	・取締役会制度の創設とともに、監査役の権限を会計監査に限定 ・監査役に取締役に対する報告徴求権を付与 ・取締役・支配人・支配人以外の使用人との兼任禁止 ・訴訟代表権の廃止
昭和 49 年改正	・監査役は取締役の職務を監査する機関と規定（「監査」という用語を初めて使用） ・監査役の業務監査権限・訴訟代表権が復活 ・監査役に取締役会への出席権・意見陳述権を付与 ・監査役の任期を 2 年に ・監査役に取締役の違法行為差止権を付与 ・監査役の兼任規制の拡大（子会社の取締役・使用人にも拡大）
商法特例法の制定 （昭和 49 年）	・会計監査人による監査を義務づける（大会社）（監査役の会計監査は二次的なものに） ・小会社の監査役の権限を会計監査に限定
昭和 56 年改正	・監査役の欠格事由を規定（取締役の規定の準用） ・2 名以上の監査役・常勤監査役の設置を義務づける（大会社）（商法特例法の改正） ・監査役の報酬の決定を取締役と別に決定 ・監査役に取締役会の招集請求権を付与 ・監査役に使用人に対する営業の報告請求権を付与 ・監査費用の請求の容易化
平成 5 年改正	・監査役の任期の延長（2 年から 3 年に） ・社外監査役制度の導入（商法特例法の改正） ・監査役会制度の創設（大会社に義務づけ）（商法特例法の改正） ・監査役の人数を 3 名以上に（商法特例法の改正）
平成 13 年改正	・監査役の任期の延長（3 年から 4 年に） ・監査役の人数を 3 名以上として半数以上を社外監査役に（大会社）（商法特例法の改正） ・監査役会に監査役の選任の同意権・提案権付与 ・監査役の同意案件を拡大 ・会社の被告取締役の補助参加 ・取締役の責任軽減（議案の提出・責任限定契約など）
会社法制定 （平成 17 年）	・商法特例法の廃止 ・大会社以外にも会計監査人の設置を許容（大会社には強制） ・公開会社以外の会社の監査役の職務を会計監査に限定することを認める（定款の規定による）
平成 26 年改正	・監査役に、会計監査人の選任・解任議案の決定権限を付与

役の権限を強化しても、不祥事を防止することができなかった。この点で、監査役制度の限界が指摘されるようになった。さらに、監査役制度は日本に特有の制度であって、外国投資家による理解を得ることが難しい。そこで日本の会社でも、米国型の企業統治システムを採用しようと思えば採用できるように法律上手当をした。しかし、その利用は進まず（→720）、平成26年の改正でその変形ともいうべき監査等委員会設置会社の制度が追加して設けられた（→743）。

平成14年から16年の改正

〔123〕　この時期、商法は毎年のように改正される。平成14年の改正では、委員会等設置会社の導入のほか、株主総会の特別決議の定足数の緩和、招集手続の簡素化などの改正がなされた。さらに、親会社の株主の利益を保護するために、親会社の株主に対する子会社の業務内容の開示の充実を図った。会社の計算関係につき、計算書類の記載事項の法務省令への委任、商法特例法上の大会社への連結計算書類制度（→796）の導入も実現した。所在不明株主の株式売却制度（→330）の創設など、株式に関する事項も改正された。

〔124〕　平成15年の改正では、定款授権による取締役会決議による自己株式の取得が許容された。これは機動的な自己株式の利用を望む実務界からの要望により、議員立法で実現した。さらに、中間配当限度額の計算方法の見直しがなされた。商法では、配当、中間配当等についてそれぞれ個別に財源規制をしていた。ただし、現行会社法では、株主に対する金銭等の分配は、株主に対して剰余金を払い戻す行為であるという点で同じであるので、統一的に財源規制を課すことにしている（→815）。

〔125〕　平成16年の改正以前には、株式会社が定款の定めによって行う公告は、官報か時事に関する日刊新聞でなすものとされていた。平成16年の改正は、これに加え、インターネットのウェブサイトでの公告を認めた（電子公告→792）。高度情報化社会の進展に対応した低廉かつ簡便な公告方法が許容された。なお、会社法では、公告方法は、定款の絶対的記載事項ではなくなった。なお、株式会社は、会社成立後、株券を発行する義務があったが、株券発行は、発行会社にとってコストがかかり、株主側にも盗難・紛失等のリスクがある。そこで、平成16年の改正では、会社は、定款の定めにより、株券を発行しないことができるものとした（→210）。この改正では、株券を発行することが原則とされたが、会社法では、株券を発行しないことが原則となった（→211）。

3　会社法の制定と改正

(1)　会社法制の現代化

〔126〕　日本の商法（会社法）の所管は法務省が行う。法務省は会社法を改正する際、法制審議会（その下に設置される部会）を通じて慎重な審議のもと法改正を行ってきた。もっとも、近年には、財界からの圧力により、議員立法による法改正の動きも目立ってきた（自己株式の取得規制の緩和、取締役の責任軽減などがその代表例である）。さらに、新しい動きとして注目されることは、日本経済の生産性の低下という現実のもと、経営資源の効率的な活用を通じて生産性向上を実現するため、当時の通産省（現在の経済産業省）による特別立法が相次いだことである。これには、新事業創出促進法（平成11年施行。その後、「中小企業の新たな事業活動の促進に関する法律」に統合された）、産業活力再生特別措置法（同年施行。現在では、「産業活力の再生及び産業活動の革新に関する特別措置法」と法律名が改められている）などがある。

新事業創出促進法による1円資本金会社の許容と会社法における最低資本金の廃止

〔127〕　平成15年2月、新事業創出促進法の一部が改正され（中小企業挑戦支援法）、商法や有限会社法上の最低資本金（株式会社1,000万円、有限会社300万円）を準備することなく、株式会社または有限会社を設立することが可能となる「最低資本金規制特例制度」が創設された。特例制度は、創業者（事業を営んでいない個人が新たに会社を設立し、設立した会社で事業を開始しようとする個人であって、2月以内に事業を開始する具体的な計画を有する者）のうち、経済産業大臣の確認を受けた者が設立する株式会社または有限会社については、その設立から5年間は資本の額が最低資本金未満でも可能とするものであった。このように特例制度では、会社設立による創業を容易にするためのものであり、会社設立5年以降は、法律の定める最低資本金を準備する必要があった。もっとも、平成17年の会社法の制定により、最低資本金制度自体が廃止されたため、このような特例を定める必要がなくなり、会社法の施行とともに廃止された。

〔128〕　平成14年以降、「会社法制の現代化」と題する大改正についての審議が法制審議会で精力的に行われた。これは、①片仮名文字体で表記される商法第2編、有限会社法等の各規定について、平仮名口語化を図る、②用語の整

理を行うとともに、解釈等の明確化についても必要に応じ規定の整備を行う、③商法第２編、有限会社法、商法特例法等の各規定については、これを１つの法典としてまとめ、分かりやすく再編成するとの方針によって、会社法制の現代化を図ろうとするものであった。これに合わせて、会社に係る諸制度の規律の不均衡の是正等を行うとともに、最近の社会経済情勢の変化に対応するための諸制度の見直しが検討された。その結果、平成17年6月29日、「会社法案」および「会社法の施行に伴う関係法律の整備等に関する法律案」が国会で可決された。

〔129〕　会社法制定の大きな特徴の１つは、小規模株式会社を正面から認めたことにある。これにより、株式会社と有限会社が１つの会社類型（株式会社）として統合された。有限会社制度は廃止され、既存の有限会社は、株式会社となった（→23）。株式会社設立時の最低資本金制度が廃止された（→802）。また、新たな会社形態として合同会社（→19）が創設された。合名会社、合資会社、合同会社は、組合的な特徴を有する点で共通部分があり、いずれも「持分会社」（→15）として、多くの部分で同一の規律に復するものとなった。

平成17年の会社法制定

〔130〕　平成17年の会社法制定では、組織再編規制が見直され、合併等対価の柔軟化（→842）、略式組織再編制度の新設等がなされた（→850）。株式制度に係る改正として、株式の譲渡制限についての定款自治の拡大等がなされた（→311）。剰余金配当規制については、回数制限が撤廃され、一定の要件のもと、取締役会で剰余金配当を決定することも許されることとなった（→818）。取締役の責任については、委員会設置会社（現在の指名委員会等設置会社）とそれ以外の会社との間で整合性を持たせる改正がなされた（→644）。

〔131〕　株主代表訴訟については、原告が株式交換等によって株主の地位を失っても、原告適格を失わないものとされた（→659）。大会社に内部統制システムの構築が義務づけられた（→588）。主として、小規模会社を念頭に、計算書類の適正性を確保するために会計参与（公認会計士または税理士の資格を有する者）を機関として設置した（→771）。会計監査人制度がすべての株式会社に認められることになった（→756）。特別清算制度の見直しも行われている（→995）。

〔132〕　会社法および整備法は、平成18年5月に施行された。会社法では、合併等を行う場合に消滅会社の株主に存続会社等の株式以外の財産交付を認めている（合併等対価

の柔軟化→842）。この規定の施行が1年延期された。これは、会社が、敵対的企業買収に備えるため、定時株主総会において、定款変更を要する企業買収防衛策を採用する機会を保障するために取られた措置であった。

(2) 日本経済の再興と会社法制の改革

〔133〕 民主党政権下、平成22年2月24日、法制審議会に対し、「企業統治の在り方や親子会社に関する規律等を見直す必要があると思われるので、その要綱を示されたい」との諮問が行われた。これを受けて、法制審議会に会社法制部会が設けられた。民主党政権下における発議による改正論議らしいものとして、「監査役の一部を従業員代表から選任する」との案が、部会で日本労働組合総連合会の代表によって主張された。しかし、多くの委員の賛成を得ることができず、平成23年12月7日公表の会社法改正の中間試案には、従業員代表監査役に関するものは一切なかった。平成24年9月7日、法制審議会は、「会社法制の見直しに関する要綱」を取りまとめ、法務大臣に提出した。

〔134〕 このように、会社法改正要綱が出来上がったのは民主党政権下であった。もっとも、「要綱」が法案となって国会に提出されたのは、自由民主党が政権を奪還し、第2次安倍晋三政権となった後の平成25年11月29日である。同法の成立は、平成26年6月20日で、平成27年5月1日より施行された。

〔135〕 安倍政権は、「日本産業再生プラン」のなかで、コーポレートガバナンスの強化をめざし、攻めの会社経営を後押しするために社外取締役の機能を積極的に活用する方針を打ち出した（「日本再興戦略― JAPAN is BACK ―」〔平成25年6月14日〕）。具体的には、会社法改正案などで、少なくとも1人以上の社外取締役の確保に向けた取組みを強化することを求めた。

〔136〕 しかし、社外取締役の設置の義務化をめぐっては、会社法制部会で激しく議論され、財界が強く反対した。そのため、社外取締役を置かない会社は、「社外取締役を置くことが相当でない理由」を事業報告書で明らかにしなければならないこととした。しかし、自民党法務部会より、社外取締役選任をより一層推進する方向へ修正が求められ、会社法の規定で、社外取締役を置かない場合は、定時株主総会において、それを「置くことが相当でない理由」を

説明しなければならないものとされた（→551）。

〔137〕　ところで、日本においては、社外取締役について、金融商品取引所の規制により、その導入が推進されることになった点が注目される。東京証券取引所は、その上場規程によって、「〔上場会社は〕取締役である独立役員を少なくとも１名以上確保するよう努めなければならない」と定めた（上場規程445条の4の新設）。これは、法制審議会（および会社法制部会）が、会社法改正に関する要綱作成に当たり、金融商品取引所の規則において、同様の規律を設ける必要があるとの附帯決議を行ったことによる。法制審議会は、社外取締役の設置については、法による直接の強制をあきらめ、金融商品取引所の規則、すなわち、いわゆるソフトローによる規制に委ねたわけである。

〔138〕　その後、金融商品取引所の規制で、２名以上の社外取締役を設置する動きが加速した。東京証券取引所は、平成27年６月１日に、コーポレートガバナンス・コードを策定・実施した。そこでは、「独立社外取締役は会社の持続的な成長と中長期的な企業価値の向上に寄与するように役割・責務を果たすべきであり、上場会社はそのような資質を十分に備えた独立社外取締役を少なくとも２名以上選任すべきである」としている（CGコード原則4-8）。

〔139〕　上場会社は、コーポレートガバナンス・コードの趣旨・精神を尊重してコーポレート・ガバナンスの充実に取り組むように努めなければならない（上場規程445条の3）。他方で、コードの各原則の中に、それぞれの会社の個別事情に照らして実施することが、適切でないと考える原則があれば、それを「実施しない理由」を十分に説明することにより、一部の原則を実施しないことも想定されている（コンプライン・オア・エクスプレイン→50）。そのため、独立社外取締役を２名以上選任しない場合は、その理由をコーポレート・ガバナンス報告書で説明することが求められる（上場規程436条の3）。

平成26年の改正

〔140〕　平成26年の改正では、他にも重要な改正がなされている。まず、新たなコーポレート・ガバナンスの仕組みとして、監査等委員会設置会社が創設された（→743）。監査役（監査役会）設置会社、指名委員会等設置会社、監査等委員会設置会社の選択は会社に委ねられる。

〔141〕 また、親子会社法制も整備された。親会社株主の保護のために、多重代表訴訟制度（特定責任追及訴訟）（→665）および旧株主による責任追及の訴えの制度（→660）の創設のほか、新しいキャッシュ・アウトの制度が設けられた（→247）。会社分割等における債権者保護のため、詐害的な会社分割に対応する規定を設けた（→875）。支配権の異動を伴う株式の発行等の場合に、総議決権数の10分の1以上の議決権を有する株主が反対すれば、株主総会の承認が必要となった（→273）。なお、責任限定契約を締結することができる役員の範囲の改正（→651）、反対株主の株式買取請求等に関する改正などがなされた。

(3) 企業統治等に関する会社法制の見直し

〔141-2〕 平成26年の会社法改正では、その附則において、「政府は、この法律の施行後2年を経過した場合において、社外取締役の選任状況その他の社会経済情勢の変化等を勘案し、企業統治に係る制度の在り方について検討を加え、必要があると認めるときは、その結果に基づいて、社外取締役を置くことの義務付け等所要の措置を講じるものとする。」（25条）と規定していた。この規定の趣旨に従い、法制審議会会社法制（企業統治等関係）部会で審議がなされ、令和元年12月、改正法案が臨時国会で可決された。

〔141-3〕 令和元年改正の主要な項目は、まず、株主総会に関する規律について、株主総会資料の電子提供制度を新設したこと（→478-3-478-6）、および株主提案権の濫用的な行使を制限するため、株主が提案できる議案の数を制限したこと（→484-2）である。また、取締役等に関する規律について、取締役等への適切なインセンティブを付与する制度が創設された。これには、取締役の個人別の報酬等の内容決定に関する方針の決定の義務づけ（→618-2）、会社補償制度の整備（→653）、D&O保険に関する手続の法定（→653-2）などが含まれる。なお、前述のように、平成26年の改正で、社外取締役を置いていない場合、社外取締役を置くことが相当でない理由を説明しなければならなくなった（→136）。令和元年の改正では、上場会社等については、社外取締役を置くことが義務づけられることとなった（→550）。もっとも、日本の上場会社では、社外取締役の選任が進んでおり（→53）、この改正の実務上の影響は大きくない。

経済産業省による「指針」

〔141-4〕 経済産業省は、平成17年5月に、法務省とともに「企業価値・株主共同の利益の確保又は向上のための買収防衛策に関する指針」を公表した。これは、敵対的企業買収が盛んになるなか、適法性および合理性の高い買収防衛策（平時導入型）を提示することで、企業買収に対する過剰防衛を防止するとともに、企業買収に関する公正なルールの形成を促す目的で策定された。さらに、同省は、平成19年9月に、経営者による企業買収（MBO）に関する公正なルールを提示するため「企業価値の向上及び公正な手続確保のための経営者による企業買収（MBO）に関する指針」（「MBO指針」）を公表した。そして、令和元年6月、同指針を改訂し、「公正なM&Aの在り方に関する指針―企業価値の向上と株主利益の確保に向けてー」を公表した。そこでは、MBOと同様の利益相反構造を伴う、支配株主による従属会社の買収についても対象として、特別委員会の運営など、公正性を担保するための措置などについて踏み込んだ提言がなされている。さらに、同年6月には、「グループ・ガバナンス・システムの在り方に関する実務指針」を公表した。これは、日本企業において課題となっているグループ経営における実効的なガバナンスの在り方を示すものである。これらの指針自体は、法的拘束力を有するものではない。もっとも、MBO指針が最高裁判決で参照される例もあり、実務への影響は相当に大きいものとなっている。

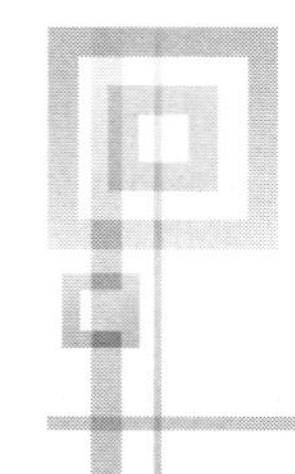

第3節　会社法総論

1　会社法の意義

(1)　会社をめぐる私的利益の調整

〔142〕　会社法は、私人間の利益を調整する法律（私法とよばれることもある）の1つである。私法の一般法として民法がある。しかし、商取引や企業の組織において、民法の一般規定だけでは不十分な場合がある。そこで、民法の特別法として商法（広義）が存在する。商法（広義）のなかで、会社に関する事柄を定めるのが会社法である。会社法は、会社をめぐる経済主体間の私的利益の調整を図る法律である。ここにいう会社をめぐる経済主体には、株主、会社債権者および取締役などの会社役員等が含まれる。

〔143〕　取締役は株主総会によって選任され（→547）、会社の経営を行う。もっとも、選任後、取締役が株主の期待に反する経営を行うことも考えられる。通常は、取締役が会社の利益を犠牲にして私的な利益を図る場合は多くはない。しかし、不注意や任務懈怠などで、会社に損害を与えることは考えられる。そのため、株主と取締役の利益の調整を図る必要がある。そこでは、株主のために取締役の行為を監視するシステムが必要となる（たとえば、監査役制度〔→681以下〕、株主代表訴訟制度〔→654以下〕など）。

〔144〕　また、株主の間の利益の衝突もある。株式会社では、原則として、株主は、株主総会における議決権行使によって自らの意思を表明する。株主総会の決議は、1株1議決権（→491）（もしくは1単元1議決権→219）による多数決で決められる（資本多数決の原則）。多数の参加者で物事を多数決で決めるのは民主主義の基本である。また、出資額が多い株主に多くの議決権を与え

るのでなければ、株主からより多くの出資を集めることが困難となる。そのため、株主総会の決議においても、資本多数決は不可欠である。この場合、少数株主は、議案に反対であっても、多数株主の賛成により、採決の結果に拘束されることとなる。もっとも、議案の内容によっては、このような多数決原理を貫くことで、少数株主の保護に著しく欠けることがある。このような場合について、会社法は、一定の条件のもとに、少数株主を保護する規定を置いている（たとえば、合併に反対する株主の株式買取請求権〔→846〕など）。

〔145〕　さらに、株主と会社債権者の利益が衝突することもある。たとえば、銀行などの会社債権者は、会社の利益にかかわらず、約束した元利金の支払いを受けることができる。もっとも、このことは、会社の利益が多くても、約定した元利金の支払いを受けるにとどまることを意味する。会社の経営が失敗した場合、元利金の支払いを受けることができなくなる危険性もある。この点で、基本的に、債権者は会社の過度のリスク・テイクに消極的である。他方で、株主の利益は、会社の利益が大きければ大きいほど増加する。会社の経営が失敗した場合、出資のすべてを失うこともあるが、株主の有限責任（→20）により、会社の債務について株主が責任を負うことはない（損失は、出資の額が上限となる）。この点で、一般論として、株主は、会社の利益を拡大するためにリスクのある業務への参入を支持する傾向にある。このように、会社の経営に際して、株主と会社債権者の間に利益の衝突が生じる。会社の経営を行うのは取締役であり、取締役は株主により選ばれることから、会社の経営は株主の意向に沿った形でなされることが考えられるので、特に、会社債権者の保護が必要となる（会社債権者はこのような形で会社の業務執行に参加できない）。さらに、株主が会社財産から優先的に配当を受けることができれば、会社債権者を害することも考えられる。そのため、会社債権者を保護するための措置が必要となる（たとえば、配当規制〔→820以下〕など）。

株主と会社債権者の利益の衝突

〔146〕　たとえば、会社が、株主から5,000万円の出資および銀行から年利息10％で5,000万円の融資を受けて事業を開始したとする。1年後、事業が成功し、会社の資産が10億円になった場合、会社は、銀行に対して、元利金5,500万円を支払う必要がある。一

方、株主は、9億4,500万円の価値を手に入れることができる。一方、1年後、事業が失敗し、企業価値が5,000万円になってしまった場合、会社は、出資者を後回しにし、まず、借金を支払わなければならない。そこで、銀行は5,000万円を手にすることとなる（利子は受け取れない）。銀行への支払いをした後は、会社の資産は0となるので、株主は一銭も受け取ることができない。株主の利益は「ゼロ」であるので、株主は、一か八かの、ハイリスク・ハイリターンの事業への参入に積極的となる。この段階で、会社債権者は5,000万円の回収が可能であったが、ハイリスクの事業への参入を行ったために、事業に失敗し、融資を全く回収できない危険性が発生する。さらに、銀行への融資返済に先駆けて、株主に3,000万円の配当を行った場合、残りの会社の資産は2,000万円となり、銀行は融資金額を回収することができなくなる。このような場面でも、株主と会社債権者の利害が鋭く対立する。

〔147〕 会社の取引では、特に「取引の安全」が重視される。取締役会設置会社では、取締役会で選任された代表取締役が会社を代表する（→595、598）。一方で、会社法は、一定の重要事項については、株主総会や取締役会等の決議を必要としている（→586）。しかし、代表取締役が、これらの議決を経ずに、あるいはその決議内容と異なる業務執行を行ってしまう危険性がある。法律が、取締役会等の決議を要求しているのは、株主の利益を保護するためである。そこで、このような場合、手続を無視した行為は無効とすべきである。しかし、代表取締役の行為が無効とされてしまうと、今度は、代表取締役の行為は会社の行為であると信じた取引の相手方が思わぬ損害を被ることになる。外見上、会社の行為として行われたものが、実は内部の手続の問題で、後になって無効となれば、取引の安全が著しく害される。そこで、かかる取引の安全も保護の対象としなければならない（新株発行の手続に瑕疵があった場合の、新株発行の効力がその典型例といえる→296）。

〔148〕 取引の安全は、取引先の保護のためのものである。取引先が会社債権者であれば、ここで行われるべき利益の調整は、株主と会社債権者の利益の調整ということもできる。さらに、取引の安全を保護しないと、会社債権者がその会社との取引を回避するようになり、結果として、会社の利益も害されることに繋がるという点にも留意が必要である。積み重ねられた実態を遡って覆すと混乱が大きい場合には、ある範囲に限った上で、特定の関係者に犠牲を強いて既成の事実を尊重することがある（上記の例では、手続違反の代表取締役の

行為を有効とする。その上で、違法行為を行った取締役の責任を問題とすることで、違法行為を抑制しようとする)。裁判などでは、会社における法的安定性の維持を尊重する傾向が強い。

〔148-2〕　近年の会社法改正では、企業活動に使い勝手のよい法制度の導入が図られている。これは、これまで述べた各経済主体の利益を確保しながら、企業の稼ぐ力を育成しようとするものである。これには、資金調達を容易にするための種類株式の多様化（→224以下)、完全子会社化を実現するためのキャッシュ・アウト法制の整備（→247）などが含まれる。さらに、社外取締役制度の導入など（→51、550)、政府主導でガバナンス体制を一定の方向に導く動き（攻めのガバナンス→50）も顕著となっている（社外取締役については、当初、必ずしも、経済界から導入を希望するものではなかった)。

〔149〕　なお、会社法には、一定の違反行為について罰則が規定されている（会社法第８編「罰則」では、960条から975条まで刑罰、976条から979条まで過料に関する規定が定められている)。刑罰の対象となっているのはおおむね株式会社に関する違法行為である。現代の企業社会において、株式会社の活動が日本経済において大きな影響を持つこととなり、その活動が社会にとって重大な関心事となっている（社会の「公器」とよばれることもある)。また、特に、大規模株式会社では、株主の監視が十分でないことから、会社の違法行為が見逃されやすく、会社の破綻は、株主や会社債権者のみならず、一般社会に対して重大な影響を及ぼすおそれがある。以上のことから、特に、会社法において罰則でもって、違法行為の抑止を図ろうとしている。

特別背任罪

〔150〕　会社法の罰則（刑罰）は、①会社財産を侵害する罪、②会社運営の健全性を害する罪に大別される。①として、特別背任罪（960条～962条）がある。刑法は、他人のためにその事務を処理する者が、自己・第三者の利益を図りまたは本人に損害を加える目的で、任務に背く行為をし、本人に財産上の損害を加えたとき、５年以下の懲役または50万円以下の罰金に処すると規定している（背任罪。刑247条)。これに対して、会社法では、取締役などが、自己・第三者の利益を図りまたは会社に損害を加える目的で、任務に背く行為をし、会社に財産上の損害を加えたとき、10年以下の懲役または1,000万円以下の罰金に処し、またはこれを併科すると定めている（960条)。このように会社法では、刑法

上の背任罪より重い刑事罰を定めている。特別背任罪の法定刑は、1980年代後半から続いた会社不祥事を契機として、次第に加重されてきた。なお、会社財産を管理する者が、会社の資金を私的に流用した場合、業務上横領罪が成立することがある（刑253条）。特別背任罪は、権限の濫用の場面で適用され、業務上横領罪は、権限の逸脱の場面で適用される。近年の事例では、バブル崩壊後に発生した不良債権について、その融資責任を免れるために不正融資を継続した場合に、自己保身の目的による特別背任が認められたものがある。また、カジノでの遊興費のため、子会社から約55億円を無担保で借入をしていた事件で、オーナーの地位を濫用したものとして特別背任罪（懲役4年の実刑判決）が認められたものもある（大王製紙事件）。

(2)　会社法の法源

〔151〕　会社法は、広義の商法の1つである。狭義の商法は、明治32年に制定された商法典を意味する。そこでは、平成17年の改正前まで、商法第2編「会社」が規定されていた。このほか、昭和49年に、商法特例法（株式会社の監査等に関する商法の特例に関する法律）が、大会社、小会社の特例を定めていた。さらに、昭和13年に制定された有限会社法があった。平成17年の改正で、これらの法律が統合され、会社法として制定されることとなった（商法特例法、有限会社法は廃止された）。商法は、第2編「会社」が削除され、第1編「総則」（商法総則）、第2編「商行為」、第3編「海商」となった。

〔152〕　商法総則には、商法の適用についての共通の「通則」が規定されている。平成17年の改正まで、株式会社などの会社についても、商法第1編「総則」の規定が適用されていた。もっとも、同年の改正で、商法総則の規定のうちで会社に適用されるものは、会社法総則（会社法第1編「総則」）として規定することになった（したがって、現行法のもとで、商法総則は、会社以外の商人に適用されるものとなっている）。

〔153〕　実質的意義の会社法には、制定法、商慣習法および個々の会社の商事自治規範である定款がある。制定法には、会社法のほか、特別法として、社債、株式等の振替に関する法律（平成13年法律75号）、担保付社債信託法（明治38年法律52号）、商業登記法（昭和38年法律125号）などがある。特別の事業を行う会社についての特別法も規定されている（たとえば、銀行法など）。な

お、会社法は、詳細を法務省令に委ねている。これには、会社法施行規則（平成18年法務省令12号）、会社計算規則（平成18年法務省令13号）、電子公告規則（平成18年法務省令14号）がある。

〔154〕 株式会社にとって、特に、重要な意義を持っている法律として、金融商品取引法（昭和23年法律25号）および私的独占の禁止及び公正取引の確保に関する法律（独占禁止法。昭和22年法律54号）がある。金融商品取引法は、昭和23年に制定された証券取引法を改組する形で定められた（平成18年の改正）。金融商品取引法は、金融商品取引業（かつての証券業）を規律する「業法」でもある。他方で、同法の定める情報開示規制（ディスクロージャー→284以下）や不公正取引の禁止規制（インサイダー取引規制など→344以下）などは、株式会社一般にとっても、重要なものとなっている。この点で、金融商品取引法は、広義の会社法を構成するものとなっている。

〔155〕 独占禁止法には、合併規制など、会社法と共通する規制が存在する。会社法では、株主や会社債権者などの利益を調整するための規制を定めている（合併に株主総会の決議を要すること〔→844〕、債権者保護の手続〔→853〕を設けているなど）。これに対して、独占禁止法は、私的独占を禁止することで国民全体の利益を確保するための規制を定めている（市場の寡占化を防止する観点から、公正取引委員会の認可を要すること〔→836〕など）。

〔155-2〕 上場会社は、証券取引所の定める規則を遵守しなければならない。立法によって定められるルールが「ハード・ロー」と呼ばれるのに対して、証券取引所などの自主規制機関が定めるルールは「ソフト・ロー」と呼ばれる。上場会社は、証券取引所が定める上場規程（有価証券上場規程）に従うことが求められる。上場規程では、会社情報の適時な開示（適時開示・タイムリー・ディスクロージャー）のほか、コーポレートガバナンス報告書の提出が義務づけられる。さらに、上場規程には、第三者割当遵守事項、買収防衛策の導入、支配株主との重要な取引などに関する遵守事項が規定されている（企業行動規範）。なお、コーポレートガバナンス・コード（→50）は、東京証券取引所の有価証券上場規程に規定されている。

(3) 会社法の体系

〔156〕 会社法は全8編で構成される。会社法上の「会社」は、①株式会社、②合名会社、③合資会社、④合同会社の4つである（2条1号）（→15）。その上で、①を第2編「株式会社」、②③④を第3編「持分会社」として規定して

〈会社法の体系と本書での解説箇所（主なもの）〉

編	章	本書の章・節
第1編 総則（1条～24条）		
第2編 株式会社（25条～574条）	第1章 設立（25条～103条） 第2章 株式（104条～235条） 第3章 新株予約権（236条～294条） 第4章 機関（295条～430条） 第5章 計算等（431条～465条） 第6章 定款の変更（466条） 第7章 事業の譲渡等（467条～470条） 第8章 解散（471条～474条） 第9章 清算（475条～574条）	〔第5章第4節〕 〔第2章第2節〕 〔第2章3節〕 〔第3章第1節～第6節〕 〔第4章第2節～第3節〕 〔第5章第2節1〕 〔第5章第5節1〕 〔第5章第5節2〕
第3編 持分会社（575条～675条）	各章の項目は略	〔第1章第1節2(1)〕
第4編 社債（676条～742条）	第1章 総則（676条～701条） 第2章 社債管理者（702条～714条） 第2章の2 社債管理補助者（714条の2～714条の7） 第3章 社債権者集会（715条～742条）	〔第2章第4節〕
第5編 組織変更、合併、会社分割、株式交換、株式移転及び株式交付（743条～816条の10）	第1章 組織変更（743条～747条） 第2章 合併（748条～756条） 第3章 会社分割（757条～766条） 第4章 株式交換及び株式移転（767条～774条） 第4章の2 株式交付（774条の2～774条の11） 第5章 組織変更、合併、会社分割、株式交換、株式移転及び株式交付の手続（775条～816条の10）	〔第5章第1節～第3節〕
第6編 外国会社（817条～823条）		〔第1章第3節4(4)〕
第7編 雑則（824条～959条）	第1章 会社の解散命令等（824条～827条） 第2章 訴訟（828条～867条） 第3章 非訟（868条～906条） 第4章 登記（907条～938条） 第5章 公告（939条～959条）	〔各所〕
第8編 罰則（960条～979条）		〔第1章第3節1(1)〕

いる。平成17年改正前まで、社債の発行は株式会社にのみ許容されていた。そのため、社債に関する規定は株式会社の規制として定められていた。会社法では、上記のすべての会社に発行を認めた。そのため、「社債」に関する規定は、第4編「社債」として、第2編「株式会社」および第3編「持分会社」の後に規定されている。第1編「総則」と第4編以下は、株式会社および持分会社に共通の規定となる。株式会社は持分会社に、持分会社は株式会社に組織変更することができる。このような組織変更のための手続を、第5編に規定している。このほか、第5編では、合併（吸収合併、新設合併）、会社分割（吸収分割、新設分割）、株式交換・株式移転および株式交付についての規定を定めている。なお、株主総会の決議取消しに関する規定、株主代表訴訟に関する規定は、第7編「雑則」に規定されている。

〔157〕　会社法では、定義規定が置かれている（2条）。もっとも、これ以外にも、定義規定が置かれていることに注意が必要である（たとえば、「役員」の定義は329条1項に、「役員等」の定義は423条1項に定められている）。また、会社法では、正面から、小規模株式会社を容認した（→129）。そのため、「株式会社」のカテゴリーにおいて、小規模閉鎖会社から、大規模公開会社までが規律されるものとなっている。もっとも、必要とされる規制は、会社の規模や閉鎖性などによってさまざまである。会社法は、比較的簡素な規制を最初に配置し（デフォルト・ルールとして）、複雑な規制をその後に続けるという形で条文を組み立てている（たとえば、株主総会の権限として、295条1項で「株式会社に関する一切の事項について決議をすることができる」と規定した上で、2項で「前項の規定にかかわらず、取締役会設置会社においては、……この法律に規定する事項及び定款で定めた事項に限り、決議をすることができる」と定めている）（→485）。

2　株式会社の性質

(1)　営 利 性

〔158〕　株式会社は、その事業活動を通じて得た利益を株主に分配することを目的としなければならない。その分配の方法は、剰余金の分配の方法

（→814-816）によるものと、残余財産の分配の方法によるものとがある。株式会社を清算する際、会社はその債務を弁済し、最後に残った財産を株主に分配する（残余財産の分配）。もっとも、会社の清算が行われる場合、会社に残余財産が残されていることは考えにくく、株主にその分配が行われることは期待できない。

〔159〕　株式会社は、会社自体に利益が生じ得る事業を営まなければならない。したがって、「社会福祉への出費」「永年勤続退職従業員の扶助」あるいは「会社および業界の利益のための出費ならびに政治献金」などを目的として会社を設立することはできない。そのほか、弁護士、税理士等のように、一定の資格のある者に限ってその事業を行うことができるとされている事業を目的として会社を設立することはできない。

〔160〕　平成17年改正前の商法52条（旧有1条も同様）では、会社を、「営利を目的とする社団」と定めていた。会社法ではかかる規定はない。株主には、剰余金配当請求権、残余財産分配請求権が認められているため、会社の利益を株主に分配するという意味の「営利を目的とする」という規定を定める必要性がないものと考えられた。なお、保険業を営む会社形態として、保険業法上「相互会社」が存在する（保険事業は、株式会社または相互会社形式で行わなければならない。保険業5条の2）。相互会社形式の保険会社の社員は保険契約者である。保険契約者が支払う保険料が相互会社への出資に相当する。相互会社形式の保険会社は、利益追求を行うものの、その利益を社員（保険契約者）に配分することを目的とするものではない。この点で、同じ営利目的が認められるものであっても、株式会社と相互会社で違いが存在する。

(2)　社 団 性

〔161〕　社団とは人の集合体を意味するものである。一方で、財団は、財産の集団を意味する。社団に対する概念として組合がある。組合では出資者である構成員が契約関係で直接的にお互いに結ばれる。これに対して、社団では、構成員は団体と社員関係を通じて間接的に結ばれる。株式会社が株主（個人であれ法人であれ）の集合体であることからすると、それは社団といえる。もっとも、社団を人の集合体を意味するものと考えると、本来複数人をもって構成

しなければならないはずである。株主や社員が１名である会社を「一人会社」（いちにんかいしゃ）という。そこで、会社の社団性から一人会社が認められるかどうかが問題となる。完全子会社を設立するには、一人会社を認める必要がある（完全子会社は、親会社を唯一の株主とする一人会社である）。一人会社であっても、株主や社員が株式や持分を譲渡すれば、株主や社員が複数になる可能性がある点で社団性は維持されると解されている。

〔162〕　平成17年の改正前まで、会社は「社団」であると規定されていた。しかし、社団に関するさまざまな法律関係は法律上明記されているため、社団性を論じる実益は乏しいとされ、会社法では、この規定を削除した。

⑶　法 人 性

〔163〕　会社はすべて法人である（3条）。そのため、会社は、その名において契約を締結し、その名において権利を取得し、義務を負う。また、その権利義務のためにその名において訴訟当事者となることができる。会社を法人とすることにより、生じる様々な法律関係の処理を簡明にすることができる。さらに、会社が法人であることの重要な効果は、会社に提供された財産が株主の個人財産から分離されることである。これにより、株主の債権者は、会社財産から弁済を受けることができないこととなる。

〔164〕　日本には、零細な個人企業が株式会社組織で経営を行うものが多数存在している。このような会社において、会社を独立した法人として扱うことが不当な場合がある。そこで、判例および多数説は、その株式会社の存続は認めながら、特定の事案の解決のために会社の独立性すなわち法人格を否定して、会社とその背後にある株主とを同一視する法理を認めている。このような法理を「法人格否認の法理」という。法人格の否認は、取引先の第三者を保護するためのものであるから、会社または株主から第三者に対して主張することは認められない。

〔165〕　法人格否認の法理は、直接には民法１条３項の権利濫用禁止の原則を根拠とすると考えられている。判例によると、法人格否認の法理が適用されるには、①法人格が法律の適用を回避するために濫用されていること（濫用事例）、②法人格が形骸化されていること（形骸事例）が必要である（最判昭44・2・

27民集23・2・511〔百選3事件〕)。多数説はこの判例の見解を肯定する。

法人格否認の法理の適用事例

〔166〕 ①の濫用事例は、会社を意のままに利用している株主が（支配の要件)、違法・不当な目的のために（目的の要件)、会社の法人格を利用するものである。これまで、法人格の濫用を認めた事例として、(i)競業避止義務を負う者が、競業行為を行う会社を設立することにより、自己の競業避止義務を回避しようとした事例（法律上・契約上の義務の回避事例)、(ii)組合活動家を解雇するために、会社を解散した事例（不当労働行為の事例。そこでは全従業員を解雇した後に、新会社を設立して組合活動家以外の者を再雇用しようとした)、(iii)倒産の危機に直面した零細企業の経営者が会社債務の支払いを回避する目的で新会社を設立し、新会社に旧会社の財産を移転して事業を継続しようとした事例（債権者の詐害事例)（強制執行を回避するために法人格が濫用されている場合について、最判平17・7・15民集59・6・1742〔百選4事件〕）などがある。

〔167〕 ②の形骸事例は、会社の実態が全く個人事業と認められるものである。たとえば、実質的に株主が会社を支配している事実だけでなく、会社と株主個人についてその財産が混合されている場合、その事業活動が継続して混同されている場合、その会計・帳簿組織の区別が欠如している場合、取締役会・株主総会が開催されていない場合などを総合して法人の形骸化が判断される。

3　株式会社の能力

〔168〕 株式会社は、法人としての性質上、当然に自然人であることを前提にして認められる権利義務（たとえば、生命権、親権、扶養の義務など）の主体となることはできない。さらに、株式会社は法律によって作られた法人であるために、その権利能力は法令によって制限される。たとえば、解散後の会社および破産宣告を受けた会社は、清算または破産の目的の範囲内においてのみ権利を有し義務を負う（476条)。したがって、清算中の会社は、会社の事業を新たに行うことはできない。

(1)「定款所定の目的」による制限

〔169〕 株式会社は、その事業目的（会社の目的）を定款に記載し（→930)、かつそれを登記しなければならない（27条1号、911条3項1号)。判例は、株

式会社の定款に記載されている目的条項の意味を極めて厳格に解釈し、定款の目的事項の文言のみによって、ある行為が目的の範囲内であるかどうかの決定を行った時期があった。しかし、次第に、定款の目的事項を広く、弾力的に解釈するようになり、目的を遂行するために必要な行為もまた目的の範囲内にあると解するようになった（大判大元・12・25民録18・1078）。さらに目的を遂行する為に必要な行為という判断基準については、取引の安全を保護する観点から（目的遂行上、現実に必要であるかどうかという内部事情は外部者には的確に知ることができず、このような事情を調査した上でなければ取引することができないとするならば、第三者は安心して取引に入ることができない）、行為の客観的性質により抽象的に判断すべきであるとするに至っている（大判昭13・2・7民集17・50、最判昭27・2・15民集6・2・77〔百選１事件〕）。

〔170〕　会社の権利能力が定款所定の目的によって制限されないと解する学説も有力に主張されていた。その論拠としては、①会社の目的が登記により公示されているとしても、取引先の第三者が取引のたびにこれを確かめることは実際上できないこと、②目的による制限は会社に不利な取引を行った場合に、責任を回避する手段として利用されることなどが挙げられる。もっとも、このような説でも、会社の能力は定款所定の目的によって制限されないものの、①会社に共通な営利の目的によって制限されると解する説と②会社の目的は代表機関の権限を制限するものであると解する説などがあった。会社の権利能力は何によっても制限されないとの見解もあった（この場合でも、定款所定の目的に反する取締役の行為は、株主による差止請求〔360条１項〕、会社に対する賠償責任〔423条１項〕の原因となる）。

〔171〕　平成18年の民法改正で、株式会社を含む法人について、「法令の規定に従い、定款その他の基本約款で定められた目的の範囲内において、権利を有し、義務を負う」と定められた（民34条）。これによって、株式会社の権利能力が定款所定の目的によって制限されることが明らかとなった。この点について、従来の会社法における有力学説を無視した立法として批判が強い。もっとも、既述のように、現在では、ほとんどの行為が会社の目的の範囲内と解されるようになり（さらに、会社の定款には、会社の目的の最後に、「その他前号に附帯する一切の事業」などと記載されているのが通常である〈→定款２条参照〉）、

実質的には、会社の権利能力が定款所定の目的によって制限されないことと変わりはないものとなっている。

(2) 会社の政治献金

〔172〕 政治献金は、国や政党などの特定の政策を支持、推進するための手段であり、政治活動の1つである。日本国憲法は、国民に参政権ならびに思想および良心の自由を認め（憲15条、19条）、表現の自由を保障している（憲21条1項）。社会的実在やその機能に照らし、法人に憲法上の人権享有主体性を承認するのが憲法学の通説的地位のようである。もっとも、法人に対して人権保障が及ぶとしても、政治的行為の自由が自然人と同様に認められるべきかについては議論がある。自然人は、それぞれの政治的思想や信条に基づき、自ら所有する財産をもって政治献金を行う。法人である会社も、会社が所有する財産を用いて政治献金を行う。しかし、会社の財産は、会社の実質的所有者である株主が拠出する資金をもとに形成されるものである。株主のなかには多様な政治的意見の持ち主が存在することは否定できず、会社の政治献金は、個人的な政治的信条と異なる政治的支援を株主に強制するといった問題がある。さらに、会社は多額の政治献金が可能なため、それを通じて、強力に政治意思の形成に参画することができる。このことは、国民の参政権を侵害するのではないかといった点が論じられている。

〔173〕 株式会社が社会貢献事業などに寄付行為を行うことについては、寄付行為が会社の目的達成に間接的に役立つものであること、もしくは現代社会において会社が社会的役割を果たすことが要求されることなどから、これを私法上も合法的な行為として認めるのが一般的な見解である。しかし、政治献金が、同様に会社の定款の目的の範囲内であるかどうかについては議論がある。この問題についてのリーディングケースである八幡製鉄事件最高裁判決（最大判昭45・6・24民集24・6・625〔百選2事件〕）は、「政治資金の寄付は、客観的、抽象的に観察して、会社の社会的役割を果たすためになされたものと認められるかぎりにおいては、会社の定款所定の目的の範囲内の行為であるとするに妨げない」とした（会社の規模、経営実績その他社会的・経済的地位および寄付の相手方など諸般の事情を考慮して、合理的な範囲内において金額を決すべきとした）。

他の判決においても、基本的に、会社の政治献金は、会社の目的を達成する行為として、定款所定の目的の範囲に含まれると解している。学説もこの立場を支持するものが多い。ただし、政治献金は、株主全員の同意に基づきなされたものでない限り、憲法あるいは民法（民 90 条）の段階において無効と解する説も主張されている。

〔174〕　政治献金については、公職選挙法（昭和 25 年法律 100 号）が特別な利益を伴う政治献金を禁止している。さらに政治資金規正法（昭和 23 年法律 194 号）が会社などの政治献金の規制を定めている。会社は政党および政治資金団体以外の者に政治活動に関する寄付をすることが禁止される（政資 21 条 1 項)。政治資金団体は、政党のために資金上の援助をする目的を有する団体で（政資 5 条 1 項 2 号)、政党はそれぞれ一の団体を当該政党の政治資金団体となるべき団体を指定できる（政資 6 条の 2 第 1 項)。政党はこの指定をしたときは、直ちにその旨を総務大臣に届けなければならない（政資 6 条の 2 第 2 項)。このような制限は、政治腐敗事件の多くが、会社等の団体寄付が原因であったこと

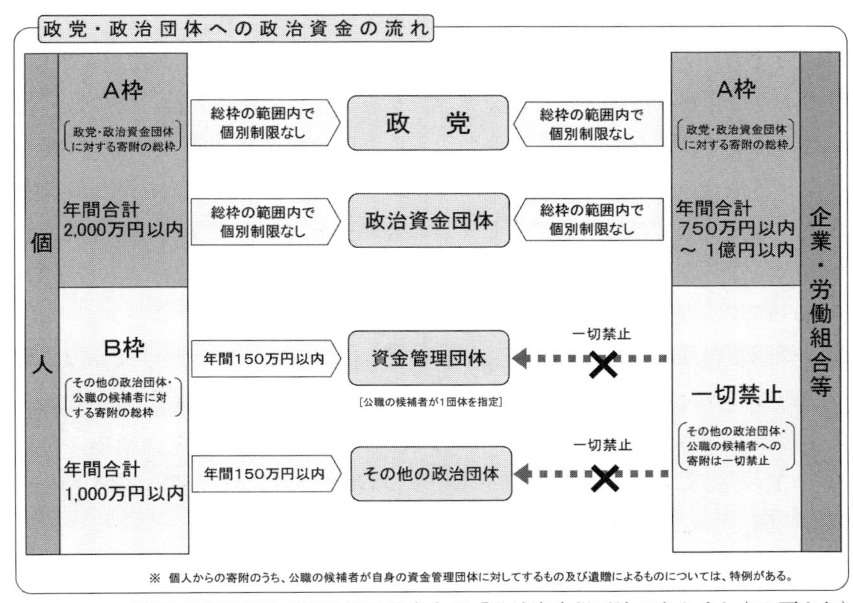

（総務省自治行政局選挙部政治資金課「政治資金規正法のあらまし」13 頁より）

を踏まえて定められたものである。政治献金の受け皿を政党と政治資金団体に限定することで、資金の流れの透明性を図っている。

政治資金規正法の規制

〔175〕　政治資金規正法の規制対象となる「寄附」は、金銭、物品その他の財産上の利益の供与または交付で、党費または会費その他債務の履行としてされるもの以外をいい（政資4条3項）、秘書の派遣、自動車の提供などの便宜の提供も含まれる。このように禁止される寄付を勧誘、要求することも禁止される（政資21条3項）。以上に違反した者は1年以下の禁錮または50万円以下の罰金に処せられるほか（政資26条）、公民権の停止事由にもなる（政資28条）。国から補助金等の交付を受けた会社、3事業年度以上にわたり継続して欠損を生じている会社などは、政治活動に関する寄付をすることはできない（政資22条の3、22条の4）。会社が、政党、政治資金団体に対してする寄付の限度額（総額）は、資本の規模に応じて定められている（750万円から3,000万円。政資21条の3第1項2号）。

〔176〕　日本では、平成2年には会社の政治献金は100億円を超えていた。そこでは、経団連が自動車メーカー・電機メーカーなどが作る団体ごとに献金の額を決め、その団体が各会社に割り振る制度が採用されていた。もっとも、このような仕組みは国民の批判を受け、平成6年に中止された。その後、日本では、税金で政党をささえる政党助成制度が創設された。そこでは、国民1人あたり年間250円の税金（合計で約320億円）が政党助成として使われ、国会議員の数と選挙での得票数に応じて各政党に配分されている（平成30年度の交付額は、全体で317億7,368万2,000円で、このうち、自由民主党は174億8,989万6,000円であった。総務省「報道資料」〔令和元年9月27日〕）。ところで、平成26年、経団連が政治献金への関与を再開する方針を打ち出した。これに基づき、経団連は、各企業に対して政治献金の要請を開始した。総務省が公表した政治資金収支報告書（平成29年度）によれば、自由民主党の政治資金団体に対して約23億9,182万円の企業・団体献金が行われている。経団連は、民主政治を適切に維持するには相応のコスト負担が不可欠で、企業の政治献金は社会貢献の一環として重要と強調する。しかし、このような動きは、時代に逆行するものとして批判も強い。

4　株式会社の分類

(1)　大会社と公開会社

〔177〕　最終事業年度にかかる貸借対照表に資本金として計上した額が5億円以上または負債の部に計上した額が200億円以上の株式会社を大会社という（2条6号）。平成17年改正前まで、「株式会社の監査等に関する商法の特例に関する法律」（商法特例法）が存在し、大会社について、商法の特別規定を定めていた。100万社以上あった株式会社には、大規模会社から家族的経営を行う小規模会社までさまざまな会社があった。かかる多様な株式会社を商法の規定のみで規制することは適切でなく、昭和49年、商法特例法が制定された。会社法においても、大規模会社について特別の規定を置く必要がある。そこで、大規模会社の基準として、それまでとほぼ同様の定義を用いて、大会社の概念が使われることになった（商法特例法上は、資本の額が5億円以上または最終の貸借対照表の負債の部に計上した金額の合計額が200億円以上の会社を大会社と規定していた。これによると、期中に資本金の額が増減した場合の複雑な経過措置についての規定を置く必要があった）。なお、商法特例法のもとでは、株式会社のうち、資本の額が1億円以下で負債の総額が200億円未満の会社（小会社）に関して、監査役の権限等について特別の規制をしていた（会計監査権限に限る）。もっとも、ガバナンスの観点からは、会社の規模にかかわらず、監査役に業務監査権限を付与することが望ましい。また、会社法のもとでは、大会社とそれ以外の会社区分に加えて、さらに会社の規模により差異を設ける実益は乏しいとされた。そこで、会社法では、小会社についての規定が置かれなかった。

〔178〕　ところで、公開会社は、一般的には、その発行する株式等を取引所等に上場している会社をいう（株式の上場→341）。会社法のもとでは、すべての種類の株式について、譲渡制限がある株式会社以外の株式会社を公開会社としている（2条5号）（株式の譲渡制限→311）。一部の種類の株式についてだけ譲渡制限がある会社も公開会社となる。小規模会社では、株式につき譲渡制限を付していることが通常と考えられる。一方で、持株会社の子会社など、大規模会社でありながら、閉鎖性を維持している会社もある。

〔179〕　公開会社は株主数が多数に及び、所有と経営の分離が進むことが想定される。そこで、公開会社では、会社経営体制を整備する必要があり、取締役会の設置が義務づけられる（→ 458）。一方で、大会社では、会社の規模が大きく、取引先等の債権者が多数に及ぶことが考えられる。そのため、これらの債権者等の保護のため、会計監査人の設置が義務づけられる（→ 460）。会社法における会社は、①公開会社＋大会社、②公開会社以外の会社（株式譲渡制限会社）＋大会社、③公開会社＋大会社以外の会社（中小会社）、④公開会社以外の会社＋大会社以外の会社に分類され、それぞれ、選択できる機関設計が定められている（→ 457 以下）。

(2)　親会社と子会社

〔180〕　会社はその事業について子会社を利用して行うことが少なくない。純粋持株会社のみならず、会社が特定の事業を子会社で行わせることがある。現代社会においては、このような会社の実態から、会社単体に対する規制のみならず、企業グループについても適切な規制を及ぼす必要がある。平成 17 年改正前の商法では、「子会社」を、株式会社が、他の株式会社または他の有限会社の議決権の過半数を有する場合の当該他の株式会社または他の有限会社と定め、「親会社」を、この場合において、過半数の議決権を有する株式会社と定めていた（改正前商 211 条ノ 2、旧有 24 条 1 項）。そこでは、議決権の数という形式的基準が用いられていた。会社法では、総議決権の過半数という基準に加えて、実質的支配関係の有無によって、親子関係を判断するものとした。かかる基準は、法務省令で定められている（2 条 3 号・4 号）。

親会社・子会社の定義

〔181〕　他の会社等の財務および事業の方針の決定を支配している会社が親会社で、支配されている会社が子会社となる。「財務および事業の方針の決定を支配している」とは以下の場合をいう（施 3 条 3 項）。

①　議決権の所有割合が 50％を超える場合

②　議決権の所有割合が 40％以上である場合で、

(i)　(a)自己の計算において所有している議決権、(b)自己と出資、人事、資金、技術、取引等において緊密な関係があることにより自己の意思と同一の内容の議決権を行使することが認められる者が所有している議決権、(c)自己の意思と同一の内容の議決権を行使することに同意している者が所有している議決権の合計数が50％を超えていること

(ii)　取締役会その他これに準ずる機関の構成員の総数に対する、(a)自己の役員、(b)自己の業務を執行する社員、(c)自己の使用人、(d)(a)から(c)であった者の数の割合が50％を超えていること

(iii)　重要な財務および事業の方針の決定を支配する契約等が存在すること

(iv)　資金調達額の総額に対する融資額等の割合が50％を超えていること

(v)　その他、財務および事業の方針の決定を支配していることが推測される事実が存在すること

③　①②以外で、議決権の所有割合が50％を超える場合で、②(ii)から(v)のいずれかの要件に該当する場合

(3)　一般法上の会社と特別法上の会社

〔182〕　会社法の適用を受ける会社を一般法上の会社とよび、特別法の規定に服する会社を特別法上の会社とよぶ。特別法としては、国際電信電話株式会社法（昭和27年法律301号）、電源開発促進法（昭和27年法律283号）、日本たばこ産業株式会社法（昭和59年法律69号）、日本電信電話株式会社等に関する法律（昭和59年法律85号）、旅客鉄道株式会社及び日本貨物鉄道株式会社に関する法律（昭和61年法律88号）のような特定の会社のための特別法と、銀行法（昭和56年法律59号）、信託業法（平成16年法律154号）、保険業法（平成7年法律105号）、鉄道事業法（昭和61年法律92号）などのように、特定種類の事業を目的とする会社に共通して適用される特別法とがある。

(4)　外国会社

〔183〕　会社法では、外国会社を、外国の法令に準拠して設立された法人その他の外国の団体であって、会社と同種のものまたは会社に類似するものをいうと定めている（2条2号）。外国会社は、その外国法上有する権利能力を日本でも承認される。すなわち、法人たる外国会社は、日本法により設立された同種の会社と同一の権利を享有することができる（民35条2項本文）。

〔184〕　外国会社が日本において継続して取引しようとするときは、日本に

おける代表者を定め、その会社につき登記をなすことを要する（817条、933条）。日本における代表者のうち、1名以上は、日本に住所を有するものでなければならない（817条1項）。日本におけるすべての代表者が退任する場合に、資本減少における債権者保護と同様の手続が求められる（820条1項）。その手続終了後に退任の登記をすることで、退任の効力が発生する（同条3項）。このような規制は、外国会社が、日本に未払債務を残したまま国内の普通裁判籍を失わせることを防止するために効果がある。

〔185〕　株式会社と同種または最類似の外国会社は、日本の株式会社と同じく、日本における最終の貸借対照表と同種もしくは類似するものまたはその要旨を、定時総会による承認と同種または類似する手続を経た後遅滞なく開示しなければならない（819条1項）。法の定める一定の事由（不法な目的での事業、事業の登記後1年以上の事業の不開始等）のある場合には、裁判所は、法務大臣または株主、債権者その他の利害関係人の請求により、外国会社が日本において取引を継続して行うことを禁止する命令および営業所を閉鎖する命令を出すことができる（827条1項）。その場合には、日本における会社財産につき清算の開始を命じることができる（822条）。内国債権者を保護するため、いわゆる属地清算が認められている。

疑似外国会社

〔186〕　外国会社は、本来は日本の会社法の支配を受けない。しかし、日本の会社法の適用を免れるために、意図的に外国法によって外国会社を設立し、しかもその本店を日本に設け、または日本を主たる営業地とするような脱法的な行為が行われることを防ぐ必要がある。平成17年改正前の商法は、このような外国会社（擬似外国会社）は、内国会社と同一の規定の支配に服すべきと定めていた（改正前商482条、旧有76条）。この場合の同一の規定の意味については説が分かれていた。判例（大決大7・12・16民録24・2326）、通説は、設立に関する規定も含むと解していた。これによれば、そのような会社は、日本法によって設立し直さなければならず、そのままでは外国会社としての登記ができない。したがって、擬似外国会社の法人格が認められず、その取引については、代表者が責任を負うこととなっていた。

〔187〕　会社法は、日本に本店を置き、または日本において事業を行うことを主たる目的とする外国会社は、日本において取引を継続して行うことができないと規定している（821条1項）。かかる規定に違反して取引を行った者は、相手方に対して、外国会社と連

帯して、その取引によって生じた債務の弁済をする責任を負う（同条２項）。会社法は、取引先の保護の観点から、擬似外国会社の法人格を否定しないこととした。その上で、外国会社を利用して日本の会社法制の潜脱を防止するため、もっぱら、日本において事業を行うことを目的として設立されたような外国会社は、日本で取引を継続することができないものとしている。

第 2 章
企業金融
（コーポレート・ファイナンス）

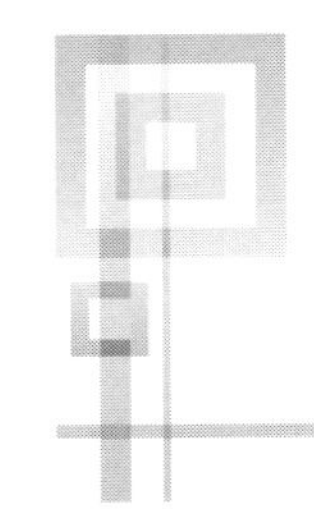

第１節　会社の資金調達

1　内部資金と外部資金

〔188〕 株式会社はその事業活動のために資金調達を行う。会社の資金には、内部資金と外部資金とがある。内部資金は、会社の事業活動によって自らが生み出した資金で、利益の内部留保、減価償却費がこれに含まれる。内部留保は、当期の利益から、株主への剰余金の配当金、税金などを差し引いたものである。減価償却は、会社が設備投資を行った場合に、その取得にかかった費用を資産（減価償却資産）として計上し、一定期間（耐用年数）、その費用（減価償却費）を配分する会計処理である。

〈資金調達の推移〉

（単位：億円、％）

区分＼年度	2014（平成26）		2015（平成27）		2016（平成28）		2017（平成29）		2018（平成30）	
		構成比		構成比		構成比		構成比		構成比
資金調達	835,464	100.0	641,254	100.0	484,502	100.0	1,125,452	100.0	929,449	100.0
外部調達	△ 33,099	△ 4.0	△ 42,494	△ 6.6	△ 371,931	△ 76.8	116,160	10.3	173,645	18.7
増資	△ 69,929	△ 8.4	△ 78,574	△ 12.2	△ 566,129	△ 116.8	△ 37,615	△ 3.3	15,461	1.7
社債	3,736	0.4	1,811	0.3	94,772	19.5	64,365	5.7	56,704	6.1
借入金	33,094	4.0	34,269	5.3	99,427	20.5	89,409	7.9	101,480	10.9
長期	51,089	6.1	4,159	0.6	110,295	22.7	33,230	2.9	65,383	7.0
短期	△ 17,995	△ 2.1	30,110	4.7	△ 10,868	△ 2.2	56,179	5.0	36,097	3.9
内部調達	868,563	104.0	683,748	106.6	856,433	176.8	1,009,292	89.7	755,803	81.3
内部留保	492,171	58.9	286,205	44.6	476,085	98.3	627,561	55.8	375,310	40.4
減価償却	376,392	45.1	397,544	62.0	380,347	78.5	381,731	33.9	380,494	40.9

（財務省「法人企業統計調査」〔資金調達の構成（フローベース）〕
（令和元年９月２日）13頁より）

減価償却

〔189〕 建物や機械などの固定資産は、取得に際して多額の金銭を要する。取得金額を、一度に全額費用計上すると、その年度の決算は大きな赤字となる可能性がある（赤字にならない場合でも、財務内容の年度ごとの比較可能性が大きく損なわれることになる）。また、投資の効果はその年度だけでなく、次年度以降の会社の生産・販売に現れる。そのため、各年度に分けて費用と収益を対応させることが必要である（「費用・収益対応の原則」とよばれることもある）。そこで、一定期間（耐用年数）、取得費用を分割して計上する会計処理が行われる（減価償却費。会計年度の最初に期首に100万円の自動車を購入した場合〔耐用年数は５年と法定されている〕、毎年度、費用〔減価償却費〕を20万円〔100万円÷５年〕計上する）。さらに、これらの資産は、長期間にわたって使用するものである。この間、資産の経済的価値は減少する。そこで、資産の価値についても、一定期間（耐用年数）、価値の下落を織り込んだ金額で資産計上する（減価償却資産。上記の例であれば、毎年度、資産としての価値を20万円減額して計上する）。

〔190〕 会社は、毎年度、減価償却費を計上する（損益計算書の販管費・製造経費）。しかし、実際の金銭は、固定資産購入時に支払い済みである。そこで、その年度に計上された減価償却費は、現金支出のない費用となる。費用は、生産・販売活動によって回収される（売上高）。そこで、計算上、減価償却費に相当するキャッシュが手元に残ることになる。

〔191〕 外部資金は、株式、社債などの証券発行の手取金、銀行からの借入金などが含まれる。証券発行による資金調達を直接金融、銀行借入による資金調達を間接金融という。外部資金においては、従来、日本では、間接金融に対する依存度が圧倒的に高かった。これについては、①第二次世界大戦後、政府が低金利政策をとったこと、②銀行と会社との間に緊密な関係（メインバンク制度）が築かれてきたこと、③証券市場が未発達であったことなどが理由として挙げられる。さらに、高度経済成長時代には、会社の旺盛な設備投資意欲に応じて資金需要が増大し、これに伴う資金不足が銀行からの借入金で賄われた。しかし、経済が安定成長時代に入ると、会社は、設備投資を抑制し、経営の効率化を図るようなり、これとともに資金調達方法の多様化が実現されるようになった。特に、内外の証券市場を通じての資金調達を行う動きが活発となった。もっとも、証券市場を通じて資金調達が可能な企業は大企業に限られ、多くの中小企業は依然として銀行借入に頼っている。

2　資金調達の実態

(1)　バブル経済とエクイティ・ファイナンス

〔192〕 1980年代、日本は、いわゆる「バブル経済」に沸き返った。株価は右肩上がりで上昇し、株式市場は活況を呈した。株価の値上がりを期待して、投資家は、新規に発行された株式を積極的に購入した。会社は、株式発行で得た資金を本業で使いきれず、他社の株式および不動産への投資に振り向けた。これにより、株価はさらに上昇し、また、不動産の価格も急騰した。会社が、余剰資金を本業以外の投資で運用する、いわゆる「財テク」という言葉が流行したのもこの時期である。

〔193〕 この時期に、銀行は盛んにエクイティ・ファイナンス（株式発行を伴う資金調達）を実施した。これは、国際決済銀行（BIS）の定める自己資本比率規制（〔自己資本／総資産〕を一定水準に向上させる規制〔BIS規制〕）を達成するためのものであった。平成元年度の金融・保険業の有償増資額は3兆8,088億円で、全体の50.3％を占めるに至っている。さらに、昭和62年に創設されたコマーシャル・ペーパー（CP）市場が急速に拡大し（CP→421）、企業は短期資金の借入においても資本市場を利用するようになった。このような状況の下で、会社の銀行借入に対する依存度（レバレッジ・レシオ）は低下した。

〔194〕 平成元年12月29日、東京証券取引所第1部の日経平均株価は史上最高の3万8,915円を記録した。しかし、平成2年に入ると、一転して株価は下落傾向を辿り、平成2年度の有償増資総調達額は前年度に比べて91.2％減少した。さらに、平成4年3月16日には日経平均株価は2万円を割り込んだ。その後も、株式市場の低迷が続き、会社にとってエクイティ・ファイナンスを行うことが困難な状況が続いた。日本は、バブル崩壊により、「失われた10年（15年）」あるいは「暗黒の15年」とよばれる時代を迎えることとなった。

〔195〕 バブル経済の時期に、会社は、転換社債（現在の転換社債型新株予約権付社債）の発行を盛んに行った。転換社債は、株式への転換権が付与された社債である。あらかじめ定められた価格（転換価格）を株価が上回れば、転換権を行使して、利益を得ることができる（株式に転換して、その株式を市場で売

〈日経平均株価の長期推移〉

（日経平均プロフィルより）

ることで利益を得ることができる）。しかし、バブル経済の崩壊で、会社の株価が株式への転換価格を下回る状況が続いた。そのため、転換権の行使が進まず、発行会社は、満期に転換社債をそのまま償還する必要に迫られた。株式への転換が進めば、償還資金は不要である。株価の値上がり傾向の中、株式への転換が進むことを期待していた発行会社は、償還資金の捻出に苦労することとなる。

〔196〕　会社は、新株引受権付社債（現在の新株予約権付社債）の発行も行った。これは、株式を購入する権利（当時は、新株引受権といわれていた）が付された社債である。新株引受権が行使されても、社債部分が残る点で、転換社債と異なる。新株引受権付社債には、社債部分と新株引受権部分（ワラントとよばれた）が分離できるものがあった。後者は単独で取引の対象とされた。バブル経済崩壊後、会社の株価が新株引受権の行使価格を下回る状況となり、ワラントは無価値となった（投資家は、行使価格より安い価格で株式を市場で購入できるため）。バブル経済時代に、証券会社がこのようなワラントの販売を積極的に行い、それを購入した一般投資家の損失が社会問題となり、証券会社に対し多くの訴訟（いわゆるワラント訴訟）が提起された。

⑵　資金調達方法の多様化

〔197〕　新株予約権付社債は、株価の上昇が見込まれない場合には、投資家による購入のインセンティブは働かない。バブル経済崩壊後の株価低迷で、新株予約権付社債の発行は低迷した。現行法のもとでは、新株予約権を単独で発行することもできる（→385）。新株予約権は、会社の役員などに対するストック・オプションの付与のために発行される。株価が上昇すれば、新株予約権を行使して、株式を取得し、その株式を高値で売却できる。そのため、インセンティブ報酬の１つと位置づけできる（→56）。さらに、新株予約権は、敵対的買収の防衛策としても利用される。あらかじめ、すべての株主に新株予約権を無償で交付しておき、敵対的買収者が現れたときに、敵対的買収者以外の新株予約権の行使による株式取得を許容することで、買収者の持株比率を引き下げることができる（いわゆるブルドックソース事件では、株式を買い集めたスティール・パートナーズには現金を交付し、それ以外の株主に株式を交付したことが問題となった→399）。

〔198〕　さらに、近年は、ライツ・オファリングとして新株予約権が利用されている。ライツ・オファリングは、既存の株主に、その保有株式数に応じて、新株予約権を無償で割り当てる方法で行われる（新株予約権無償割当→394）。証券会社が行使されなかった新株予約権を引き受ける契約があるもの（コミットメント型ライツ・オファリング）とそのような契約のないもの（ノンコミットメント型ライツ・オファリング。行使されなかった新株予約権は失権する）がある。株式を公募（→260）や第三者割当（→261）によって行う場合、既存株主の持株比率が変動する。特に、第三者割当の場合、既存株主の持株比率が大幅に希釈化される危険性がある。既存の持株割合を変動させないためには、持株割合に応じて新株を割り当てる方法がある（株主割当→259）。もっとも、この場合、株主は、事実上、割り当てられた株式について払込を強制されることになる。これに対して、ライツ・オファリングでは、新株予約権を行使して、株式を取得するほか、権利行使をしない場合、新株予約権を市場で売却することができる。株主は、持株比率の希釈化は避けられないものの、新株予約権の売却によって、その分の経済的な埋め合わせをすることができる。

〈ライツ・オファリングの概要〉

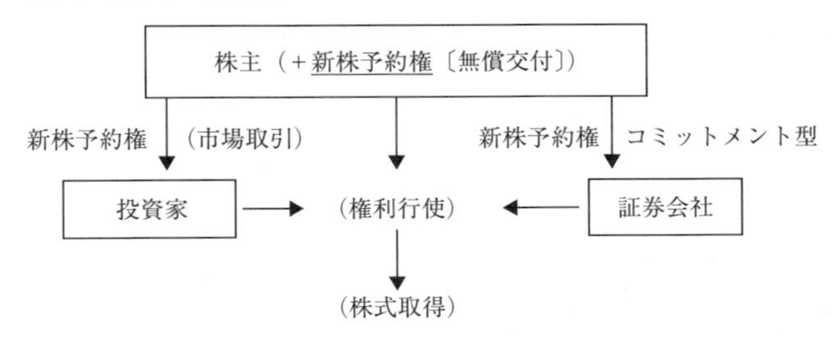

〔199〕「資産の流動化」は、流動性の低い資産を流動性の高い資産に転換することをいう。資産の流動化は、会社が保有している資産（債権など）を、証券化して、投資家に売却することによって行われる。会社は、特定目的会社（SPC）などに資産を譲渡する。SPC などは、この資産を裏付けとして証券（資産担保証券〔ABS〕）を発行する。債権には、債務不履行の危険性がある。証券化は、債務不履行の危険性を投資家に転嫁する仕組みである。債権者は債権をSPC に有償譲渡することで債務不履行リスクを回避し、他方で、投資家は有用な投資機会の提供を受けることとなる。この仕組みを実現するために、資産の流動化に関する法律などの特別法が存在する。特に、銀行などの金融機関が保有する不動産や貸付債権を本体から分離し、自己資本比率を向上させる目的で債権の流動化が行われる（自己資本比率規制〔→ 193〕における分母を圧縮する）。また、事業会社が、この手法で、売掛債権の流動化を行うこともある。

〔200〕　企業の再建の手段の1つとして、デット・エクイティ・スワップ（DES）が用いられる。これは、債務（デット）と持分（エクイティ）を交換す

〈SPC を使った資産（債権）の流動化の概要〉

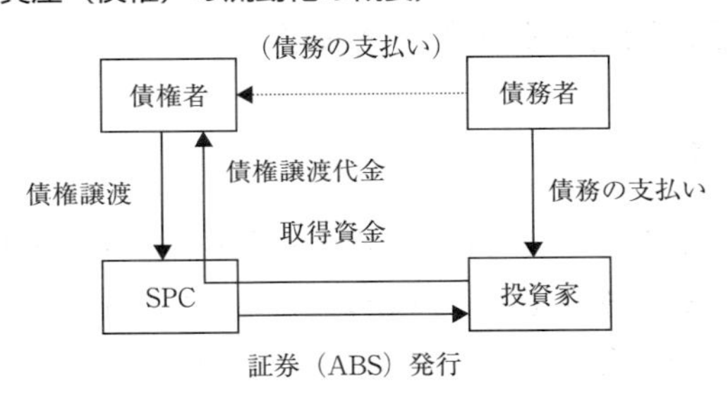

〈DES の概要〉

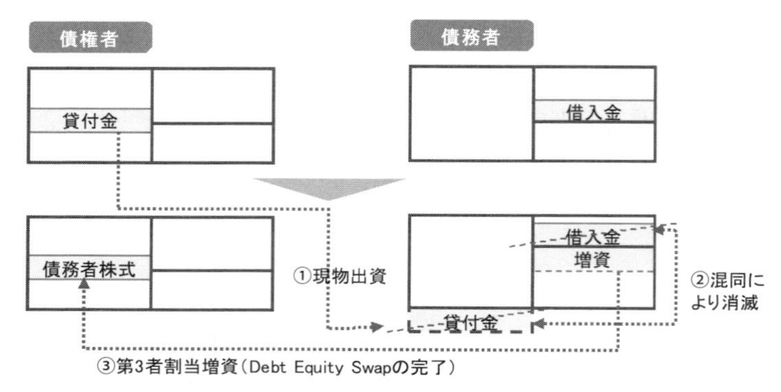

（事業再生に係る DES（Debt Equity Swap：債務の株式化）研究会＝経済産業省経済産業政策局産業再生課「事業再成に係る DES（Debt Equity Swap：債務の株式化）研究会報告書」〔平成 22 年 1 月〕10 頁より）

る（スワップ）ものである。具体的には、債務（借入など）と交換に株式が発行されることが多い。DES の方法として貸付債権などの債権を現物出資（→ 948）する方式と金銭出資と債務の返済を組み合わせる新株払込方式（第三者割当〔→ 261〕で新株発行を行い、払い込まれた資金を返済に充当する）とがある。借入債務などをかかえる会社は、それを減らすことで財務体質を改善することができる。また、有利子負債の減少による金利負担を軽減することもできる。他方で、債権者も、債権の一部を株式に交換しておくことで、債権放棄を回避しながら、再建計画が成功した場合に、株式売却や配当収入を得ることが期待できる。株主として、経営に関与することも可能である。

3　資金調達と経営の健全性・効率性

(1)　自己資本比率

〔201〕　会社の経営や財務内容を評価する指標にはさまざまなものがある。自己資本比率は、総資本（負債＋純資産など）のうち、純資産（株主資本）の占める割合をいう。自己資本比率が高い場合、総資本のうち、返済しなければな

らない負債（他人資本）によってまかなわれている部分が少ないことから、財務の健全性が高いといえる。

〔202〕　日本の会社（製造業）の自己資本比率は、第二次世界大戦直後の昭和23年には、11.8％という低い水準であった。これは、戦時体制下の設備投資の拡大が銀行借入れによって強行されたことが主たる理由であった。昭和30年には、日本の会社の自己資本比率は、40.1％に上昇する。これは、数回にわたって行われた資産再評価によって、会社の資産を時価で再評価して帳簿価格を引き上げたことによる。しかし、その後、自己資本比率は下がり続け、昭和50年には、16.6％という終戦直後の状態に近いところまで落ち込んだ。その理由は、日本の会社の資金調達の大部分が、株式発行によらず、銀行からの借入に依存したことによる（間接金融優位の時代）。日本の経済の成長を高め、欧米の水準に近づくためには、膨大な資金供給が必要であった。そのために、戦時体制下においてとられた間接金融方式が再び採用された。これにより、政府が長期資金を供給する銀行に対する行政を通じて会社に大きな影響を与えうるという体制が作り上げられた。

〔203〕　日本の大企業（製造業）の自己資本比率は上昇に転じた。平成29年の時点では、全産業で41.7％（このうち、製造業は48.6％）となっている（財務省「法人企業統計調査」〔平成29年度〕）。大企業の自己資本比率が高まったのは、会社が銀行借入に代えて、エクイティ・ファイナンス（→192）による資金調達を大幅に取り入れたことによる。日本の会社の成長と証券市場の発展が、このことを可能にした（間接金融から直接金融の時代へ）。

〔204〕　かつての高度成長時代には、売上高の著しい伸びが期待でき、企業の破綻リスクは顕在化しなかった。そのため、いわゆる梃（てこ）の効果（レバレッジ）によって、会社の純利益が増加すると期待される限り、借金をしても経営を拡大するほうが有利であった。しかし、低成長時代には、安定的基盤を有する会社が、より高い収益が見込まれる投資を活発に行うことが期待される。この安定性は自己資本比率の高さにあり、これが高い会社ほど倒産の危険が小さく、それだけ新製品・新技術の開発（これにはリスクが伴う）に向かっていくことができる。

〔205〕　他方で、現代の日本の会社は、経営者支配が確立されている状況に

おいて（→44-47）、自己資本比率が高まるということは、経営者の支配的地位を財政的面からますます強める効果を持つことに注意が必要である。自己資本は株主が拠出する資本（株主資本）であるが、実質的には、経営者の自由になるものである。このような財政的にも自立した経営者の行動をどのように他律的に規律するかは、会社法がかかえる課題といえる。

⑵　自己資本利益率（ROE）

〔206〕　自己資本利益率とは、当期純利益の純資産に対する割合をいう。株主から調達した資金と内部留保した資金によって、どの程度の利益を上げているかを見る尺度として使用される。自己資本利益率は、一般にROE（Return On Equity）とよばれる。これに対して、利益の総資本に対する割合を総資本利益率という。総資本利益率は、会社の総合的な収益性を図る尺度として使用される。総資本利益率は、一般に、ROA（Return On Assets）とよばれる。

〔207〕　近年、ROEの改善を経営目標とする上場会社が増えている。ROEは、株主からの資金が有効に利用されているかどうかを示すものである。もっとも、これまで、日本の会社のROEは、世界的に見て、高い水準にあるとはいえなかった。しかし、機関投資家などに株主総会における議決権の行使を助言する会社（議決権行使助言会社→34-4）が、ROEが低い会社に対して、取締役選任議案に反対するように株主に助言する動きなどがあり、会社の姿勢が注目されている。

〈自己資本比率、自己資本利益率、総資本利益率の計算式〉

$$\text{自己資本比率} = \frac{\text{純資産}}{\text{総資本（負債＋純資産）}} \times 100$$

$$\text{自己資本利益率} = \frac{\text{当期純利益}}{\text{純資産（期首・期末平均）}} \times 100$$

$$\text{総資本利益率} = \frac{\text{利益}}{\text{総資本（負債＋純資産）（期首・期末平均）}} \times 100$$

$$= \underset{\text{（→売上高利益率）}}{\frac{\text{利益}}{\text{売上高}}} \times \underset{\text{（→総資本回転率）}}{\frac{\text{売上高}}{\text{総資本（期首・期末平均）}}} \times 100$$

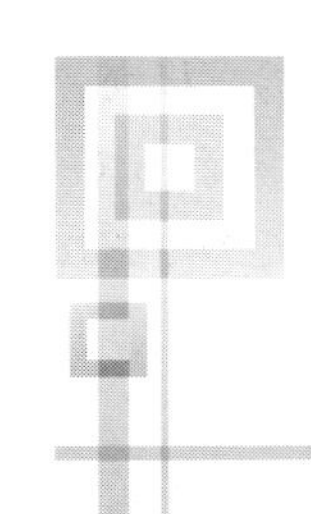

第2節　株　　式

1　株式の意義

(1)　株式と株券

〔208〕 株式会社の構成員（社員）である株主の会社に対する地位を株式という。株式は細分化された持分（equity）である（株式発行を伴う資金調達をエクイティ・ファイナンスという）。持分を細分化することにより、会社は多くの出資者から多額の資金を集めることができる。また、出資者もその目的あるいは資金力に応じた数の株式を取得することができる。株主はその保有する株式の数に比例する数の株主の地位を有する（持分複数主義）。これに対して、持分会社（→ 15）では、各社員はそれぞれ大きさの異なる1つの持分を有している（持分単一主義）。

〔209〕 株式をさらに分割し、部分的な株式を作ることは許されない。もっとも、株式を複数人で共有することは認められる。株式について共同相続が開始する場合、株式は当然に分割せず、相続人全員が準共有者となる（株式は相続人全員に共同的に帰属する）。共有者は、株式について権利を行使する者1人を定め、会社に対して、その氏名・名称を通知しなければ、権利行使をすることができない（106条本文）。権利行使者が定められていない場合に、準共有者は株主総会決議不存在確認の訴え（→ 535）の原告適格を有するかが争われた事例がある（最判平9・1・28判時1599・139〔百選11事件〕はこれを否定〔有限会社の事例〕。最判平2・12・4民集44・9・1165〔百選10事件〕は、特段の事情がある場合にそれを認めた）。

〔209-2〕 共有者が会社に対して通知をしない場合でも、会社が同意した

場合は、株主としての権利行使をすることができる（106条ただし書）。権利者の指定・通知は、会社の事務処理上の便宜のためのものである。したがって、会社がその方法によらずに共有者の権利行使をすることに同意をしたのであれば、これを禁じる理由はない。もっとも、会社が一部の株主と結託をして、共有株式の全部について、他の株主を害するような権利行使をする危険性がある。そのため、この場合も、権利行使は民法の規定に従ったものでなければならない（最判平27・2・19民集69・1・25〔百選12事件〕。たとえば、共有物の管理に関する事項は、原則として、各共有者の持分の価格に従い、その過半数で決定する〔民252条〕）。

〔210〕　平成16年の改正前まで、会社は、株式について、株券を発行しなければならなかった（→125）。株券は株式を表章する有価証券である。株券は、株主の会社に対する権利関係を明確にするために発行が義務づけられていた。これは、株式の譲渡を容易にするためのものでもあった（株券の占有者は株式についての権利を適法に有する者と推定され〔131条1項〕、また、株券を交付することで株式の譲渡が認められる〔128条1項〕→306）。しかし、中小企業においては、株式の譲渡が頻繁に生じることはない。さらに、上場会社においては、株券の交付を伴う譲渡は、かえって、流通性を阻害することになる。以上のことから、平成16年の改正で、会社は定款で定めれば、株券を発行しないことが認められた（株券不発行制度）。株券の発行について、判例は、株主に交付された段階で効力が発生するとしている（交付時説。最判昭40・11・16民集19・8・1970〔百選25事件〕）。これに対して、会社が株券を作成し、どの株券がどの株主であるか確定した時期に効力が発生するという立場（作成時説）も有力である。

〔211〕　会社法のもとでは、会社はその株式にかかる株券を発行する旨を定款で定めることができる（214条）。上記の株券不発行制度は、例外的に、株券の不発行を認めるものである。現在では、会社は、原則として株券の発行を要せず、株券の発行を定款で定めた場合に限り、株券を発行することで足りる。株券を発行する旨を定款で定めた会社を「株券発行会社」という。株券発行会社であっても、公開会社以外の会社であれば、株主から請求がある時までは、株券の発行を要しない（215条4項）。なお、上場会社については、平成21年

1月5日以降、株券そのものが廃止され（上記の株券を発行する旨の定款の定めを廃止する定款変更決議をしたものとみなされた。平成16年商法改正附則6条1項)、株主等の管理は、振替決済制度（「社債、株式等の振替に関する法律」に基づく）で行われている（→337-339)。

(2)　株式と資本

〔212〕　株式会社では、株主は引受価額を限度とする有限責任を負う（104条)。そのため、会社債権者にとっては会社財産だけが自己の債権の支払いの担保となる。ところが、会社の財産は事業によって変動するものである。それゆえ、会社債権者を保護するために、株式会社は、一定の金額に相当する財産を会社に保持することが要求されている。この一定金額を資本という。会社は資本金の額を登記しなければならない（911条3項5号)。資本金の額は貸借対照表（→779）に記載され、公告される（440条1項)。資本金の額に相当する財産を会社に保持させるために、会社法は、現物出資および財産引受についての厳格な規制（→279、948-955)、出資についての株主からの相殺の禁止（208条3項）などを定めている。

〔213〕　資本金の額は、原則として、払込額（現物出資の場合は給付額）の総額である（445条1項)。もっとも、発行価額の2分の1を超えない部分は、資本に組み入れなくてもよい（同条2項。資本の額≧払込額の総額×1/2）(→799)。このように、株式を発行することで資本金の額を増やすことができる。そのため、株式発行による資金調達を「増資」ということもある。

〔214〕　資本金の額に相当するものが会社に留保されることを確実にするために、法定準備金の制度がある。法定準備金は、法律の規定によって積み立てることが要求される準備金で、資本準備金と利益準備金とがある（→803)。

(3)　株主の権利

〔215〕　株式には会社に対する種々の権利が包含されている。それらの権利は、その目的に応じて、次の2つに分類できる。

①　会社から経済的利益を受けることを目的とする権利（自益権）

剰余金配当請求権（105条1項1号）と残余財産分配請求権（同項2号）

（→158）が中心となる。そのほかに、株式買取請求権（116条1項、469条1項、785条1項など）（→846、861）などがある。

②　会社の経営・運営に参加することを目的とする権利（共益権）

株主総会の議決権（105条1項3号）（→491）が中心となる。そのほか、株主総会の決議取消訴権（831条1項）（→526）、代表訴訟提起権（847条）（→654）、取締役などの違法行為差止請求権（360条1項など）（→676）、株主総会における提案権（303条1項）（→481）、株主総会の招集権（297条1項）（→475）、取締役などの解任請求権（854条1項）（→566）、会計帳簿閲覧権（433条1項）（→506）などがある。

〔216〕　かつては、共益権については、株主の権利というよりは、会社のために行使すべき権限であるとして自益権との区別を行う見解があった。しかし、現在では、自益権も共益権も、株主が自己のために行使できる権利であるとする立場が一般的となった（株主総会の決議取消権も、相続によって承継されるとする判例がある。最大判昭45・7・15民集24・7・804〔百選13事件〕）。株主が権利行使をすることで他の株主にも影響があることから共益権とよばれる。

〔217〕　剰余金配当請求権や株主総会の議決権などは、1株の株主でも行使することができる（単独株主権。単元株式の場合→219）。しかし、株主総会の提案権、株主総会の招集権、会計帳簿閲覧権などは、総株主の議決権の一定割合以上または一定数以上の株式を有する株主だけが行使できる（少数株主権）。このように権利行使の要件を厳格にしているのは、権利の濫用を防止するためである。

〔218〕　株主は、株主としての資格に基づく法律関係では、その有する株式の内容および数に応じて平等に取り扱われる（109条1項）。これを「株主平等の原則」という。異なる内容の種類株式については、異なる扱いをすることができる（たとえば、優先株式〔→227〕の株主には、普通株式の株主より多くの配当をすることが可能である）。一方で、同じ内容の株式については株式数に応じて平等に扱われなければならない（普通株式の株主には、保有株式数に応じた配当をしなければならない）。もっとも、合理的な理由に基づき、保有株式数に応じて異なる扱いが認められることがある。たとえば、単元未満株主（→222）には議決権が付与されない（189条1項）。なお、公開会社でない会社は、株主

相互の関係が緊密であり、株主の異動が少ないことから、株主の権利（剰余金の配当・残余財産の分配を受ける権利、株主総会における議決権）について、株主ごとに異なる扱いを行う旨を定款で定めることができる（109条2項）（定款変更の決議→490）。

⑷　単元株制度

〔219〕　単元株制度は、一定数の株式を「1単元」として、1単元につき、株主総会（または種類株主総会）の議決権を1個認める制度である。一定数の株式を保有する株主に議決権を認めることで、株主管理コストの削減を実現しようとするものである。

〔220〕　会社は、定款の定めで、単元株制度を採用することができる（188条1項）〈→定款8条1項〉。1単元の株式数を定めるに当たって、大きな単位を認めることは、大株主に有利であり、その他の株主の利益に反する。そこで、1単元の株式数（単元株式数）の上限がある（法務省令で、1,000と発行済株式総数の200分の1とのいずれか低いものが上限となる。188条2項、施34条）。定款を変更して単元株制度を導入するには、取締役は株主総会で、その変更を必要とする理由を説明しなければならない（190条）。

〔221〕　株式会社は、株式の単位を引き下げて、多数の小さい単位の株式とすることができる（183条1項）。これを株式分割という。株式分割は、取締役会設置会社では取締役会決議で行われる（183条2項）。もっとも、株式分割のみを行うと総議決権数も同一の割合で増加し、株主管理コストが増大する。株式分割と同時に同一割合で単元株式数を設定・増加すれば、総議決権数の変動を回避できる。この場合、株主の権利内容に変化はない。そこで、株式分割と同時に単元株式数を設定または増加する場合、一定の要件のもと、株主総会の決議によらないで、単元株式数についての定款変更を行うことができる（191条）。単元株式数を減少する場合、単元株制度を廃止する場合には、株主総会決議を経ずに、定款変更ができる（195条1項。取締役会設置会社では取締役会の決議、それ以外の会社では取締役の決定）。この場合にも、株主に不利益はないため、株主総会の決議を不要としている。

〔222〕　単元未満株主には株主総会（または種類株主総会）での議決権が認

められない（189条１項）。質問権（→515）、提案権（→481）など、議決権の存在を前提とする権利についても、それらを有さないと解される。しかし、単元未満株式といえども、独立の株式であるので、株主としてのその他の権利は認められるのが原則である。もっとも、定款で株主の有する権利を行使できないとすることも可能である〈→定款９条〉。ただし、①全部取得条項付株式（→243）の取得対価を受領する権利、②取得条項付株式（→239）の取得対価を受領する権利、③株式無償割当（→375）を受ける権利、④単元未満株式の買取請求権、⑤残余財産の分配を受ける権利、⑥その他法務省令で定める権利については、これを制限することができない（189条２項、施35条）。

〔223〕　株券発行会社（→211）は、定款で、単元未満株式の株券を発行しない旨を定めることができる（189条３項）。これにより、会社は、零細な数の株式についての株券発行のコストを節約できる。一方、投資資金を回収するために、株主は、単元未満株式について、会社に対して、自己の有する単元未満株式を買い取るように請求できる（192条１項）。さらに、定款の定めにより、単元未満株主は、あわせて１単元の株主になるべき数の株式を売り渡すように会社に請求する権利がある（194条１項）。

2　株式の内容と種類

(1)　「全部の株式の内容」と「株式の種類」

〔224〕　会社法は、資金調達の必要性や支配関係の変化に対応するため、一定の範囲と条件のもとで株式の多様化を認めている。第１に、会社は定款の定めで、その発行する全部の株式の内容として特別なものを定めることができる（107条）。これには、①譲渡による当該株式の取得について当該会社の承認を要すること（譲渡制限株式）、②当該株式について、株主が当該会社に対してその取得を請求することができること（取得請求権付株式）、③当該株式について、当該会社が一定の事由が生じたことを条件として、これを取得することができること（取得条項付株式）が規定されている（107条１項）。これらの場合、全部の株式について同一の内容が定められるため、株式の種類は構成しない。

〔225〕　第2に、会社法は定款の定めで、権利の内容の異なる複数の種類の株式を発行することを認めている（108条1項・2項）。このような株式を発行する会社を「種類株式発行会社」という（2条13号）。これには、①剰余金の配当（優先株式など）、②残余財産の分配、③株主総会において議決権を行使できる事項（議決権制限株式）、④譲渡による当該種類株式の取得について当該会社の承認を要すること（譲渡制限株式）、⑤株主が会社に対してその取得を請求することができること（取得請求権付株式）、⑥会社が一定の事由が生じたことを条件として、当該種類株式を取得することができること（取得条項付株式）、⑦株主総会の決議によって当該種類株式の全部を取得すること（全部取得条項付株式）、⑧種類株主総会の決議があることを必要とすること（拒否権付株式）および⑨種類株主総会において取締役・監査役を選任することの9項目が列挙されている（108条1項）。なお、公開会社以外の会社では、剰余金分配や議決権について、株主ごとに異なる扱いをする旨を定款で定めることが認められる（109条2項、309条4項）（→218）。この場合、株式会社と組織変更に関する規定との関係では、内容の異なる種類の株式とみなされる（109条3項）。

〔226〕　会社が数種の株式を発行した場合、異なる種類の株主の間で権利の調整が必要となることがある。会社法では、この点に配慮して、各種類の株主を構成員とする種類株主総会の制度を設けている。

(2)　優先株式と劣後株式

〔227〕　優先株式とは、剰余金の配当、残余財産の分配について普通株に優先する株式のことである。優先株式を発行するときは、定款で株式の内容および発行可能種類株式総数を定めなければならない（108条2項1号・2号）。優先配当額について、金利動向に対応して機動的な資金調達を行うことができるように、取締役会設置会社では定款をもって、株主総会または取締役会（それ以外の会社では株主総会）がこれを定めることができる（同条3項）。この場合、定款には、配当の上限、その他の算定の基準の要綱を定めることが必要である。

〔228〕　ある決算期に優先配当の一部または全部が支払われなかった場合、次の期にその不足分が繰り越されて支払われる株式を累積的優先株式といい、そうでない株式を非累積的優先株式という。優先株式の中には、優先配当を受

けてなお利益がある場合に、さらに利益の分配を受けることのできる参加的優先株式と、そうでない非参加的優先株式がある。

〔229〕　劣後株式は、配当や残余財産の分配に当たって普通株式より権利の劣っている株式のことである。後配株式ともいう。劣後株式の発行を行うためには、定款でその内容および数を定めなければならない（108条1項1号・2号）。

〔230〕　会社が営む特定の事業部門や子会社の業績に価値が連動する株式をトラッキング・ストックという。会社は特定の事業を企業グループ内にとどめたままで、その事業の業績を反映した有利な条件で資本市場から資金を調達することができる。配当金額がゼロになることもあり、「優先」株式とはいいがたい。トラッキング・ストックは、剰余金の配当につき「内容の異なる」株式であり、これを発行する場合には、定款において、算定の基準の要綱を定める必要がある。

〔231〕　日本では、トラッキング・ストックや劣後株式の発行は多くない（平成13年にソニーが子会社であるソニー・コミュニケーション・ネットワーク

〈優先株式等（トラッキング・ストックを含む）の発行件数と調達額〉

（100万円）

年	件数（うち私募）	調達額（うち私募）
1999	25（25）	6,989,401（6,989,401）
2000	4（4）	107,303（107,303）
2001	5（4）	216,107（205,970）
2002	36（36）	996,802（996,802）
2003	74（74）	2,532,161（2,532,161）
2004	50（50）	1,362,584（1,362,584）
2005	45（45）	1,167,769（1,167,769）
2006	26（26）	559,655（559,655）
2007	12（10）	795,543（780,486）
2008	9（9）	593,700（593,700）
2009	28（28）	474,016（474,016）
2010	10（10）	73,555（73,555）
2011	7（7）	69,297（69,297）
2012	17（17）	1,275,509（1,275,509）
2013	3（3）	120,000（120,000）
2014	14（14）	224,159（224,159）
2015	6（5）	751,272（252,106）
2016	7（7）	147,978（147.978）
2017	7（7）	61,342（61,342）
2018	6（6）	59,500（59,500）
2019	10（10）	150,823（150,823）

（日本取引所グループウェブサイト
「上場会社資金調達額」より）

〔SCN〕を対象とした子会社連動株式を発行し、東京証券取引所に上場させた例がある)。優先株式の発行のほとんどは、第三者割当（私募）の形で行われている。優先配当が負担になる場合に備えて、普通株式への転換（後述する取得条項付株式を利用する）を条件とするものもある。平成19年９月に、伊藤園が、東京証券取引所に優先株式（無議決権株式〔もっとも、２年連続で優先配当を行う決議がない場合には、議決権が発生する〕で、普通配当額の125％を配当する優先株式）を上場した（普通株式はすでに上場されていた)。

⑶　議決権制限株式

〔232〕　会社は、議決権を行使することができる事項について、内容の異なる数種の株式を発行することができる（108条１項３号)。かつては、配当優先株式に限って、それを無議決権株式とすることができた。会社法では、普通株式でも議決権がないものとすることが可能である。議決権を有さない株式は、剰余金の配当を期待するものの、議決権の行使に無関心な株主に対して発行される。会社は、株主総会の招集通知の発送などのコストを削減できるだけでなく、従来の支配構造を変えることなく資金調達が可能となる。なお、決議事項の一部についてのみ議決権を与えることもできる点に留意が必要である。これによって、合併など会社の組織変更に関してのみ議決権を有する株式を発行することができる。この場合、そのような株式（種類株式）を保有する株主による株主総会（種類株主総会）の決議が必要となる。

〔233〕　公開会社では、議決権制限株式の総数は発行済株式総数の２分の１を超えてはならない（115条)。公開会社において、議決権制限株式の発行済株式総数に対する割合が高くなりすぎると、少ない議決権を有する者が実質的に会社を支配できることとなり妥当ではないと考えられたことによる。これに違反した場合、発行が無効となるわけではないが、会社が直ちに、是正措置（２分の１以下にするために必要な措置）を取ることが求められる。公開会社以外の会社では、株式に譲渡制限を付すことで（→311)、不都合な者が株主になることを事前に排除することができるため、上記のような制限を設ける必要性は乏しい。

議決権の異なる株式の上場

〔234〕 平成26年3月に、CYBERDYNE社（筑波大学発のロボットベンチャー企業）が、東京証券取引所のマザーズに上場された。同社の創業者の上場後における普通株式の所有割合は、発行済株式総数の43％程度である。もっとも、普通株式の10倍の議決権を有する種類株式（B種類株式）を保有しており、これによって、議決権ベースでは全体の約90％弱を有するものとなっている。B種類株式は、普通株式と同様に、すべての株主総会の決議事項につき議決権を行使できる。もっとも、単元株制度（→219）を採用し（1単元1議決権）、1単元を普通株式につき100株、B種類株式につき10株とすることで、実際上、B種類株式における議決権を普通株式の10倍としている（複数議決権方式による議決権種類株式）。議決権数の異なる複数の種類株式を用いて、上場後も創業者が支配権を維持することは、米国で、Google（2004年上場）、Facebook（2012年上場）などが行っていることは知られているが、本件は、日本で最初の事例となった。東京証券取引所は、複数の種類の議決権付株式を発行している場合は、新規上場に限り、議決権数の少ない株式（上記の例であれば、普通株式）のみの上場を認めている（上場規程205条9号の2）。

(4) 譲渡制限株式

〔235〕 昭和25年の改正前は、会社は定款の定めによっても、株式の譲渡を禁止または制限することができなかった。しかし、日本では、同族会社などの閉鎖的な中小規模の株式会社が圧倒的多数を占めている。これらの会社から、会社にとって好ましくない第三者が株主となることを防止するための立法の制定が強く望まれた。また、大規模会社でも、外資の買収から身を守る手段が望まれた。そのため、昭和41年の改正によって、会社は定款をもって、株式の譲渡につき会社の承認を要することを定めることができるようになった。会社法のもとでは、承認の機関は、取締役会設置会社では取締役会（それ以外の会社は株主総会）であるものの、定款で別の定めを置くことができる（139条1項）。平成17年の改正前までは、株式の譲渡制限を行う場合には、その発行するすべての株式について行う必要があった。会社法では、このような譲渡制限株式を株式の内容についての特別の定めがある種類株式の1つとしている（107条1項1号、108条1項4号）（譲渡制限株式の譲渡の手続→311-317）。

(5) 取得請求権付株式

〔236〕 会社は、株主が当該会社に対して、その株式の買取りを請求することができる株式を発行することができる（2条18号、107条1項2号、108条1

項5号。平成17年の改正前までは、ある種類の株式から他の種類の株式へ転換権が与えられる株式が認められていた〔改正前商222条ノ2第1項。転換予約権付株式とよばれていた。なお、平成13年11月の改正前までは、転換株式とよんでいた〕)。会社法のもとでは、会社が、取得請求権が付された種類株式を他の種類株式を対価として取得することで同様の効果を得ることができる。会社は、取得の対価として、社債、新株予約権その他の財産を株主に交付することもできる。

〔237〕　平成17年の改正前には、会社の利益で消却されることが予定されている株式が認められていた（償還株式)。取得請求権付株式における取得の対価が現金の場合には、かかる償還株式に相当するものとなる。

〔238〕　会社は、その発行する株式のすべてを取得請求権付株式にすることができる（107条1項2号)。また、その発行する株式の一部のみを取得請求権付株式にすることもできる（108条1項5号)。前者の場合、会社の株式の内容がすべて均一であるため、同じ内容の株式を取得の対価とすることは認められない。後者の場合、会社は内容の異なる種類の株式を発行できるため、その会社の別の種類の株式を対価として交付することもできる。

(6)　取得条項付株式

〔239〕　会社は、株式を発行するに際して、一定の事由が生じたことを条件として、会社がその株式を株主から取得することができることを定めておくことができる（2条19号、107条1項3号、108条1項6号)。取得請求権付株式は、株主の請求により、会社が株式を買い取るものであるのに対して、取得条項付株式は、株主は売渡しを強制される。平成17年の改正前には、数種の株式を発行する場合、定款の定める事由が発生したときに、会社が別の種類の株式に転換することができる株式が認められていた（改正前商222条ノ8前段。強制転換条項付株式とよばれていた)。会社法では、他の株式を対価とする取得条項付株式を発行すれば同様の効果を得ることができる。優先株式を発行する際、普通株式を対価とする取得条項付株式にすることが考えられる。また、対価を金銭とすれば、強制的に株式を償還することが可能となる。

〔240〕　会社は、その発行する株式のすべてを取得条項付株式にすることができる（107条1項3号)。その発行する株式の一部のみを取得条項付株式にす

ることもできる（108条1項6号）。普通株式に取得条項をつけるためには、株式の内容を変更する定款変更が必要となる。普通株式に取得条項をつけると、株主の同意がないまま、一定の事由の発生によりその株式が会社に取得されてしまうため、定款変更には、その株式を有する株主全員の同意が要求される（110条、111条1項）。

〈取得請求権付株式と取得条項付株式〉

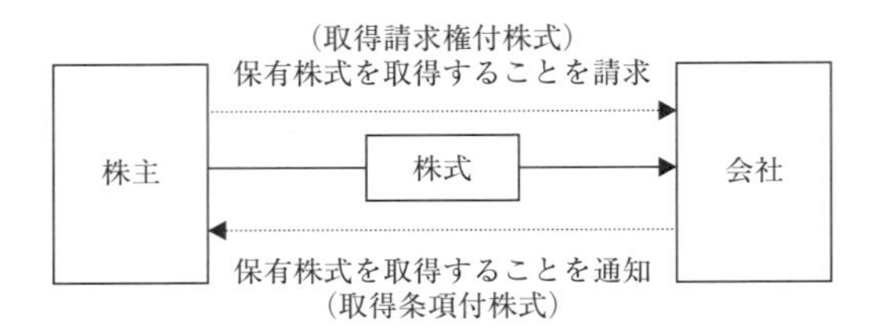

トヨタ自動車が発行した新型株式

〔241〕　平成27年6月に開催されたトヨタ自動車の定時株主総会で、新しい型の種類株式（AA型種類株式）を発行するための定款変更が承認された。この株式の配当額は、初年度は発行価格の年0.5%で、毎年0.5%ずつ上昇し、5年後以降は、年2.5%となる（下記トヨタ定款12条。5年間の平均配当利回りは年1.5%）。株主は、5年後以降は、トヨタに発行価格で買取りを請求することができる（同18条）。これにより、事実上、社債類似の元本保証の株式となる。また、株主は、普通株式と交換することも請求できる（同17条）。他方で、上場はされず、譲渡制限が付されており（同21条）、5年間の転売に制約がある。トヨタは、一定期間後、この種類株式を株主から金銭によって取得することができる（同19条）。

〔242〕　新型株式は、長期保有の個人投資家を増やすために発行される。新型株式の株主には議決権が付与される（同15条）。そこで、普通株主の議決権の希薄化を回避するため、取締役会の決議で、新株式発行後、発行株式と同程度の普通株式の自己株式取得を行うものとされた。

〈トヨタ自動車定款（抜粋）〉
（AA型配当金）
第１２条　当会社は、第46条第1項に定める剰余金の配当を行うときは、当該剰余金の配当に係る基準日の最終の株主名簿に記載または記録されたAA型種類株式またはAA型種類株式の登録株式質権者（以下「AA型種類登録株式質権者」という。）に対し、普通株式を有する株主（以下「普通株主」という。）または普通株式の登録株式質権者（以下「普通登録株式質権者」という。）

に先立ち、それぞれ次に定める額の金銭（以下「AA型配当金」という。）を剰余金の期末配当として支払う。（以下略）
1株につき、当会社に払い込まれる当該AA型種類株式の1株当たりの金額に、各AA型種類株式の発行に先立って取締役会の決議により定める率（5パーセントを上限とする。）を乗じて算出した額。
（議決権）
第15条　AA型種類株主は、株主総会において議決権を有する。
（株主による普通株式転換請求権）
第17条　AA型種類株主は、第1回AA型種類株式ないし第5回AA型種類株式の発行に際して取締役会の決議で普通株式への転換請求期間として定める当該AA型種類株式の転換を請求することができる期間中、当会社に対して、当該決議で定める算定方法により算出される数の当会社の普通株式の交付と引換えに、当該AA型種類株主の有する当該AA型種類株式の全部または一部を取得することを請求することができる。（以下略）
（株主による金銭対価の取得請求権）
第18条　AA型種類株主は、第1回AA型種類株式ないし第5回AA型種類株式の発行に際して取締役会の決議で金銭対価取得請求期間として定める当該AA型種類株式の転換を請求することができる期間中、当会社に対して、基準価額相当額の金銭の交付と引換えに、当該AA型種類株主の有する当該AA型種類株式の全部または一部を取得することを請求することができる。（以下略）
（会社による金銭対価の取得条項）
第19条　当会社は、第1回AA型種類株式ないし第5回AA型種類株式の発行後、各AA型種類株式の発行に際して取締役会の決議で定める期間を経過し、さらに、取締役会の決議で別に定める取得日が到来したときは、基準価額相当額の金銭の交付と引換えに、当該AA型種類株式の全部を取得することができる。
（譲渡制限）
第21条　AA型種類株式を譲渡により取得するには、取締役会の承認を得なければならない。（以下略）

(7)　全部取得条項付株式

〔243〕　全部取得条項付株式は、株主総会の特別決議で、会社がその株式の全部を買い取ることを認める株式である（108条1項7号）。会社が株主の全員からその有する株式を買い取る場合には、本来、全員の同意を得る必要があるものと考えられる。もっとも、倒産状態にある会社において100％減資（株主をすべて入れ替えるために、既存株式の全部を消却する）を行う場合に、このような手続を要求することは柔軟な任意整理の妨げになるといわれていた（株主が株主総会で承認するインセンティブはなく、議決が成立することは難しい）。そのため、会社法では、多数決による全部の株式の取得が認められた。

〔244〕　株式に全部取得条項を付けるためには、株主総会の特別決議による定款変更が必要である（309条2項11号、466条）。さらに、会社が全部取得条項付株式を取得する際にも株主総会の特別決議が求められる（171条1項、309条2項3号）。取得条項付株式（→239）を取得する場合、株主総会決議（取

得する日および取得する株式の決定）は普通決議で足りる（168条１項、169条１項。取締役会設置会社では取締役会決議で行う）。取得条項付株式については、定款によって権利内容の重要な事情がすでに明確になっている（取得対価は定款で特定する必要がある）。これに対して、全部取得条項付株式では、定款で全部取得条項を付した時点では、権利内容が決定されていない場面が想定される（108条２項７号。定款では、全部取得条項付株式を取得する際に交付する取得対価の価額の決定方法を定めればよいとされている）。全部取得条項付株式では、取得決定のための株主総会で取得対価を決定する必要性があるため、厳格な要件が課せられている。

〔245〕　反対株主には、裁判所への取得価格決定申立権が認められる（172条）。会社は、全部取得条項付株式を取得しようとする場合、取得日の20日前までに、株主に対して、当該全部取得条項付株式を取得する旨を通知・公告しなければならない（同条２項・３項）。株主は、取得日の20日前の日から取得日の前日までに、取得価格の決定の申立てを行うこととなる（同条１項）。全部取得条項付株式の取得が、法令または定款に違反する場合において、株主が不利益を受けるおそれがあるとき、株主は、全部取得条項付株式を取得しようとする会社に対して、当該全部取得条項付株式の取得をやめることを請求することができる（171条の3）。

少数株主の締出し（キャッシュ・アウト）

〔246〕　全部取得条項付株式の導入は、迅速な企業再生を行うために必要とされるものであったが、立法過程において債務超過の要件を不要とする変更が加えられた。そのため、この制度は、株式取得後に残存する少数株主の締出しの手段としても利用されることとなった。すなわち、①株式の公開買付け（TOB）で、株主総会の特別決議を可決できる数の議決権を取得する、②株主総会の特別決議で、対象会社の既発行株式を全部取得条項付株式とする、③対象会社が全部取得条項付株式の取得を行う、④取得対価として、株主に別種類の株式を割り当てるが、その際、公開買付者以外の株主（少数株主）には１株未満の端数のみを割り当てる、⑤少数株主に対して１株未満の端数につき金銭を交付する、という方法によって、残存株主を締め出し、これによって対象会社を完全子会社化することができる。このような少数株主の締出しは、MBO（→65-2）を目的とする場合にも利用される。

〔247〕　平成26年の改正で、少数株主を締め出すことを容易にする制度が整備された。

全部取得条項付株式を使った少数株主の締出しには、同株式の導入と取得のために、①新たな種類株式を発行するための定款変更のための株主総会特別決議、②既存の株式を全部取得条項付株式とする定款変更のための株主総会特別決議、③全部取得条項付株式を取得するための株主総会特別決議が必要である。同年の改正では、支配株主（特別支配株主）が、株主総会の決議を要せず、他の少数株主に株式の売渡を請求できる制度（株式等売渡請求制度）が創設された。「特別支配株主」は、会社の総議決権の10分の9（定款でこれを上回る割合を定めることは可能）以上を直接的または間接的に有している者をいう（179条1項）。全部取得条項付株式についての買取りは会社が行うのに対して、株式等売渡請求では特別支配株主が買取りを行うという違いもある。現金を対価として、少数株主を解消すること（100％子会社化すること）は、一般に「キャッシュ・アウト」とよばれている。

〔248〕　MBOのために、公開買付けに続き、全部取得条項付株式の取得を決定する株主総会に当たり、全部取得条項付株式の取得価格が争われた事例（いわゆるレックス・ホールディングス事件。東京高決平20・9・12金判1301・28〔百選89事件〕）で、裁判所は、「取得価格」は、取得日における全部取得条項付株式の公正な価格であるとし、それを定めるには、取得日における株式の客観的な価値に加えて、強制的取得により失われる今後の株価の上昇に対する期待を評価した価額も考慮するという判断枠組みを明らかにした。

(8)　拒否権付株式

〔249〕　会社は、定款の定めによって、特定の事項については、株主総会等の決議に加えて、その種類の株式の株主による種類株主総会の決議を要する株式を発行できる（108条1項8号）。このような株式は、平成13年11月の改正で導入された。これは、株主総会等の決議事項について、定款の定めで、ある種類の株主に拒否権を与えるものである。

〔250〕　たとえば、ベンチャー企業がベンチャー・キャピタルから出資を受ける場合に、多数派である創業者株主とベンチャー・キャピタルの間で、後者の同意がない限り、組織変更、株式募集を行うことができないものとする契約を結ぶことがある（株主間契約）。もっとも、これらの事項が株主総会や取締役会で法律上適法に決議されてしまった場合には、ベンチャー・キャピタルは契約で対抗できない。このような事態はベンチャー・キャピタルによる出資を躊

躇させるものといわれた。会社法は、従来株主間契約によって実現しようとしていた少数株主の保護を、拒否権付株式の付与という方法で可能にしている。上記に限らず、幅広い範囲のものを拒否権の対象とすることができる。

黄金株（究極の買収防衛策）

〔251〕 拒否権付株式において、拒否権の対象を定款変更決議、合併等の決議、新株発行の決議（取締役会設置会社においては取締役会決議）など、重要な決議としておき、この株式（1株でよい）を特定の者に発行することで、敵対的買収を事実上、阻止することができる。普通株式の取得で支配権を取得したとしても、上記の重要な決議を決めることができなければ、支配権取得の意味がなくなるためである。もっとも、拒否権付株式を取得した者が、会社の経営陣を裏切り、当該株式を買収者等に譲渡することも考えられる。このような事態に備えて、拒否権付株式に譲渡制限を定めておくことが考えられる（→235）。譲渡制限株式では、会社の意向に反する譲渡ができないため、敵対する買収者に拒否権付株式がわたることを阻止することができる。このような株式は、敵対的買収を事実上阻止するものであり、「黄金株」（会社の経営陣からみて）とよばれる。もっとも、黄金株を発行している会社では、株主の監視がなく、ガバナンスの機能が働かないという問題がある。日本では、国際石油開発帝石が黄金株を発行している上場会社として存在している（黄金株の所有者は経済産業大臣）。

(9) 取締役・監査役の選任・解任についての株式

〔252〕 前述のように、拒否権付株式は、ベンチャー・キャピタルによるベンチャー企業に対する出資を容易にするために設けられたものであった。しかし、取締役の選任について、この権利を行使しても、少数株主側は、種類株主総会で、取締役選任議案を拒否することができるに過ぎず（取締役を選ばせないという消極的な抵抗にとどまる）、さらに、このことは、会社経営を停滞させるという弊害もあった。そこで、平成14年の改正で、定款で株式の譲渡につき取締役会の承認を要する旨を定めた会社について、取締役または監査役の選任について内容の異なる種類の株式を発行することを認めた（改正前商222条1項6号）。この株式を発行した場合には、取締役・監査役の選任は、各種類の株主総会で行われる。

〔253〕 会社法でも、公開会社以外の会社について（指名委員会等設置会社の場合を除く）、このような種類株式の発行を認めている（108条1項9号・1項

ただし書)。会社は、定款で、取締役・監査役の選任・解任についての種類株式の発行可能総数および選任する取締役・監査役の数等を定めなければならない(同条2項9号)。種類株主総会で選任された取締役・監査役は、いつでも、選任を行った種類株主総会の決議で解任される(347条)。種類株主総会で選任された取締役・監査役は、会社全体に対して善管注意義務(→609)を負う。

3　株式の発行

(1)　授権資本制度――発行株式数の限度

〔254〕　株式会社の定款には、会社が発行を予定する株式の総数が記載される(37条1項・2項)〈→定款6条〉。公開会社の設立に際しては、発行可能株式総数の4分の1以上を発行しなければならない(同条3項本文)。定款に記載された発行可能株式総数のうち、会社の設立の際に発行される株式を除いた残りの株式については、会社の成立後、原則として、いつでも取締役会等の決議によって発行することができる。このような制度を「授権資本制度」という。発行可能株式総数は授権資本もしくは授権株式とよばれる。会社は、定款を変更して、発行可能株式総数を増加することができる。ただし、その場合でも、発行済株式総数の4倍を超えて増加することはできない(113条3項)。

〔255〕　株式の発行により発行済株式数が増大すれば既存の株主に影響を与える。特に、既存株主の持株比率の変動(多くは低下)という不利益が生じる危険性がある。もっとも、会社経営には、機動的な株式発行が必要であり、定款で発行可能株式総数を限定した上で(既存株主が蒙る持分比率の低下の限界を定める)、取締役会等に新株発行権限を授権する制度が授権資本制度である。

〔256〕　株式の消却などを行った結果、発行済株式数が減少する。この場合、減少した株式数につき新たに株式を発行できるかが問題となる。従来の通説は、再発行を認めると、取締役会等が消却と再発行とを無限に繰り返すことができ、取締役会等が発行することのできる株式の最大限を規定した授権資本制度の趣旨に反するとしてきた(償還株式についての事例として、最判昭40・3・18判時413・75)。これに対して、授権資本制度を既存の株主の持株比率の低下の限度

を定めたものと考えれば、発行可能予定株式数の範囲であれば取締役会等は新株を発行することができることになる。

〔257〕　公開会社以外の会社については、会社の設立に際して発行する株式の総数が発行可能株式の総数の４分の１以上でなければならないという制限（→ 254）は適用されない（37 条３項ただし書）。また、授権枠を発行済株式総数の４倍を超えて増加することができないという（→ 254）制限も適用されない（113 条３項１号は公開会社についての規定）。もっとも、公開会社以外の会社が定款を変更して公開会社となる場合には、当該変更後の発行可能株式総数は、当該定款の変更の効力を生じた時における発行済株式総数の４倍を超えることができない（113 条３項２号）。なお、株式の併合の場合の発行可能株式総数について制限がある（→ 377）。

(2)　株式の発行形態

〔258〕　株式会社が資金調達（有償増資）を目的として株式募集を行う場合、その形態には、株式募集の相手方によって、株主割当、公募および第三者割当がある。

〔259〕　株主に対して、その持株数に応じて新株の割当てを受ける権利を与える方法で行われるものを株主割当という。株主割当では、払込金額が特に有利な金額（低い価額）である場合でも、既存株主に不利益を与えるものではない。たとえば、発行済株式総数が８万株の会社で、時価 1,000 円の株式を１株 500 円で２万株募集した場合、１株の価値は 900 円（〈８万株× 1,000 円＋２万株× 500 円〉÷〈８万株＋２万株〉）に低下する。割当前に 40 株を保有していた株主は、10 株の割当を受けることになるが、割当前は、この株主は保有株式の価値としての 40 株× 1,000 円と割当株式の購入資金 10 枚分× 500 円の合計４万 5,000 円の財産を有している。株式の割当後、この株主は１株 900 円の株式を 50 株保有することになるが、その財産価値は４万 5,000 円で、割当前と変わらない。したがって、公開会社では、取締役会の決議で株主割当を実施することができる。公開会社以外の会社でも、この点で株式の発行は株主割当の方法で行われる。もっとも、原則として株主総会の決議が必要である（→ 267）。これは、公開会社以外の会社では、通常、各株主が持株比率の維持に関心を有

〈有償増資の件数と調達額〉

（100万円）

年	株主割当		公　募		第三者割当	
	件数	調達額	件数（うち新規公開）	調達額（うち新規公開）	件数	調達額
1999	−	−	28	349,715	75	2,347,286
2000	2	8,240	24	494,149	46	922,756
2001	3	32,047	18	1,201,483	57	477,176
2002	−	−	19	153,312	62	484,350
2003	2	1,451	35	567,236	84	223,161
2004	1	2,729	78	750,232	129	572,627
2005	2	3,721	74	650,847	150	778,055
2006	−	−	69	1,447,724	145	416,476
2007	1	8,086	60（23）	456,974（70,900）	117	662,102
2008	1	139	27（19）	341,697（31,444）	93	395,840
2009	−	−	52（9）	4,966,829（22,490）	115	714,609
2010	1	689	50（11）	3,308,906（201,338）	88	535,606
2011	−	−	45（20）	967,813（111,243）	66	395,151
2012	1	414	53（29）	451,766（32,036）	71	159,327
2013	1	981	114（47）	1,113,702（373,549）	151	371,855
2014	−	−	129（66）	1,377,995（234,650）	190	392,844
2015	1	56	131（79）	961,970（83,070）	187	163,546
2016	1	221	95（72）	257,717（175,786）	151	623,017
2017	2	106	116（75）	424,222（68,184）	238	881,585
2018	−	−	129（80）	401,625（156,012）	303	214,568
2019	−	−	93（73）	219,787（91,559）	307	910,408

（日本取引所グループウェブサイト「上場会社資金調達額」より）

しており、また、株主割当の方法であっても、割当に応じることができない株主には持株比率の変動が生じ得るからである。

〔260〕　一般投資家から、新株の引受けを広く募集することを、一般的に公募とよんでいる。金融商品取引法に定める「募集」（→285）に該当する場合を公募とよぶ場合もある。多額の資金調達を必要とする場合、公募により株式が発行される。公募での発行価額は発行会社の株式の時価を基準に定められる。そのため、このような発行は「公募時価発行」ともよばれている。株主割当と異なり、公募では、既存の持株比率に変動が生じる。もっとも、上場会社では、株式の売買で、常に持株比率が変化するため、公募による持株比率の変動を懸念する必要性は低い。

〔261〕　特定の者に募集株式を割り当てるものを第三者割当という。株主に新株を与えた場合でも、それが持株数に応じて与えるのでなければ第三者割当となる。第三者割当は、特定の会社に株式を割り当てることで業務提携を強化

するために行われる。経営不振に陥った会社が他の会社の子会社となり再生を図る際に、親会社になる会社に第三者割当がなされることもある。さらに、敵対的企業買収に対抗するために、かかる方法が利用されることがある。これらの場合、募集株式の募集に際しての払込価額を時価よりも低く設定することが多い。払込金額が募集株式を引受ける者に特に有利な金額である場合、取締役が理由を説明した上で、株主総会の特別決議が要求される（199条3項、201条1項、309条2項5号）。そのため、ここにいう「特に有利な金額」が何であるかが問題となる。特に、株式の買占めがなされ、それにより株価が高騰している場合に、第三者割当での払込価額の公正性が争われることとなる（有利発行であれば、株主総会の特別決議が必要であり、それを欠いた発行は法令違反として差止めが可能となる→290）。

〔262〕　判例は、高騰した価格といえども公正な発行価額の算定基礎から排除できないものの、当該株式が市場において極めて異常な程度まで投機の対象とされ、その市場価格が企業の客観的価値よりもはるかに高騰し、それが株式市場における一時的現象にとどまる場合には、市場価格を公正な発行価額の算定基礎から排除することができるとしている（東京地判平元・7・25判時1317・28。東京地決平16・6・1判時1873・159〔百選22事件〕も同じ立場に立つと考えられている）。企業買収によって企業価値が向上するという市場の期待を背景に株価が高騰している場合、高騰した価格を基準に発行価額を決定すべきである。他方で、高値肩代わり等、投機的な目的による買占めにより株価が高騰している場合、その価格は算定の基礎から排除すべきである。これまでの判例は、このような視点を考慮したものといえる。

〔263〕　なお、日本証券業協会は自主ルールを制定している。これによると、第三者割当による新株発行価額の基準として、①当該第三者割当発行増資についての取締役会決議の直前日の終値の90％以上、または②直前日を最終日としてこれにさかのぼる6月以内の任意の日を初日とする期間の終値の平均の90％以上という価額が定められた（この自主ルールは、平成15年に、①を原則として、従前の株価や売買高等の状況を勘案し、②も認めるという形に改められている）。このルールに法的根拠はない。しかし、裁判例では、有利発行の判断において、この自主ルールを重視し、これに従っていれば発行は適法とする処

理が実務上確立したとの見方が有力である。

〔263-2〕　企業提携を実施する場合、これによる企業価値の増大を見込んで株価が上昇することがある。企業提携のために実施された株式発行において、有利発行の判断を、上昇前の株価を基準とすべきか、株価上昇後の株価を基準とするかが問題となる。後者の場合、企業価値の増加（シナジー）は、既存株主が享受し、株式を引き受ける提携先の企業の利益はない（払い込み価格が上昇し、シナジー効果も享受できない。この点で、企業提携を実施するインセンティブが減殺される）。これに対して、前者では、シナジーは、既存株主と提携先の企業が新株発行後の持株割合に応じて分け合うこととなる（この立場をとる判例として、東京高判昭48・7・27判時715・100〔百選97事件〕）。

〔263-3〕　ところで、非上場企業の株式など、市場価格のない株式の場合、「特に有利な金額」を判断するには、株式の評価を行う必要がある。取引相場のない会社の株式の評価には様々な手法があり（→318-321）、このような株式の評価には幅がある。最高裁は、客観的資料に基づく一応合理的な算定方法によって発行価額が決定されていたといえる場合には、その価額による発行を行っても、特段の事情がない限り、有利発行とはならないとしている（最判平27・2・19民集69・1・51〔百選23事件〕）。

(3)　株式の発行手続

〔264〕　会社は株主となる者から新たに払込みを受けて新株を発行する。会社が保有する自己株式を処分する場合（→363）にも同様の経済的効果がある。そのため、会社法では、新株発行と自己株式の処分を同一の規制に服させるものとしている。会社法では、「募集株式の発行」という用語が使用されている（金融商品取引法上の「募集」〔→285〕とは異なる概念。このほか、株式無償割当、合併・分割等において新株の発行が行われるが、上記の新株発行とは性格が異なる〔特殊の新株発行とよばれることがある〕）。

〔265〕　会社は、その発行する株式またはその処分する自己株式を引き受ける者を募集しようとするときは、その都度、募集株式についての事項（募集事項）の決定を行わなければならない（199条1項）。募集株式の種類が譲渡制限

株式であるときは、募集事項を決定する株主総会・取締役会決議のほかに、当該種類株式の種類株主による種類株主総会の決議が必要である（同条４項、200条４項）。定款で当該種類の株式を引き受ける者の募集について種類株主総会の決議を要しない旨を定めた場合には、かかる決議は不要となる。

募集事項

〔266〕 募集事項として決定を要する事項は次のとおりである。

① 募集株式の数（種類株式の場合はその種類および数）

② 募集株式の払込金額（募集株式１株と引換えに払い込む金銭または給付する金銭以外の財産の額をいう）またはその算定方法（払込金額が募集株式を引き受ける者に特に有利な金額である場合〔有利発行である場合〕には、取締役は、株主総会において、その払込金額で株主を募集することを必要とする理由を説明しなければならない。199条３項）

③ 金銭以外の財産を出資の目的とするときは、その旨ならびに当該財産の内容および価額

④ 募集株式と引換えにする金銭の払込みまたは③の財産の給付の期日またはその期間

⑤ 株式を発行するときは、増加する資本金および資本準備金に関する事項（株主割当において、決定を取締役・取締役会に委ねる場合）

⑥ 新株の割当てを受ける権利を株主に与える旨（株主割当の場合。202条１項）

⑦ 引受けの申込期日（同上）

〔267〕 公開会社以外の会社では、募集事項の決定は、株主総会の特別決議で行う必要がある（199条２項、309条２項５号）。これらの会社では、通常、株主が持株比率の維持に強い関心を有することから、株主総会の決議によるものとしている。もっとも、株主総会の決議で、募集事項のうち、①募集株式の数の上限と②払込金額の下限を定めれば、その他の決定を取締役（取締役会設置会社では取締役会）に委ねることができる（200条１項）。②払込金額が株式を引き受ける者にとって特に有利な金額である場合（有利発行である場合）、株主総会で、それを必要とする理由を説明しなければならない（199条３項、200条２項。公開会社以外の会社では、この点で、第三者割当と有利発行に関する決議が一体化されている）。また、株主割当の方法（→259）をとる場合には、定款に定めがあれば、これらの決定を取締役（取締役会）が行うことができる（202

条3項1号・2号・5項)。株主割当によらない場合でも、取締役（取締役会）に委任することもできるが、この場合、株主総会の特別決議を要する（200条1項、309条2項5号。定款の定めで委任することはできない)。

〔268〕　これに対して、公開会社は、募集事項の決定は取締役会の決議で行う（201条1項)。募集事項として決定すべき事項は、上記の公開会社以外の会社の場合と同様である（199条1項)。もっとも、②に関して、払込金額が特に有利な金額である場合には、株主総会の特別決議を要する（201条1項)。また、②について、募集株式が市場価格のある株式であるときは、「公正な価額による払込みを実現するために適当な払込金額の決定の方法」を定めることができる（同条2項。いわゆるブックビルディング方式〔機関投資家などの需要を積み上げて価格を決定する方法〕での募集が想定されている)。

〔269〕　公開会社では、取締役会で募集事項を決定したときは、払込期日の2週間前までに、募集事項を株主に通知・公告しなければならない（201条3項・4項)。募集事項の決定が取締役会のみで行われるため、株主による募集の差止めの機会を与える必要があることによる（→290)。2週間前までに有価証券届出書の届出（→285）をしている場合その他株主の保護に欠けるおそれがないものとして法務省令で定める場合においては、かかる通知・公告は不要となる（201条5項、施40条)。

〔270〕　以上のように、会社法は、公開会社について、授権資本制度のもと、取締役会の決議で機動的に資金調達を行うことを認めている。株主割当以外の方法で株式の発行が行われる場合、既存株主に持株比率の変動が生じる。授権資本制度は、定款で定めた発行可能株式総数の範囲内であれば、既存株主は持株比率の変動を許容するというものである。もっとも、授権枠の範囲であっても、支配権の異動を伴う大規模な第三者割当が行われる可能性がある。

大規模な第三者割当に対する自主規制の対応

〔271〕　平成21年8月に、東京証券取引所は、上場規程の改正を行った。まず、第三者割当による募集株式の発行等のうち、①希釈化率が25％以上となるとき、または②支配株主が異動するとき、(a)経営者から一定程度独立した者（第三者委員会、社外取締役等）から、当該第三者割当の必要性および相当性に関する意見を入手する、(b)株主総会の決議

などによる株主の意思確認を行うものとされた（上場規程432条、上場規程規則435条の2）。ここにいう「希釈化率」は、「第三者割当によって発行される株式等に係る議決権数/第三者割当前の発行済み株式に係る議決権数」×100で計算される。希釈化率が300%を超える第三者割当などが行われる場合には、発行会社を上場廃止にする旨も規定された（上場規程601条1項17号、上場規程規則601条14項6号）。さらに、適時開示（→**341**）の項目として、①割当を受ける者の払込みに要する財産の存在について確認した内容、②払込金額の算定根拠・具体的な内容、東京証券取引所が必要と認める場合、有利発行でないことに関する監査役等の意見、③上記(a)(b)の手続をとる場合に、その内容、④その他東京証券取引所が投資判断上重要と認める事項の開示が必要とされた（上場規程402条1号a、上場規程規則402条の2）。

〔**272**〕　なお、平成21年12月に企業内容等開示府令が改正され、有価証券届出書（→**285**）において第三者割当に関する詳細な開示が求められるようなった（第三者割当の場合の特記事項）。

〔**273**〕　平成26年の改正で、公開会社において、会社支配権の異動が生じるような大規模な募集株式等の発行が行われる際には、一定の要件を満たす場合には株主総会の承認が必要となった。すなわち、募集株式の発行後において特定の引受人が有することとなる議決権の保有割合が2分の1を超える場合には（当該引受人を特定引受人という）、株主に対して、払込期日・払込期間の初日の2週間前までに通知・公告が必要で、当該通知から2週間以内に、総株主の議決権の10分の1以上の議決権を有する株主が反対する旨の通知をした場合、原則として、前日までに株主総会の決議による承認を受けなければならないこととなった（206条の2）。株主総会の決議は、普通決議で足りるものの、定款で定足数を3分の1未満にすることができない（同条5項）。この規律は、役員の選任・解任の場合と同様である（→**548**）。支配権の異動を伴う募集株式の発行は、会社の経営を支配するものを決定するという点で、取締役の選任決議と類似する面があるため、このような規律となった。

〔**274**〕　特定引受人には、その子会社等（子会社または会社以外の者がその経営を支配している法人）が含まれる（発行済株式総数1万1,000株の会社〔議決権数1万1,000個〕が、第三者割当によりA〔保有議決権4,000個〕とB〔Aの子会社。保有議決権500個〕にそれぞれ3,500株〔議決権3,500個〕、1,000株〔議決権1,000個〕を発行する場合、Aは7,500個〔4,000個＋3,500個〕、Bは1,500個〔500個＋1,000

個〕、合計で9,000個の議決権を有することとなる。募集株式発行後の総議決権数は1万5,500個であるため、ABの保有割合は約58.0%となり〔2分の1を超える〕、Aが特定引受人となる)。子会社等が保有する議決権を合算するのは、子会社等を通じて間接的に議決権を保有していると考えられることによる。

〔275〕　募集新株予約権の発行についても、同様の規制が導入されている(244条の2)。この規制がない場合、募集新株予約権の発行によって、上記の募集株式発行の規制の潜脱が行われるおそれがある。

〔276〕　ところで、会社は、募集に応じて引受けの申込みをしようとする者に対して、①株式会社の商号、②募集事項（→266)、③金銭の払込みをすべきときは、払込みの取扱場所、④その他、法務省令で定める事項を通知しなければならない（203条1項、施41条)。会社が、金融商品取引法に基づく目論見書（→287）を交付した場合には、情報が開示されているものとして、かかる手続は不要となる（203条4項)。募集に応じて引受けの申込みをする者は、①申込みをする者の氏名・名称および住所、②引受けしようとする募集株式の数を記載した書面を交付しまたは電磁的方法（会社の承諾が必要）による提供を行わなければならない（同条2項・3項)。株主割当において、株主が申込みをしないときは、その株主は割当てを受ける権利を失う（204条4項)。

〔277〕　株式の申込み後、会社は申込者のなかから割当てを受ける者を決定する（204条1項)。割当先は会社が自由に決めることができる（割当自由の原則。敵対的企業買収の場面で、保身のために自派の者に割当てがなされた場合には、不公正発行になる→292)。申込人は割当てを受けた株式について引受人となる(206条)。募集株式を引き受けようとする者がその総数の引受けを行う契約を締結する場合（総額引受)、上記の手続は不要である（205条。譲渡制限株式の場合、総額引受のときでも、原則として、株主総会決議〔取締役会決議〕を要する。同条2項)。

〔278〕　募集株式の引受人は、払込期日・払込期間内に、払込取扱場所において払込金額の全額の払込み・現物出資財産の給付をしなければならない(208条1項・2項)。判例は、他人の承諾を得て、その名義を借用して引き受けた株式について、当事者として申込みをした者が引受人になるとしている（実質説。最判昭42・11・17民集21・9・2448〔百選9事件〕)。出資の履行をしないと

きは、募集株式の株主となる権利を失う（同条５項）。払込期日（現物出資の場合は給付日）に払込み（給付）をした者は、その払込期日（給付日）に、募集株式の株主となる（209条１項）。募集予定すべてに払込みがない場合でも、払込みがあった部分について新株発行は成立する（打切り発行の許容）。

〔279〕　現物出資については、設立の場合と同様に（→948）、裁判所が選任した検査役の調査が必要である（207条１項）。自己株式の処分の場合にも現物出資が可能である（平成17年の改正前までは、検査役の調査についての規定がなかったので、現物出資が可能であるかどうか議論があった）。

検査役の調査が不要な場合

〔280〕　検査役の調査が不要とされる場合として次のものが法定されている（207条９項）。

①　募集株式の引受人に割り当てる株式の総数が発行済株式総数の10％を超えない場合

②　現物出資財産の価額の総額が500万円を超えない場合

③　現物出資財産が市場価格のある有価証券である場合

④　現物出資財産価額が相当であることについて、弁護士（弁護士法人）、公認会計士（監査法人）、税理士（税理士法人）の証明がある場合（不動産については不動産鑑定士の鑑定評価が必要）

⑤　現物出資財産が会社に対する金銭債権であって、弁済期が到来しているものについては、その価額（199条１項３号）が当該金銭債権にかかる負債の帳簿価額を超えない場合

〔281〕　なお、⑤については、債権の弁済期が到来している場合には、会社が弁済しなければならない価額が確定しているため、評価の適正性について特段の問題が生じないとして、検査役の調査が不要とされている。これにより、会社を再建する際に、債権者が会社に対する債権を会社の株式と交換する手法（いわゆるデット・エクイティ・スワップ→200）を簡易な手続で行うことができる。

〔282〕　募集株式の引受人は、金銭の払込みまたは現物出資の給付の期日またはその期間を定めた場合（199条１項４号）、出資を履行した日に、募集株式の株主となる（209条１項）。発行予定の株式の全部についての出資の履行がない場合でも、出資の履行があった株式について新株発行の効力が生じるが（→278）、払込みのない失権分は未発行株式となって次回以後の発行予定数に加えられる。

〔283〕　新株発行の効力発生により、会社の発行済株式総数に変更が生じる。さらに資本も増加する（445条）。これらは登記事項であるために、会社は変更登記を行わなければならない（911条3項5号・9号、915条1項・2項）。

⑷　金融商品取引法の規制――募集の規制

〔284〕　株式発行により広く投資家から資金調達を行う場合には、会社法のほかに、有価証券に関する取引を規制する金融商品取引法の適用を受ける。株券（株式）は有価証券の代表的なものであるからである（金商2条1項9号）。金融商品取引法の規制は、主として投資者保護の観点から定められている（金商1条参照）。

〔285〕　金融商品取引法は、企業内容の開示制度（ディスクロージャー制度）を定めている。その中で、有価証券の「募集」または「売出し」を行う者は、有価証券届出書を内閣総理大臣に提出することが要求される（金商4条1項。発行価額または売出価額の総額が1億円未満の場合は届出は不要となる。同項5号）。ここにいう「募集」とは、多数の者（50名以上）に対して新たに発行される有価証券の取得の申込を勧誘することである（金商2条3項）。募集に該当しないものを私募という。もっとも、少人数（50名未満）の者を相手方とする勧誘であっても、上場株式を発行する場合には、私募は認められず、募集として、常に届出を要することに注意しなければならない（金商2条3項2号ハ、金商令1条の7第1号）。したがって、上場会社は、第三者割当を行う場合でも、常に、有価証券届出書の提出が義務づけられる。

〔286〕　有価証券届出書は、原則として、内閣総理大臣が受理した日から15日を経過した日に効力が発生する（金商8条1項）。この期間に届出の審査が行われる。この期間を審査期間または待機期間という。この期間は一定の場合には短縮される（同条3項）。有価証券の届出によって取得の勧誘行為は可能となる。しかし、有価証券を募集によって投資家に取得させるためには、届出の効力が発生してなければならない（金商15条）。

〔287〕　有価証券届出書は、提出と同時に公衆縦覧に供される（金商25条1項1号）。さらに、その写しは発行会社の本店および主要な支店ならびに金融商品取引所または金融商品取引業協会において公衆縦覧に供される（間接開示。

同条２項・３項)。さらに、有価証券を募集によって取得させるためには、あらかじめ、または同時に目論見書（有価証券の発行者の事業その他の事項に関する説明を記載する文書）を投資者に交付しなければならない（直接開示。金商15条２項)。これは、有価証券届出書の公衆縦覧のみでは、投資家の保護に欠けるために要求されるものである。もっとも、現在では、間接開示書類も、電子的開示（EDINET。金融庁ウェブサイトから入手可能）により、投資家は容易に情報を入手することができる。

〈金融商品取引法上の開示制度〉

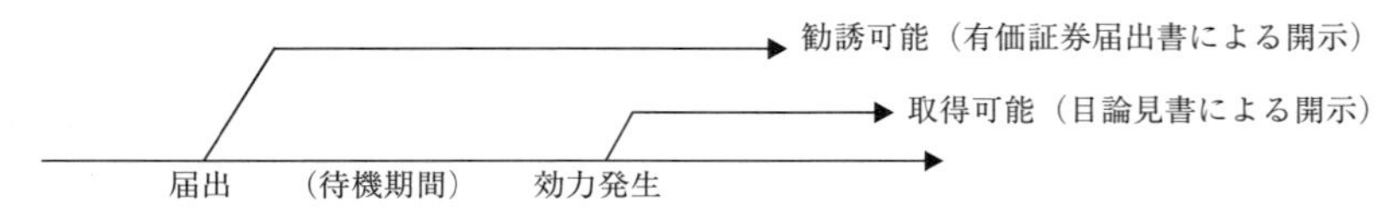

開示規制の合理化

〔288〕　有価証券届出書には、発行する有価証券の内容についての記載（証券情報）と発行する会社についての記載（会社情報）が記載される。有価証券届出書による開示では組込方式または参照方式を利用することによってこれらの情報の開示を簡略化することができる。まず、１年以上継続して有価証券報告書を提出している会社では、企業情報については、最新の有価証券報告書の写しを有価証券届出書に綴じ込むことが認められる（組込方式。金商５条３項。有価証券報告書提出後、重要な事実が発生した場合には、追補情報が記載される)。次に、１年以上継続して有価証券報告書を提出している会社で、その株式が金融商品取引所に上場されているものについては、一定の要件を満たせば（周知性要件〔平均売買金額や平均時価総額が一定の額以上であることなどが規定されている〕、有価証券届出書における企業情報については、最新の有価証券報告書を参照すべきことを記載することが認められる〔参照方式。金商５条４項、開示府令９条の４〕)。

〔289〕　上記の参照方式の利用適格者は、発行登録制度を利用できる（金商23条の３～23条の12)。この制度のもとでは、発行予定の募集をあらかじめ登録しておき、その登録の効力を発生させておいた後に、金利動向などのタイミングをみはからって発行登録追補書類を提出するだけで直ちに有価証券の発行することができる。そこでは、証券発行時の届出の待機期間が不要となり、機動的な資金調達が可能となる。

4　株式発行の瑕疵

(1)　募集株式の発行等の差止め

〔290〕　①株式の発行または自己株式の処分が法令または定款に違反する場合、②株式の発行または自己株式の処分が著しく不公正な方法により行われる場合で、株主が不利益を受けるおそれがあるときは、株主は会社に対して、その株式の発行または自己株式の処分をやめることを請求できる（210条）。これとは別に、株主は、取締役が法令もしくは定款に違反する行為をし（またはこれらの行為をするおそれがある場合）、会社に著しい損害が生じるおそれがあるときは、その取締役にその行為をやめるように請求できる（360条）。後者は、会社の利益を保護するものであるのに対して、前者は、株主自身の利益保護のためのものである。

〔291〕　公開会社では、取締役会が募集事項（→266）を定めたときは、払込期日の2週間前までに、株主に対して、その募集事項を通知・公告しなければならない（201条3項・4項）（→276。有価証券届出書を提出した場合の例外がある）。これにより、株主は、事前に募集株式の内容を知ることができ、発行等の差止請求を行うことができる。従来の判例は、株主総会の特別決議を経ずに、株主以外の者に特に有利な価格で株式を割り当てた場合（→261）に、その発行の無効を認めない傾向にある。割り当てられた株式について、流通取引の安全の保護を重視しまた資本の充実を大切にするからである。そのため、募集株式の発行等の差止請求制度は、株主保護のために重要な意義を有している。

〔292〕　差止請求の方法については、募集株式の発行等の差止訴訟を提起し、その訴えに基づく仮処分を求めることが多い。特に、会社の株式を買い占められた経営者が、第三者割当（→261）によって、募集株式の発行を行う場面で、持株比率の低下となる株主は、その差止請求を行うこととなる。会社の取締役が、もっぱら自己の地位を防衛する目的で、自派の者に新株の割当を行うことは、会社に対する忠実義務違反（355条）（→609）となり、許されない。このような場合には、法令違反または著しく不公正な方法によるものと

して、株主は募集株式の発行の差止めを行うことができる。また、前述のように、市場価格より低い価格で第三者割当がなされ、それについての株主総会の特別決議を経ていない場面で、差止請求がなされることがある。この場合、当該発行等が有利発行であるかどうかが争われ（→261）、有利発行に当たるとされれば、（株主総会による特別決議を経ていないため）法令違反を理由として差止請求が認められることとなる。

主要目的ルール

〔293〕　募集株式の発行は、株主割当で行われない限り、既存株主の持株比率を変動させる（→255、270）。会社法は、授権枠を定款記載事項とすることで株主の利益を図りながら（持株比率の変動の範囲を限定）、資金調達の機動性を重視する。したがって、現実に資金調達の必要性があった場合には、新株を自派の者に割り当てることで、結果として、反対派の持株比率を低下させることになっても不正な発行方法にはならない。このように、募集株式の発行の主たる目的がどこにあるかで、その適法性を判断しようとする判例の立場は「主要目的ルール」とよばれている。裁判例では、資金調達の目的を広く認定し、不公正発行であることを否定する傾向が見られた（東京高決平16・8・4金法1733・92〔百選98事件〕参照）。

〔294〕　近年、敵対的企業買収の対抗策として、新株予約権（→385）の発行がなされ、その差止請求がなされる事例が発生している。株式発行と異なり、新株予約権の発行について資金調達の必要性を強調することは難しい（資金が必要であれば、通常は新株を発行すればよい）。新株予約権の発行の差止めは、株式の買占め（敵対的企業買収の試み）が、その会社の企業価値を高めるものか、毀損するものであるかによって判断された。東京高決平17・3・23判時1899・56〔百選99事件〕（ニッポン放送対ライブドア事件）では、現に経営支配権争いが生じている場面で、経営支配権の維持・確保を目的とした新株予約権の発行がなされた場合、原則として、不公正な発行として差止請求が認められるべきとしながら、株主全体の利益保護の観点からその発行を正当化する特段の事情があることを会社側が疎明・立証した場合には、発行を差し止めることができないとした。このような形に主要目的ルールが変容している。

⑵　株式発行等の効力

〔295〕　新株の発行の効力が生じた後でも、新株発行について重大な瑕疵があるときには、その効力を認めるべきではない。自己株式の処分についても同様である。しかし、株式が発行された後は、それが有効であることを前提とし

て多くの法律関係が形成される。そのため、無効の主張を一般原則に委ねて、だれでも、いつでも、いかなる方法によっても行うことができるとすることは、法律関係の安定を害することとなる。したがって、新株発行等の無効の主張は訴えによってのみ許される（828条1項2号・3号）。新株発行等の無効の主張は、新株発行等の効力発生日から6月以内（公開会社でない会社では、効力発生日から1年以内）に、株主、取締役、監査役等のみが行うことができる（同条2項2号・3号）。

〔296〕　定款に定められた授権株式枠（→254）を超える新株発行、定款に規定のない種類の株式（→224、225）の発行などは無効原因となると解されている。しかし、判例は、取締役会の決議なしに代表取締役によって発行された新株発行、株主総会の特別決議を経ずに行われた有利発行は無効とならないとしている（最判昭36・3・31民集15・3・645、最判昭46・7・16判時641・97〔百選24事件〕）。さらに、著しく不公正な方法で新株発行がなされても、新株発行の無効事由とならないとするのが判例の立場である（最判平6・7・14判時1512・178〔百選102事件〕）。このように新株発行の無効原因を狭く解するのは、取引の安全性を重要視するためである。これに対して、不公正発行であっても、閉鎖的な会社で、発行された株式が悪意の引受人・譲受人のもとに止まっている限り、取引の安全を害するものではないため、この部分について無効と解する見解もある。

〔296-2〕株式の譲渡が制限されている会社では、株式の譲渡は頻繁ではなく、取引の安全を考慮する必要性は低い。また、公開会社以外の会社では、募集株式の発行について株主総会の特別決議が必要である（→267）。これは、株主が持株比率の維持に強い関心を有することが理由であった。以上のことから、学説では、少なくとも、公開会社以外の会社においては、株主総会の決議を欠く株式発行を無効とすべきとする見解が有力である。なお、その後の判例で、有利発行に関する株主総会決議の欠缺があっても新株発行が有効であるとする判例の射程は、公開会社に限られるとするものがある（最判平24・4・24民集66・6・2908〔百選29事件〕）。

〔297〕　新株発行の差止めの仮処分（→292）に違反して行われた新株の発行については、判例（最判平5・12・16民集47・10・5423〔百選101事件〕）は、

仮処分命令に違反したことが新株発行の効力に影響がないとすれば、差止請求権の趣旨が没却されるとして、その発行を無効とした。もっとも、学説では、取引の安全を重視する立場から、無効原因にならないとする見解も有力である。また新株発行事項の通知・公告（→269）を欠く発行を有効とすれば、株主の新株発行の差止請求の機会を奪うことになる。学説では、公示義務違反は、原則として無効原因になるとしながら、公示義務違反以外の差止事由がなかったことを会社側が立証したときは、例外として無効とはならないとする見解が有力であった。判例（最判平9・1・28民集51・1・71〔百選27事件〕）では、この考え方が取り入れられた。

〔298〕　新株発行の無効判決によって、新株発行は将来に向かってその効力を失う（839条）。また、判決が確定すると、当事者だけでなく、それ以外の第三者に対してもその効力が及ぶ（838条）。新株発行が無効となった以上、会社は新株の株主に対して払込金額の支払いを行わなければならない（840条1項）。

新株発行の不存在

〔299〕　新株発行の実体がないといえるほど瑕疵が著しい場合、新株発行という事実は存在しなかったと評価せざるを得ない。会社法制定前まで、新株発行不存在確認の訴えに関する明文の規定を欠いていた。もっとも、判例は、新株発行不存在の確認の訴えを認めていた（最判平9・1・28民集51・1・40。最判平15・3・27民集57・3・312は出訴期限の制限は否定）。会社法は、このような立場を引き継ぎ、対世効のある判決で不存在を確定する必要がある場合に備えて、「新株発行の不存在」確認の訴えを明文で認めている（829条1号）。新株発行の不存在は、誰から誰に対しても、何時いかなる方法でも主張することができる。また、無効確認の訴えと異なり、出訴期間の制限はない。

〔300〕　ここにいう「新株発行の不存在」の意義について、①発行手続や払込みといった新株発行の実体がないにもかかわらず、その外観のみがある（たとえば登記のみがある）場合に限ると解するもの（物理的不存在説。不存在という文言に忠実であり、さらに、手続瑕疵を不存在に含めると、法的安定性を害するとする）と、②発行手続などに著しい瑕疵がある場合も含むと解するもの（規範的不存在説。株主総会決議の不存在は、手続に著しい瑕疵がある場合も可能とされており、これを、新株発行にも拡大すべきとする）とがある。

(3)　株式引受人・取締役等の責任

〔301〕　募集株式の引受人は、取締役（指名委員会等設置会社では取締役または執行役）と通謀して、著しく不公正な払込金額で募集株式を引受けた場合、会社に対して公正な発行価額との差額を支払う義務を負う（212条1項1号）。現物出資についても、同様の義務を負うものの（同項2号）、出資者が善意で重過失がないときは、募集株式の引受けの申込みの意思表示を取り消すことができる（同条2項）。

〔302〕　現物出資の目的たる財産の新株発行当時の実価が取締役会の決議により定めた価格よりも著しく不足する場合には、募集に関する職務を行った取締役（指名委員会等設置会社では執行役）は、会社に対してその不足額を支払う義務を有する（213条1項1号）。さらに、その財産の価格を株主総会、取締役会の決議によって定めた場合にも、その議案を提案した取締役が、議案に掲げた価格と実価との差額を限度として、会社に対して、その不足額を支払う義務を負う（同項2号・3号）。ただし、現物出資に関する事項について検査役の調査を受けたとき（→279）、または当該取締役等がその職務を行うにつき注意を怠らないことを証明したときは、その取締役は、当該財産について塡補責任を負わない（同条2項）。

〔303〕　募集株式の払込みを仮装した引受人は、仮装した払込金額の全額の支払義務を負う（無過失責任。213条の2第1項）。現物出資の場合には、現物出資財産の給付義務があるが、会社がその価額に相当する金銭の支払いを請求した場合には、当該金銭の全額の支払義務を負う。この義務を免除するには、総株主の同意が必要である（同条2項）。また、仮装の払込みに関与した取締役等は、引受人と連帯して、上記と同様の支払義務を負う（213条の3第1項本文・2項）。もっとも、取締役等が、自ら出資の履行を仮装した場合を除き、その職務を行うことについて注意を怠らなかったことを証明した場合は責任を免れる（過失責任。出資を仮装した場合は無過失責任。同条1項ただし書）。これらの責任は、株主代表訴訟の対象となる（847条1項）。

〔304〕　仮装の払込みをした引受人は、上記の引受人または取締役等により支払義務が履行された後でなければ、当該株式について株主権を行使することができない（209条2項）。もっとも、仮装の払込みの対象となった募集株式を譲り受けた者については、仮装の払込みについて悪意または重過失がない限り、

株主権を行使することができる（同条３項）。
〔305〕 仮装の払込みに関する責任は、平成26年の改正で規定されたもので、同様の規制は、会社設立に関しても定められている（→966、967）。

5　株式の譲渡

(1)　株式の譲渡方法

〔306〕 株主は、原則として、その保有する株式を自由に譲渡することができる（127条）。株式譲渡が自由に認められているのは、株主の投下資本の回収の機会を確保するためである。株券発行会社では、株式の譲渡は、株券を引き渡す（交付する）ことによって行う（128条１項本文）。株券の占有者は適法な所持人と推定される（131条１項）。そのため、株券を呈示して名義書換を請求する者に対してこれを拒否する会社あるいは株券占有者に対して株券の返還を求める者は、株券の占有者が無権利者であることを立証しなければならない。このような効力を株券の占有による権利推定的効力という。また、無権利者が株券を呈示して名義書換の請求を行ったときに、請求者が無権利者であることを会社が知らず（善意で）かつそれを知らなかったことに重大な過失がない場合には、名義を書き換えても会社は免責される。このような効力を株券の占有による免責的効力という。
〔307〕 株式の譲渡は譲渡人が無権利者であれば本来は無効である。しかし、株式の取引の安全性を確保し、株式譲渡を円滑に行えるようにするために善意取得の制度が定められている。すなわち、譲渡人がたとえ無権利者であったとしても、無権利者であることを知らず（善意で）かつ知らなかったことに重大な過失がない場合には、株券の譲受人は株式についての権利を合法的に取得する（131条２項）。

株券不所持制度と株券失効制度

〔308〕 株券については善意取得が生じる可能性が高く、株券の喪失は、現金の喪失と同様に、権利喪失につながる危険性が大きい。そのため、会社法は、株券喪失を未然に防

止するために、株券の不所持制度を設けている。すなわち、株主は、定款に株券の不所持制度を排除する旨の規定がある場合を除いて、その株券の所持を欲しない旨を会社に申し出ることができる（217条1項）。株券の所持を欲しないとの申し出があったときは、会社は遅滞なく、株券を発行しない旨を株主名簿に記載・記録しなければならない（同条3項）。株券発行後に株主が不所持の申出をした場合には、株主は株券を提出しなければならない（同条2項）。提出された株券は、株券を発行しない旨を株主名簿に記載・記録された段階で無効となる（同条5項）。株券の所持を希望しない旨を申し出た株主はいつでも株券の発行を請求できる。株券発行に要する費用は、その株主の負担となる（同条6項）。

〔309〕　株券を喪失した者のために株券の失効制度がある。株券喪失者は、会社に対して株券喪失登録を申請する（223条）。会社は株券喪失登録簿を作り、株券喪失の申請がなされると、それに喪失登録を行う（221条）。株券喪失登録の手続は、電磁的方法によることができる。株券喪失登録簿は、公衆縦覧に供される（231条）。喪失登録されている株券の株式については、名義書換および会社への権利行使は認められない（230条）。株券喪失登録がなされると、会社は株主名簿上の株主と登録質権者にその旨を通知する（224条1項）。喪失登録されている株券を保持している者は、喪失登録に対して抹消の申請ができる（225条1項）。このような抹消の申請があれば、会社は喪失登録者に通知し、2週間後に喪失登録を抹消する（同条3項・4項）。その後は、株券喪失者と保有者との間で権利の帰属が争われることとなる。登録異議の申立てなどの手続がなされない限り、喪失登録がなされた株券は、登録された日の翌日から1年後に無効とし、登録者は会社から株券の再発行を受けることができる（228条）。

〔310〕　会社法では、会社は原則として、株券の発行を要しないものとしている（→211）。株券不発行会社では、株式の譲渡は、譲渡当事者の間では、意思表示で有効に行うことができる。もっとも、取得者の氏名・名称および住所を株主名簿に記載・記録するのでなければ、会社その他の第三者に対抗することができない（130条1項）（株主名簿→327）。株主名簿の書換えは、譲渡人（名義上の株主。または一般承継人）と譲受人（取得者）が共同で請求して行う（133条）（→332）。

⑵　株式の譲渡制限

〔311〕　昭和25年の改正前は、会社は定款の定めによっても、株式の譲渡を禁止または制限することができなかった。昭和41年の改正によって、会社は定款をもって、株式の譲渡につき会社の承認を要することを定めることがで

きるようになった（→81）。会社法のもとでは、承認の機関は、取締役会設置会社では取締役会（それ以外の会社は株主総会）であるものの、定款で別の定めを置くことができる（139条1項）。会社法では、このような譲渡制限株式を株式の内容についての特別の定めがある種類株式の１つとしている（→235）。

〔312〕 株式の譲渡が制限されている場合でも、株主の投下資本の回収機会を確保しなければならない。したがって、定款の定めによっても、株式の譲渡を全面的に禁止することはできない。従業員株主が譲渡する場合にのみ取締役会の承認が必要であることや、一定の株数以上の譲渡は取締役会の承認が必要であることなどを定めることはできない。

〔313〕 株式の譲渡制限は、原始定款（→927）においても定款の変更によっても定めることができる。定款変更のためには株主総会の決議が必要である。ただし、通常の定款変更の決議（309条2項11号、466条）（特別決議→489）と異なり、株式譲渡制限の決議は、議決権を行使できる総株主の半数以上で、総株主の議決権の３分の２以上に当たる多数をもって行われなければならない（309条3項1号）（→490）。このように決議の要件が加重されているのは、株式の譲渡制限が株主の利害に重大な影響を与えるためである。この決議に反対の株主には株式買取請求権が与えられる（116条1項1号）。株式の譲渡制限には厳格な手続を必要とするために、株主数の多い会社では、実際上、譲渡制限を行うことは困難である。また、金融商品取引所の上場審査基準において、株式の譲渡制限がなされていないことが掲げられている（上場基準→343）。したがって、日本では、上場株式について譲渡制限を行うことはできない。

〔314〕 譲渡制限株式を譲渡しようとする株主は、会社に対して、その譲渡を承認するかどうか否かの決定を行うことを請求できる（136条）。この場合、株主は、譲渡しようとする株式の数（種類株式発行会社にあっては、譲渡制限株式の種類および種類ごとの数）、譲渡の相手方の氏名・名称、会社がその譲渡を承認しない場合、会社または指定買取人が買い取ることを請求するときはその旨を明らかにしなければならない（138条1号）。株式取得者も同様の請求をすることができる（137条、138条2号）。会社は、譲渡の承認をするかどうかの決定をしたときは、譲渡承認請求者に対して、決定の内容を通知しなければな

らない（139条2項）。株主による請求の日から2週間以内に決定の内容を通知しなかった場合や、決定内容の通知の日から40日経っても会社が買取りの通知をしない場合は、これらの株式の譲渡については、会社の承認の決定があったものとみなされる（145条）。

〔315〕　会社は、譲渡を承認しない決定をしたときは、その株式を買い取らなければならない（140条1項）。買取りには株主総会の特別決議が必要である（同条2項、309条2項1号）。この場合、譲渡承認請求者は議決権を行使できない（140条3項）。また、会社は、対象株式の全部または一部を買い取る者（指定買取人）を指定することができる（同条4項）。指定買取人の指定は、定款で別段の定めがある場合を除き、株主総会（取締役会設置会社では取締役会）の決議で行われる（同条5項）。

〔316〕　会社が買い取ることを決定したときは、譲渡承認請求者に対して、通知をするとともに（141条1項）、その通知に際して、1株当たりの純資産額に対象株式の数を乗じて得た額を供託し、供託を証する書面を譲渡承認請求者に交付しなければならない（同条2項）。株券発行会社では、株主は1週間以内に株券を供託することを要する（同条3項）。会社や指定買取人による買取請求の手続が適法になされた後は、株主は、会社の承諾がない限り、株式譲渡の申出を撤回することができなくなる（143条）。会社側の準備を無駄にさせないためにこのような規定が置かれている。

〈譲渡制限株式の譲渡の手続〉

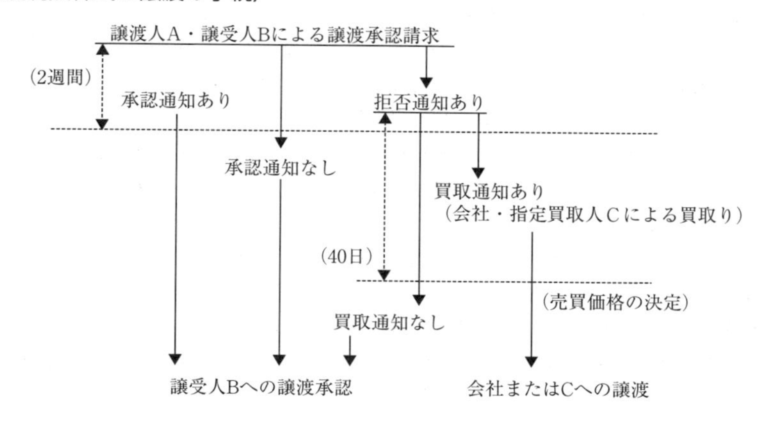

〔317〕　株式の売買価格は、当事者間の協議で決定される（144条1項）。しかし、協議が整わないときは、当事者は、売渡請求の通知日より20日以内に裁判所に対して、売買価格の決定を求めることができる（同条2項）。裁判所は、会社の資産の状況その他一切の事情を斟酌して売買価格を決定する（同条3項・4項）。この期間内に価格決定の請求がないときには、供託額が売買価格となる（同条5項）。

取引相場のない会社の株式の評価

〔318〕　上場株式など、相場のある株式については、原則として、株式の価値は相場価格を基準とすることができる。しかし、相場のない株式の価値の評価は難しい。譲渡制限株式の譲渡価格の決定のほか、合併などに反対する株主が株式買取請求権を行使した場合の買取価格の決定（→ 848）、さらに、全部取得条項付株式の取得価格の決定（→ 245）でも、同様の問題が生じる。

〔319〕　取引相場のない株式の評価方法として、①マーケットアプローチ（類似会社比準方式など）、②アセットアプローチ（純資産方式など）、③インカムアプローチ（配当還元方式、DCF方式など）がある。①の類似会社比準方式は、事業内容等が類似する上場会社の株式の価値を参照するというものである。②の純資産方式は、1株当たりの純資産をもって株式の価値とするものである（時価純資産方式、簿価純資産方式がある）。③のインカムアプローチは、株主が株式によって将来得ることが見込まれるリターンを、リスクを勘案した割引率で現在価値に引き直す方法で、近年の裁判例でも、この方式を重視する傾向にある。株主に対して将来支払われる配当の額を予測する方法を配当還元方式、会社が生み出す収益（フリー・キャッシュ・フロー）を予測する方法をDCF（ディスカウント・キャッシュ・フロー）方式という（フリー・キャッシュ・フローの代わりに、将来の1株当たりの利益（会計上の利益）を予想するものは収益還元方式と呼ばれる）。

〔320〕　③では、将来の収益を適切な割引率で割り引く必要がある。ある投資物件に100万円を投資する場合、その収益（債務不履行などのリスクを考慮しないものとする）が年10%であるとすれば、1年後に100万円は110万円（100万円×〈1 + 0.1〉）、2年後に121万円（〈100万円×〈1 + 0.1（1年後の価値）〉〉×〈1 + 0.1〉 = 100万円×〈1 + 0.1〉^{2}）となる。このことは、将来の価値が計算できた場合でも、それから現時点での価値を算出する場合、収益率で割り引くことが必要であることを意味する（上記の例では、1年後の110万円、2年後の121万円の現在価値は、それぞれ100万円ということになる〔110万円÷〈1 + 0.1〉、121万円÷〈1 + 0.1〉^{2}〕）。

〔321〕　実際の裁判例では、複数の評価方式を併用して株式の評価を行うものが多い。福岡高決平21・5・15金判1320・20は、DCF方式を30%、純資産方式を70%の割合で

併用した。また、大阪地決平25・1・31判時2185・142〔百選19事件〕は、収益還元方式を80%、配当還元方式を20%の割合で併用した。なお、最高裁は、特定の評価方法を強制することを否定し、裁判所の裁量による選択を許容している（最決平27・3・26民集69・2・365〔百選90事件〕。そこでは、収益還元法のみによる株価の算定を認めた）。

〔322〕　定款に株式譲渡の制限が定められている場合で、会社の承認を得ずに行われた株式の譲渡は、会社に対して効力を生じないものの、譲渡当事者間においては有効となる（最判昭48・6・15民集27・6・700〔百選18事件〕）。判例は、一人会社（→161）において、会社の承認なしに、一人株主が行った株式譲渡については、会社に対する関係でも有効と解している（最判平5・3・30民集47・4・3439）。株式の譲渡制限は、会社にとって好ましくない者が株主となることを防止し、これによって譲渡人以外の株主の利益を保護することにある。この趣旨からすると、一人会社では、譲渡人以外の株主は存在せず、他の株主の利益保護が問題となる余地はない。

〔323〕　相続その他の一般承継により譲渡制限株式を取得した者に対して、会社はそれを売り渡すことを請求することができる（174条）。そのためには、事前の定款の規定が必要である。会社は、その都度、株主総会の決議を得て、売渡しの請求を行うことを要する（175条1項）。売買価格が当事者の協議で定まらない場合、当事者の申立てにより、裁判所が決定する（177条）。

法律と契約による株式の譲渡制限

〔324〕　会社成立前または新株発行の効力発生前の株式引受人の地位を権利株という。権利株の譲渡は会社に対して効力を生じない（35条、63条2項、208条4項）。権利株の譲渡の制限は、会社設立事務もしくは新株の発行事務を円滑にするために定められているものである。そのため、権利株の譲渡は当事者間においては有効である。

〔325〕　株券発行会社は、株式を発行した日以降遅滞なく株券を発行しなければならない（215条1項）。株券発行前に株式を譲渡しても、その譲渡は会社に対して効力を有しない（128条2項）。ただし、会社が株券の発行を不当に遅滞している場合には、株主は意思表示によって有効に株式を譲渡することができる（最大判昭47・11・8民集26・9・1489）。

〔326〕　株主間で契約により株式の譲渡制限を行うことは許される（契約自由の原則から）。もっとも、会社が当事者となる契約では、株式譲渡自由の原則の要請と譲渡制限の

手続が法律上厳格に定められていることから、その効果が問題となる。従業員持株制度を採用する会社で、従業員は、退社時に持株を取得価格と同一の価格で持株会等に売り渡す旨の契約を有効とする判例がある（最判平7・4・25集民175・91〔百選20事件〕。最判平21・2・17判時2038・144も同様の枠組みを採用している）。これに対して、会社が当事者である契約についても契約自由の原則が妥当し、公序良俗に反するものが無効になるに過ぎないという見解も有力である。

(3)　株主名簿と名義書換

〔327〕　株主および株式に関する事項を明らかにすることを目的として株主名簿が作成される。株主名簿には、①株主の氏名および住所、②各株主の有する株式の数、③各株式の取得日、④株券発行会社の場合は株券の番号が記載または記録される（121条）。株主名簿は、会社の本店または株主名簿管理人（→333）の営業所に備え置かれる（125条1項）。株主および会社債権者は、営業時間内であればいつでも株主名簿の閲覧・謄写を求めることができる（同条2項前段）。もっとも、閲覧・謄写が必要な理由を明らかにする必要がある（同項後段）。さらに、会社は、株主・債権者が、①その権利の確保または行使に関する調査以外の目的で請求を行ったとき、②会社の業務の遂行を妨げ、または株主の共同の利益を害する目的で請求を行ったとき、③名簿の閲覧・謄写によって知り得た事実を利益を得て第三者に通報するために請求を行ったとき、④過去2年以内に、名簿の閲覧・謄写によって知り得た事実を利益を得て第三者に通報したことがあるものであるときには、請求を拒否できる（同条3項）。

〔328〕　平成26年の改正前まで、株主名簿の閲覧請求拒否事由として、「会社の業務と実質的に競争関係にある事業を営み、又はこれに従事するものであるとき」が規定されていた。もっとも、株主名簿の記載事項には営業秘密などは記載されておらず、会社と競争関係にある者に対して、閲覧を拒否する合理的な理由を欠いていた。また、敵対的買収の場面で、競争関係にある買収者が、株主としての正当な権利行使のための（たとえば、委任状勧誘など）株主名簿の閲覧請求を拒否するという事例も見られた（東京高決平20・6・12金判1295・12）。そのため、平成26年の改正で、この部分の規定が削除された。

〔329〕　株式の譲渡は、取得者の氏名および住所を株主名簿に記載・記録し

なければ会社その他の第三者に対抗することができない（130条1項）。株券発行会社では株式について質権を設定するには株券の交付を要する（146条2項）。株式を質入れした場合、株主名簿に質権者を記載すると登録質としての効力が発生する。これにより、質権者は、会社から配当を受け、残余財産の分配を受け、他の債権者に優先して自己の債権の弁済に充てることができる（154条1項）。もっとも、実際上は、株券の交付のみによって設定する略式質が多く利用され、登録質の利用はきわめて少ない。株式の質権者の物上代位権（民362条2項、350条、304条）がおよぶ範囲については会社法に規定がある（151条）。

〔330〕 会社からの株主に対する通知または催告は、株主名簿に記載・記録された住所に宛てて発すれば足りる（126条1項）。配当の支払いは、株主名簿上の株主に対して行えばよい。株主名簿に記載された住所宛に発した通知または催告が継続して5年間到達しないときは、会社は、それ以降その株主に対する通知または催告を行うことを要しない（196条1項）。このように、会社は、所在不明株主に対する通知および催告の義務は免除されている。しかし、このことは会社に株主管理事務までを免除していることを意味せず、会社は依然として過剰な株主管理コストを負担する結果となる。そこで、会社は、取締役会決議（取締役会設置会社）により、5年間継続して通知等が不到達の株主について、利害関係者への公告および一定の者の住所等への通知を行うことによりその株式を無効とした後（198条1項～3項）、株式を競売することが認められて

〈所在不明株主への関係書類の送付と株式売却の実施〉

（社数）

関係書類の送付	株式上場	株式非上場	計	構成比
必ず送付	654	24	678	38.5%
一定期間（5年）継続し返戻の場合差し止め	670	13	683	38.8%
その他	72	2	74	4.2%
所在不明株主 なし	294	30	324	18.4%
合計	1,690	69	1,759	100.0%

株式売却	株式上場	株式非上場	計	構成比
実施済	216	1	217	15.1%
実施予定有	26	0	26	1.8%
検討中	161	9	170	11.8%
実施予定なし	993	29	1,022	71.2%
合計	1,396	39	1,435	100.0%

（全国株懇連合会「2019年度全株懇調査報告書」〔2019年10月〕45頁、46頁より）

いる（197条1項)。競売に代わって、市場価格での売却、市場価格がない場合には裁判所の許可を得て、競売以外の方法で売却することができる（同条2項)。会社はその株式を買い受けることもできる（同条3項)。売却代金は株主に支払われる（同条1項)。しかし、株主は所在不明のため、通常は、会社は売却代金を供託することになると考えられる。

〔331〕　株式の譲受人は、会社に対して株主の権利を主張するには、株主名簿の名義書換を請求する必要がある（130条1項)。株券発行会社では、株式の譲渡は、株券の交付で行われる（128条1項)。譲受人は、会社に対して株券を呈示して名義書換を請求する。株券の占有者は適法な所持人と推定されるので（131条1項)、譲受人は自己が真実に株主であることを証明することを要せず、会社は反証ができなければ、名義書換をしなければならない（株券発行会社で、旧株券を回収して、新株券を発行する必要があるときに、株券提出の手続が規定されている〔219条〕。旧株券を提出しなかった者による株券提出期間後の名義書換請求を認めた事例がある。最判昭60・3・7民集39・2・107〔百選26事件〕)。会社が名義書換を不当に拒絶した場合、名義書換請求者は会社に対し、名義書換なしで株主であることを主張できる（最判昭41・7・28民集20・6・1251〔百選15事件〕)。

〔332〕　株券不発行会社では、名義書換は、株主として株主名簿上に記載・記録された者（名義上の株主）または、相続人その他の一般承継人と株式を取得した者が共同して請求する（133条2項)。譲渡制限株式を取得した者は、譲渡の承認を受けた場合等を除き、名義書換を請求することができない（134条)。株券不発行会社では、株主名簿の名義書換は、第三者に対する対抗要件にもなる（130条1項）（振替株式について→339)。株券不発行会社の株主は、会社に対して、自己についての株主名簿の記載事項を記載した書面の交付・電磁的記録の提供を求めることができる（122条)。

〔333〕　会社は、定款の定めをもって、株主名簿管理人を置くことができる〈→定款10条参照〉。株主名簿管理人は、会社に代わって、株主名簿の作成および備置きその他の株主名簿に関する事務を行う（123条)。平成15年の改正前の商法では、名義書換代理人とよばれていた。名義書換代理人が、名義書換業務のみならず、名簿の作成や備置きをも行うことから、会社法では名称が変更された。株主名簿管理人を置いたときは、その氏名または名称および住所なら

びに営業所は登記事項となる（911条3項11号）。

基準日

〔334〕　会社は、株主総会での議決権を行使する者または配当を受ける者など株主の権利を行使すべき者を確定する必要がある。会社は一定の日（基準日）において株主名簿に記載・記録された株主をもって権利を行使すべき株主とすることができる（124条1項）。基準日は、権利行使の日の前3月以内の日を定めることを要する（同条2項）。事業年度の末日が株主総会に関する基準日とされているのが通常である（必然ではない）。会社は、定款で定める場合を除いて、基準日をその2週間前に公告しなければならない（同条3項）。定時総会については、定款で基準日を定めることが多い〈定款13条〉。

〔335〕　株式の譲渡がなされたにもかかわらず、譲受人が名義書換を請求していない場合、譲受人は会社に対して権利を主張することはできない。会社側で、譲受人を株主として扱うことができるかが問題となる。会社が、譲渡人が株式を譲渡したことを知りながら、引き続き、それを株主として扱わなければならないのは不合理である。判例は、自己のリスク負担で、譲受人を株主として扱うことを認めている（最判昭30・10・20民集9・11・1657。譲受人が無権利者であれば会社は免責されない）。一方で、譲渡人の権利を否定し、さらに、譲受人に対しても、名義書換未了を理由に、権利行使を拒否すれば、権利行使者が不在になるという問題が指摘されている。会社にとって都合の良い者だけに権利行使が認められる可能性を問題視する見解もある。

〔336〕　基準日以降に株式を取得した者に議決権行使を会社が認めることの可否についても同様の問題が生じ得る。会社法では、会社の裁量によって、基準日以降に株式を取得した者にも株主総会の議決権を行使させることを認めている（124条4項本文）。もっとも、この場合、基準日時点での株主の権利を害するものであってはならない（同項ただし書）。会社法のもとでも、会社の取締役が自己の地位を保持するために、基準日以降の株主に議決権を行使させることまで認められるとは解されない。

〔336-2〕　株式の譲受人が名義書換えを失念している間に（このような株式を「失念株」という）、会社が株式分割（→369）を行った場合、会社は名義株主（譲渡人）に対して、分割株式を交付すれば足りる（剰余金の配当した場合も同様）。もっとも、譲渡の当事者の間では株式譲渡の効力が生じているため、譲受人は譲渡人に対して、不当利得の返還を請求できる（最判平19・3・8民集61・2・479〔百選16事件〕。分割株式を売却している場合には、売却代金相当額を請求できる）。つぎに述べる株式振替制度のもとでは、失念株は存在せず、現在では、上記の問題は、非上場株式についてのみ生じる。

(4)　株式振替制度

〔337〕　会社法では、株券不発行会社が原則となった（→211）。もっとも、

それ以前から、取引の円滑化のための株券の無券面化の動きが進展していた。昭和59年に「株券等の保管及び振替に関する法律」（昭和59年法律30号）が制定され、株券保管振替制度が創設された。これは株券の所有者が、株券を金融機関（参加者）などに寄託し（顧客口座簿が作成される）、参加者がこれらの株券をまとめて保管振替機構に再寄託するものであった（参加者口座簿が作成される）。保管振替機構に寄託された株券はすべて同機構の名義に書き換えられ、株券の所有者については実質株主名簿が作成された。実質株主による株式の譲渡は、顧客口座簿および参加者口座簿の振替によって行われた。

〔338〕　平成16年の改正（「株式等の取引に係る決済の合理化を図るための社債等の振替に関する法律等の一部を改正する法律」〔平成16年法律88号〕）で、株式について、社債や国債等の無券面化と流通のために創設された振替制度に移行することとなった（「社債等の振替に関する法律」は、「社債、株式等の振替に関する法律」と名称変更された）。この制度のもと、株券不発行会社（株式譲渡制限会社を除く）で振替制度利用に同意した会社の株式は「振替株式」となる（振替128条参照）。新しい制度への移行は、平成21年1月5日に一斉に行われ、対象となる株式についての株券は、株券提出手続を経ずに無効となった。

〔339〕　振替株式の権利の帰属は振替口座簿の記録によって定まる。振替株式の譲渡は、譲渡人の申請にもとづき、譲受人が自己の口座に増加の記載・記録を受けることにより効力を生じる（振替140、141条）。そこでは、振替口座簿への増加の記載・記録が、その移転の効力要件となる。振替株式の株主として会社に対し権利を行使すべき者を確定する目的で会社が一定の日を定めた場合（基準日等）、振替機関は、会社に対して、振替口座簿に記録されたその日の株主の氏名等を速やかに通知しなければならない（振替151条1項・7項）。これを「総株主通知」という。総株主通知を受けた会社は、通知された事項を、株主名簿に記載・記録する（振替152条1項。総株主通知は、原則として、年2回行われる）。この場合、上記の基準日等に株主名簿の名義書換がなされたものとみなされ、会社は、その株主に権利を行使させることとなる。

〔340〕　株主が少数株主権（→217）を行使する際、会社は、その株主が少数株主権の行使要件を備えているかを確認することが必要となる。そのため、株主が少数株主権を行使しようとするときは、振替機関に対し、自己が有する

〈株式振替制度の概要〉

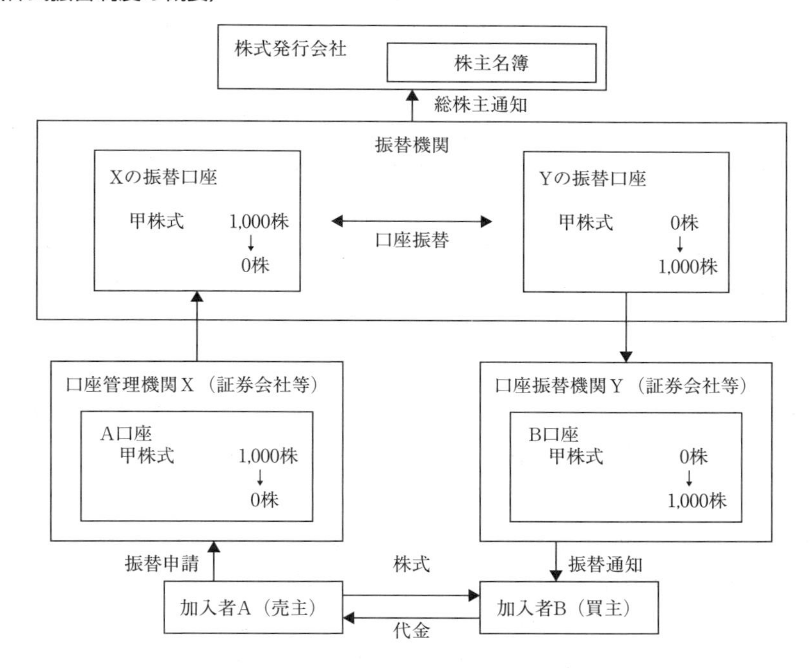

振替株式の種類・数、その増加・減少の経過などを会社に通知するように申し出なければならない（振替154条3項～5項）。これを「個別株主通知」という。権利行使に個別株主通知を要するとされるのは「少数株主権等」についてである。これは、基準日を定めて行使される権利以外の権利をいう（振替147条4項）。会社による全部取得条項付株式の取得に反対する株主が行う価格決定申立権（→245）も、株主ごとに個別に行使が予定されているものであり、少数株主権等に含まれる（最決平22・12・7民集64・8・2003〔百選17事件〕）。

(5)　株式の上場

〔341〕　株式会社が発行する株式を証券取引所（金融商品取引所）が開設する市場で取引をさせることを上場という。すべての株式が証券取引所での上場を認められるわけではない。株式の上場は、その適格性につき、証券取引所の審査を経て可能となる。株式の上場により、その株式は市場での売買が可能と

なり、株式の流通性が増大する。株式の流通性が増大することにより、株主の投下資本の回収が容易となる。それゆえに、上場会社は投資家からの資金調達がさらに容易となる。また、株式を上場することによって、上場会社としての知名度ならびに信用度が向上する。このような会社の知名度ならびに信用度の向上は、会社業務の拡大さらに人材の確保のために役立つものである。もっとも、株式の上場を行った場合には、企業内容の開示義務（金融商品取引法上の開示義務および証券取引所が自主規制として定める適時開示義務）が発生する。また、不特定の者による会社買収もしくはその株式が投機取引の対象となる危険性もある。そのため、あえて、上場廃止を行う会社もある（ゴーイング・プライベート）。

〔342〕　東京証券取引所の上場会社は3,714社であり（第1部上場会社は2,170社）、時価総額（発行済株式総数×時価）は約630兆円（市場第1部では約609兆円）である（令和2年5月末時点）。なお、かつては、上場株式の売買は取引所において行うことが義務づけられていた。平成10年12月より、かかる取引所集中義務が撤廃された。これにより、投資家は、取引所外での証券会社（金融商品取引業者）と取引を行うことができるようになった（PTS）。また、コンピューターの普及によって、各地に取引所が存在する意義が薄れてきた。こ

〈内国株券上場審査基準の概略（形式要件）〉

	本則市場形式要件	マザーズ形式要件
株主数（上場時）	800人以上	200人以上
流通株式（上場時見込み）	株式数　4,000単位以上 （上場株券等の30%以上） 時価総額10億円以上	株式数　2,000単位以上 （上場株券等の25%以上） 時価総額5億円以上
上場時価総額（上場時見込み）	20億円以上	10億円以上
事業継続年数	3年以上（取締役会設置）	1年以上（取締役会設置）
純資産の額（直前期末）	連結で10億円以上	――
利益または時価総額	・最近2年間の利益の総額が5億円以上であること または ・時価総額が500億円以上 （最近1年間における売上高が100億円以上であることが要件）	――

（日本取引所グループウェブサイト「上場審査基準」より）

のような事情のもと、全国に8カ所あった取引所の統合が進んでいる（現在では、札幌証券取引所、東京証券取引所・大阪取引所〔日本取引所グループ〕、名古屋証券取引所、福岡証券取引所が存在している）。

〔343〕　証券取引所へ上場するには、厳格な上場基準を満たす必要がある。そのため、証券取引所の上場会社であることはステイタスの1つであった。もっとも、近年は、新興企業向けの市場が創設されている。新興企業にとっても、規模を拡大するために、流通市場が必要なことに変わりはない。東京証券取引所には「マザーズ」、札幌証券取引所には「アンビシャス」、名古屋証券取引所には「セントレックス」、福岡証券取引所には「Q-Board」という新興企業向けの市場が開設されている。

(6)　インサイダー取引規制

〔344〕　証券市場は、株式を売買する場として、株式会社の発展に不可欠なものである。もっとも、会社の内部者（インサイダー）が、その職務に関する未公表の情報を利用して会社の株式を売買すれば、一般投資家の証券市場に対する信頼が損なわれる。その結果、株式会社の資金調達にも大きな影響が及ぶことが懸念される（市場がなければ、新規発行も困難となる→341）。日本では、金融商品取引法が内部者取引（インサイダー取引）を厳しく規制している。なお、会社の内部者がインサイダー取引を行えば、会社の評判を損ない、その結果、会社にさまざまな不利益が発生することにも留意が必要である。そのため、法規制の遵守のみならず、内部者取引の発生を抑制する社内体制の構築も重要な課題となる。

〔345〕　上場会社の「会社関係者」は、当該会社の業務に関する「重要事実」を、その地位を利用して知った場合には、情報公表前に、その株券等を売買することが禁止される（金商166条1項）。「会社関係者」から情報の伝達を受けた者（第一情報受領者）も同様の規制に服する（同条3項）。

〔346〕　これに加えて、上場株券の公開買付けもしくは5%以上の株式等の買集めを会社が行う場合に、その会社の関係者は、公開買付け等の実施に関する事実またはそれの中止に関する事実をその地位を利用して知った場合には、それらの事実が公表された後でなければ、当該買付けの対象となっている会社

〈インサイダー取引規制における「会社関係者」と「重要事実」〉

会社関係者

会社関係者の範囲	会社関係者となる時
①　会社の役員・使用人	その者の職務に関し知ったとき
②　会社に対して帳簿閲覧権（433条）を行使した株主	当該権利行使に関し知ったとき
③　会社に対して法令に基づく権限を有するもの（たとえば、政治家、許認可権限を有する公務員など）	当該権限の行使に関し知ったとき
④　会社と契約を締結しているもの（たとえば、取引銀行、引受金融商品取引業者、弁護士、公認会計士など）または、契約の締結の交渉をしている者	当該契約の締結・交渉・履行に関し知ったとき
⑤　②④で法人であるものの役員等	その者の職務に関し知ったとき

重要事実

決定事実（金商166条2項1号。「業務執行を決定する機関」が決定したこと）	①　株式等の募集 ②　資本の減少 ③　資本準備金または利益準備金の減少 ④　自己株式の取得 ⑤　自己株式の処分 ⑥　株式分割 ⑦　直近の方法と異なる剰余金配当・中間配当 ⑧　株式交換 ⑨　株式移転 ⑨の２　株式交付 ⑩　合併 ⑪　会社の分割 ⑫　事業譲渡 ⑬　解散 ⑭　新製品または新技術の企業化 ⑮　業務上の提携など
発生事実（金商166条2項2号）	①　災害または業務に起因する損害 ②　主要株主（発行済株式総数の10%以上を保有する株主）の異動 ③　上場廃止の原因、登録取消しの原因となる事実など
売上高等の予想の変更（金商166条2項3号）	売上高、経常利益または純利益について、公表された直近の予想値と比較して新たに算出した予想値または決算とに差異が生じた事実
包括条項（金商166条2項4号）	当該上場会社等の運営、業務または財産に関する重要な事実であって投資者の投資判断に著しい影響を及ぼすもの

の発行する株券等の買付けを行ってはならない（金商167条。A会社がB会社に公開買付けを行う決定をした場合、A会社の関係者がB会社の株式を公表前に買付ける行為が規制の対象となる）。

〔347〕　金融商品取引法が定めるインサイダー取引規則に違反した場合には、5年以下の懲役または500万円以下の罰金に処せられる（金商197条の2第13号）。インサイダー取引によって得た財産は没収される（金商198条の2第1項1号）。さらに、金融庁による課徴金の納付命令の対象となる。

6　自己株式

(1)　自己株式の取得の弊害と規制緩和

〔348〕 自己株式は、株式会社が有する自己の株式である（113条4項）。一般的に、会社が一度発行した株式を再度取得することを自己株式の取得という（厳密には、会社が取得した段階で自己株式となるはずである）。

〔349〕 平成6年の改正前までは、株式会社は、原則として、自己株式の取得をすることができなかった。自己株式の取得は、出資の払戻しの効果を有するために、これを無制限に認めることは資本の充実を害し、債権者保護に欠けることとなる。会社が特定の者からのみ買付けを行えば、株主平等の原則（→218）にも反する。また、業績が悪化した場合には、自己株式の値下がりによって会社に二重の損害（業績の悪化と保有株式の価値下落）を与えることにもなる。さらに、会社株式の相場操縦に自己株式の取得が利用されることもある。また、会社の内部者しか知らない情報で会社株式が売買されるといったインサイダー取引（→344）が行われる危険性も高い。これらに加えて、現経営陣が自らの地位を保持するために会社の株式を購入することも考えられる。これらの弊害を予防するため、会社による自己株式の取得が原則として禁止されていた。

〔350〕 平成6年および平成9年の改正で、自己株式の取得規制が緩和されることとなった。そこでは、①役員・使用人に譲渡するための取得、②株式の利益消却のための取得、③譲渡制限の定めのある株式について、会社が買受人となる場合、株主が死亡した場合の相続人から行う取得について、自己株式の取得が認められることとなった。もっとも、上記の自己株式取得に伴う弊害を防止する観点から、一定の手続規制や数量・保有期間の規制が設けられていた。

〔351〕 その後、平成13年10月の改正では、自己株式の取得を原則禁止から、原則容認する改正を行った。これにより、取得目的を問わず、会社は自己株式を取得することができるようになった。さらに、自己株式を期間の制限なく保有できることとなった。この点で、保有する自己株式は「金庫株」とよばれることもある。一方で、それまで規制の必要性がなかった自己株式の処分に

ついては、新たに規制を定め、新株発行との整合性を図っている（→264）。会社法の制定に当たって、自己株式の取得手続について規定の整備がなされている。

⑵　自己株式の取得

〔352〕　会社が株主一般を対象として株主との合意により自己株式を有償で取得するには、あらかじめ、株主総会の決議によって、①取得する株式の数、②株式を取得するのと引換えに交付する金銭等の内容および総額、③株式を取得することができる期間（1年を超えることができない）を定めなければならない（156条1項）。自己株式の取得は、株主に対する会社財産の分配という性格を有するため、剰余金の配当と同様に、株主総会の決議を要するものとされた（定款の定めにより剰余金分配を取締役会の権限とした会社〔→818〕では、取締役会の決議のみで取得ができる。459条1項1号）。

〔353〕　株主総会は、自己株式の取得を取締役会（取締役会設置会社の場合）に授権する。取締役会は、①取得する株式の数、②1株を取得するのと引換えに交付する金銭等の内容および数もしくは額またはこれらの算定方法、③株式を取得するのと引換えに交付する金銭等の総額、④株式の譲渡しの申込みの期日を、その都度、決定しなければならない（157条1項・2項）。会社は、株主に対して、これらの事項を通知しなければならない（158条1項。公開会社では、公告で足りる。同条2項）。通知を受けた株主は株式の譲渡の申込みをし（定められた申込期日において会社が譲受けを承諾したものとみなされる）、申込総数が取得総数を超えるときは、按分比例で取得がなされる（159条）。

〔354〕　以上の取引方法以外に、自己株式を特定の株主から相対取引で取得することもできる。その場合は、株主総会の特別決議が要求されている（160条1項、309条2項2号。自己株式の取得を取締役会で定める旨を定款で定めた会社〔→352〕も、株主総会決議を要する）。この決議では、公平を期するために、株式取得の相手方となる株主の議決権行使は排除される（160条4項）。加えて、株主平等の原則の立場から、他の株主にも、株式を会社に売り付ける機会が確保されている。すなわち、株主総会の招集通知によって決議の内容を知った他の株主は、取締役に対し、総会日の5日前までに、売主として自己を加えるように請求することが認められている（160条3項、施29条）。市場価格のある株

式で、対価が1株の市場価格を超えない場合、株式相続人等からの取得の場合には、売主追加請求権は認められない（161条、162条）。株主全員の同意による定款の定めでこの請求権を排除することもできる（164条）。

〔355〕　子会社から自己株式を取得する場合、取締役会設置会社では、取締役会の決議（それ以外の会社では株主総会の決議）で行うことができる（163条）。市場取引または公開買付けにより自己株式を取得する場合には、あらかじめ定款に取締役会決議により自己株式を取得することを定めておけば取締役会の決

〈自己株式取得の方法〉

（複数回答）（社数）

	市場買付け			公開買付け	相対取引	その他
	通常の買付け	事前公表型買受	信託銀行利用			
平成29年	154	121	93	21	25	29
平成30年	147	105	79	16	19	35
平成31年	213	114	108	30	33	41

（全国株懇連合会「2019年度全株懇調査報告書」〔2019年10月〕150頁より）

〈自己株式取得の法的根拠〉

（複数回答）（社数）

	株主総会で自己の株式の取得議案があり、これに基づき取得	取締役会決議による自己の株式の取得のための定款規定があり、これに基づき取得	組織再編等への反対株主による株式の買取請求による取得	その他（合併、取得条項付株式等）
平成29年	11	363	3	34
平成30年	7	330	2	32
平成31年	12	446	2	35

（全国株懇連合会「2019年度全株懇調査報告書」〔2019年10月〕150頁より）

〈自己株式の取得と手続〉

	取得の相手方	手　続
株主との合意による取得	株主一般	株主総会決議（普通決議。取得枠の設定）→取締役会決議→取得の通知（公告）→株主の申込み→取得 〈市場取引・公開買付けによる取得〉 取得→定款変更（取締役会決議で取得可能）→取締役会決議→取得
	特定の株主	株主総会（特別決議。特定の者からの取得を決議）→特定の者への通知→他の株主にも売渡の機会付与→株主の申込み→取得 〈子会社からの取得〉 株主総会決議（普通決議。取締役会設置会社では取締役会決議）→取得

議（→352）のみで取得することができる（165条1項）〈→定款7条〉。この場合、株主総会決議で定めるべき事項を取締役会決議で定めることとなる（165条2項・3項）。上場会社における自己株式の取得は、後者の方法で行われることが多い。

〔356〕　このほか、会社が自己株式を取得する場面として、種類株式に関するもの（譲渡制限株式〔→235〕の取得、取得条項付株式〔→239〕の取得、取得請求権付株式〔→236〕の取得、全部取得条項付株式〔→243〕の取得）、取引等に関するもの（事業の譲受け〔→860〕に伴う取得、合併消滅会社〔→834〕からの承継、吸収分割会社〔→866〕からの承継）、株主管理に関するもの（単元未満株式の買取請求〔→223〕にもとづく取得、相続人等に対する売渡請求〔→323〕にもとづく取得、所在不明株主の株式の買取り〔→330〕）などがある。

〔356-2〕　自己株式取得に関する手続に違反した自己株式の取得は無効である。もっとも、会社は善意の第三者に対しては無効を主張できない（相対無効説）。手続を怠ったことで、取締役は会社に対して損害賠償責任を負う（423条1項。取締役の任務懈怠責任→641）。この場合の損害の額について、取得価額と処分価額の差額とするものがある（最判平5・9・9民集47・7・4814〔百選21事件〕。この事件は、完全子会社が親会社の株式を取得したものであった）。また、取得価額と取得時の時価との差額が会社の損害とするものもある（大阪地判平15・3・5判時1833・146）。

自己株式取得の目的

〔357〕　バブル経済時代に大量に発行した株式は証券市場において飽和状態となっていた。そこで、株価について市場から適正な評価を受けるために、会社は自己株式の取得とその消却を行った。また、自己株式の取得には、いわゆるアナウンスメント効果があると指摘されている。これは、会社の事情に精通した経営陣が、投資対象として自己株式を取得することは、会社の評価が過少に評価されていることを表すもので、これによって、他の投資家による投資が促進されることが期待された。さらに、近年は、ROE（自己資本利益率）（→206）を引き上げるために、積極的に自己株式を取得する動きもある。ROEは、当期純利益／純資産によって計算される。自己株式を取得した場合、それは純資産に▲（マイナス）項目として計上される（資本の払戻しとして取り扱われる）。したがって、当期純利益に変動がない限り、純資産の額が減少した分、ROEの数値が上昇することとなる。

資　産	負　債
預金　5,000万円 土地・建物　1億円	借入金2,000万円
	資　本
	資本金8,000万円 剰余金5,000万円

⇨

資　産	負　債
預金　4,000万円 土地・建物　1億円	借入金2,000万円
	資　本
	資本金8,000万円 剰余金5,000万円 自己株式▲1,000万円

〈自己株式の取得の目的〉

（複数回答）（社数）

	ROE等財務指標の改善	株式の需給対策	余剰資金の株主への還元	株価の過小評価是正	代用自己株式	M&Aへの防衛	その他
平成29年	134	61	180	55	14	7	145
平成30年	115	55	167	38	14	4	144
平成31年	162	52	229	77	16	7	161

（全国株懇連合会「2019年度全株懇調査報告書」〔2019年10月〕150頁より）

〔358〕　積極的な自己株式の取得の結果、自社が筆頭株主となっている企業が増加している（平成29年末の時点で、上場会社のうち335社にのぼる。日本経済新聞平成30年7月5日電子版。大量保有報告書による開示→365）。

〔359〕　自己株式の取得については財源規制が存在する。自己株式の取得に際して交付する金銭等の帳簿価額の総額は、その行為の効力発生日における剰余金の分配可能額（剰余金などから、所定の額の合計額を減じて得た額。461条2項参照）を超えてはならない（同条1項2号・3号）（分配可能額→820-825）。自己株式を取得した日の属する事業年度末において、欠損が生じた場合には、業務執行者は、会社に対して、連帯して、その欠損額（超過額）を支払う義務がある（465条1項）。この義務は、総株主の同意がなければ免除できない（同条2項）。もっとも、業務執行者がその職務を行うについて注意を怠らなかったことを証明した場合には、免責される（同条1項ただし書）。合併などにより相手方の有する自己株式を取得することになる場合、株主からの買取請求に応じて自己株式を取得する場合には、財源規制は定められていない（取得請求権付株式の取得、取得条項付株式の取得、全部取得条項付株式の取得については、それぞれ財源規制がある。166条1項ただし書、170条5項、461条1項4号）。相続人等に対する売渡請求に際しても財源規制が適用される（461条1項5号）。

〔360〕 財源規制に違反した場合の自己株式の取得の効果について争いがある。取得行為自体は無効ではなく、上記の特別の責任が発生するのみとする見解もあるが（特に、平成17年の会社法制定の際の立案担当者がこの立場をとっている）、学説の多くは、それを無効と解している。

(3) 自己株式の保有

〔361〕 会社は、適法に取得した自己株式を、期間の制限なく、保有することができる（金庫株といわれることもある）。自己株式については、議決権などの共益権（→215）が認められない（308条2項）。さらに、剰余金の配当請求権もない（453条）。

〔362〕 平成13年10月の改正までは、自己株式は貸借対照表の資産の部に他の株式と区別して計上されていた。しかし、自己株式の処分が義務づけられない以上、取得価額は配当と同様に社外に流失したものと解されるべきである。会社が支払不能の状態であれば、自己株式を売却しても換金性は期待できない。そこで、現在では、自己株式は資本の部に控除項目として計上される（計76条2項5号）（→357）。そのため、保有する自己株式の総額は、分配可能額には含まれないこととなる。

(4) 自己株式の処分

〔363〕 会社が保有する自己株式を処分する際、原則として、新株発行と同じ手続（募集手続）が要求される（199条1項）。自己株式の処分の経済的な実体は新株発行と変わりはないからである。自己株式（募集株式）を処分するには、公開会社にあっては取締役会（その他の会社は株主総会）で、募集事項（→266）を定めなければならない（同条1項・2項、201条1項）。公開会社以外の会社は、株主総会の決議によって、この決定を、取締役会（取締役会設置会社の場合。それ以外の会社は取締役）に委任することができる（200条1項）。なお、会社は取締役会（同上）の決議で自己株式を消却することができる（178条）。

(5) 自己株式に関する開示

〔364〕 自己株式の取得または処分の決定をした場合、上場会社は証券取引

所の規則に基づく適時開示が要求される。これは、取得や処分の決定があったことは、投資家の投資判断に有用な情報と考えられるためである。さらに、上場会社は、定時総会の決議後、各月ごとに、自己株券買付状況報告書を内閣総理大臣に提出し、それを公衆縦覧に供しなければならない（金商24条の6）。このほか、財務諸表（連結注記表、個別注記表〔→782〕）および株主資本等変動計算書（→781）での記載が求められる。

〔365〕　上場会社の株式の5%超を保有することになった者は、大量保有報告書（→909）により、その保有目的、取得資金などを開示しなければならない。従来、自己株式の取得により、その保有株式数が5%超となった場合に、大量保有報告書の提出が必要であった。しかし、自己株式については議決権がなく、大量保有報告書を提出させる必要は限定的である。そこで、平成26年の改正で、同制度の対象から、会社の保有する自己株式が除外された（金商27条の23第4項）。

自己株式に関する不公正な証券取引の防止

〔366〕　自己株式の取得が原則自由となったことで、会社の経営者には、自社の株価を上昇させるためまたは下落を防止するために、会社の資金で自己株式を売買する誘惑が生じる。そこで、金融商品取引法上の相場操縦の規制が強化されている（金商162条の2）。これは、自己株式についての相場操縦を防止する目的で、取引の公正を確保するために、必要かつ適当である事項を内閣府令に委ねるものである。

〔367〕　内閣府令では、1日に行う自己株式の買付けについて、①証券会社（金融商品取引業者）の数（1社に限定）、②注文の時間（立会い終了の30分前の注文の禁止）、③注文の価格（取引開始時に前日の終値より高値での注文を禁止等）、④注文の総額について（平均売買数の25%を上限とする等）の制限を定めている（有価証券の取引等の規制に関する内閣府令17条）。制限に違反した場合は、過料の制裁がある（金商208条の2第3号）。

〔368〕　さらに、会社またはその関係者は内部情報を利用して自己株式の売買を行う危険性がある（インサイダー取引規制→344-347）。これに対しては、会社が自己株式の取得およびその処分を行うこと（または行わないこと）を決定した場合、その事実を知った内部者による当該株式の売買が禁止される（金商166条2項1号ニ）。

7　株式の分割、併合および消却

(1)　株式の分割

〔369〕　株式会社は、株式の単位を引き下げて従来よりも多数の小さい単位の株式とすることができる（183条1項）。これを株式の分割という。株式の分割では、会社の純資産が増加することなく、発行済株式総数のみが増加する。株券発行会社における株式の分割では、株券を追加発行すれば足りる。したがって、1株を1.1株に分割する場合には、10株ごとに1株の交付がなされる。

〔370〕　株式の分割の分割比率が大きい場合、たとえば1株を2株に分割するような場合は、株価水準が引き下げられ、株式の市場性が増大する。これに対し、1株を1.1株に分割するように、分割比率が小さい場合は、株式の分割は、実質的な増配効果をもたらす。なぜなら、このような場合には、日本の企業は1株当たりの配当額を従来通り維持することから、株主は分割によって増えた株数分だけ受け取る配当額が多くなるからである。この場合には株価はむしろ上昇する傾向にある。

〔371〕　株式の分割は、取締役会設置会社では取締役会の決議（それ以外の会社は株主総会の決議）によって行うことができる（183条2項）。既存の株主の利益が損なわれることがないからである。分割後の発行済株式総数が授権株式数（→254）を超過するような場合でも、株主総会の決議によらず定款を変更し、授権株式数を分割の割合に応じて増加することが認められている（184条2項）。

〔372〕　会社法が、発行可能株式総数を定款記載事項とするのは、新株発行によって既存株主が蒙る持株比率の低下という不利益の限界を定めるためである（→255）。株式の分割では、新株が既存株主にその持株数に応じて交付されるため、持株比率の低下という現象は生じない。そこで、株主総会の特別決議によらずに、定款変更を行うことができる。もっとも、2以上の種類の株式を発行している会社では、授権株式数の変更は既存株主の利益に影響する。たとえば、優先株式（→227）を分割すれば優先配当額の総額が増加する。そのため、取締役会の決議で上記の定款変更をすることは認められない（184条2項）。

〔373〕　会社は、定款に定めがある場合を除き、株式の分割の基準日の2週間前までに当該基準日および株式の分割の内容を公告しなければならない（124条3項）。基準日において株主名簿に記載されている株主の保有する株式の数が、会社の定めた日に、分割割合に応じて増加する（184条1項）。会社の保有する自己株式の数も同様に増加する。

〔374〕　平成13年の改正前では、分割後に1株当たりの純資産額が5万円以下となるような株式の分割は認められなかった。これは、株式分割によって出資単位が細分化することを防止するためのものであった。平成13年の改正では、出資単位の決定が会社の自治に委ねられることとなり、それとともに、株式の分割における上記の制約は撤廃された。

〔375〕　株主に対して新たに払込みをさせずに（無償で）、株式の割当てをするものを株式無償割当という（185条）。定款で別段の定めがある場合を除き、取締役会設置会社では取締役会の決議（それ以外の会社については株主総会の決議）で行う（186条3項）。A種類株式の株主に同種類の株式を割り当てることだけでなく、A種類株式の株主にB種類株式を割り当てることもできる（同条1項1号参照）。この点で、同一の種類の株式の数の増加する株式の分割と異なる。株式無償割当では、自己株式について割当が生じない一方、割当株式として自己株式を交付することができるといった違いもある。自己株式の無償割当は、多額の自己株式を保有する会社にとって、有効利用の方法の1つとなる（平成26年9月、システム開発会社であるNSDが、1株につき0.1株の自己株式の無償割当を実施した〔会社法施行後初のケース〕。1株当たりの配当額を維持したため、株主にとって、実質上1割の増配となった）。

⑵　株式の併合

〔376〕　株式会社は、数個の株式を合わせて従来よりも少数の株式とする（たとえば、2株を1株とする）ことができる（180条1項）。これを株式の併合という。株式の併合では、会社財産はもとより、資本の額にも変更を生じない。しかし、株式の併合を行うことにより端数が生じ、その株主の利益に重大な影響を与える（たとえば、5株を1株に併合する場合、4株以下の株主は株主でなくなる）。そのため、株式の併合には株主総会の特別決議が要求される（180条2項、

309条2項4号）。取締役は、株主総会において、株式の併合をすることを必要とする理由を説明しなければならない（180条4項）。

〔377〕 株主総会では、①併合の割合、②効力発生日、③種類株式発行会社の場合、併合する株式の種類、④効力発生日における発行可能株式総数を定めなければならない（180条2項）。公開会社では、④について、効力発生日における発行済株式総数の4倍を超えることができない（同条3項）。公開会社において、株式を発行する際、発行可能株式総数は発行済株式総数の4倍を超えてはならない（37条3項、113条3項）（→**254**）。これは、既存株主の持株比率の低下の限界を定めるものである。同様の趣旨から、株式の併合についても、上記の規制が定められている。

〔378〕 子会社の少数株主を排除し、これを完全子会社化するための手段として、株式の併合を利用することもできる。すなわち、株式の併合により、少数株主の保有する株式を1株に満たない株式にした上で、端数株主に金銭を交付することで、少数株主を締め出すことができる（235条。端数の合計額に相当する数の株式売却で得られた代金を端数に応じて株主に交付する。キャッシュ・アウト）。しかし、このような株式の併合では、多くの端数株式が発生し、市場の下落などで、適切な対価が交付されない危険性がある。また、多くの株主がその地位を失うことから、株主の権利に大きな影響を与えることとなる。以上のことから、株式の併合を行う際に、株主保護の手続が必要となる。

〔379〕 会社は、効力発生日の2週間前までに、上記の①から④の事項を株主等に通知しなければならない（181条。公告をもって代えることができる）。さらに、株式の併合に関する事項を記載・記録した書面・電磁的記録を会社の本店に備え置き、株主の閲覧に供しなければならない（182条の2）。

〔380〕 株式の併合により、端数となる株式の株主は、株主総会の決議に先立ち、株式の併合に反対する旨を会社に通知し、かつ、決議に反対した上で、自己の株式を公正な価格で買い取ることを請求できる（182条の4第1項・2項。株主総会において議決権を行使することができない株主も買取請求権を行使できる）。さらに、このような株式の併合が、法令または定款に違反する場合で、株主が不利益を受けるおそれがあるときは、株主は、会社に対して、株式の併合をやめることを請求することができる（182条の3）。株主による買取請求権の行使

に基づいて株式を取得する場合、自己株式の取得に関する財源規制（→359）は適用されない。

〔381〕　これらの規定は、平成26年の改正で導入された。これまで、少数株主を締め出す方法として全部取得条項付株式が利用されてきた（→243）。もっとも、これを利用するには手続として3種の株主総会が必要である（①全部取得条項付株式を発行するための定款変更の決議、②既発行の株式をすべて全部取得条項付株式とする定款変更の決議、③会社が全部取得条項付株式を取得するための決議。これらの決議を同じ株主総会決議で行うことは可能である）。これに対して、株式の併合では1つの株主総会の決議で行うことができる。平成26年の改正で、株式の併合について少数株主の保護が図られたことから、今後、株式の併合によるキャッシュ・アウトが進むものと考えられている。

(3)　株式の消却

〔382〕　株式の消却とは特定の株式を消滅させることである。株式の消却には株主の意思とは無関係に行われる強制消却と、株主との契約により株式を取得することによって行われる任意消却とがある。また、株主に対価が与えられるか否かによって有償消却と無償消却とに分かれる。

〔383〕　平成17年の改正前まで、株式の消却は、①自己株式の消却の場合、②資本減少の場合、③配当可能利益による株式の消却の場合に認められてきた（改正前商213条1項、222条1項4号）。①は、会社が株主から株式を取得した上で消却するものであるのに対して、②③は株主が有する株式について、会社による取得を経ずに、直接消却するものであった。もっとも、株主の立場では、いずれもその有する株式を失うことと引き換えに、対価を得る点で変わりはない。会社法では、②③についても、自己株式を取得した上で消却するものと概念を整理した。

〔384〕　以上のことから、会社法では、株式の消却については、自己株式の消却についての規定のみが置かれている。会社が自己株式を消却するには、消却する自己株式の数（種類株式発行会社では、自己株式の種類および種類ごとの数）を定めなければならない（178条1項）。取締役会設置会社では、かかる決定は、取締役会の決議によって行う（同条2項）。

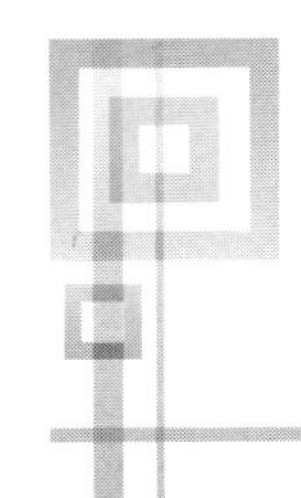

第３節　新株予約権

1　新株予約権の意義

〔385〕 新株予約権は、これを有する者が、会社に対して行使したときに、会社が株式を交付（新株を発行またはこれに代えて保有する自己株式を交付）する義務を負うものである（2条21号）。平成13年10月の改正前まで、商法は、新株発行手続の一環として与えられるものと、新株発行とは別に付与されるものについて、ともに「新株引受権」という用語を使っていた。同改正により、両者が区別され、前者が新株引受権、後者が新株予約権とよばれるようになった。すなわち、新株引受権は、会社が新株を発行する際に、株主が新株を優先的に引受けできる権利、新株予約権は、新株発行と無関係に付与される権利となった。会社法では、前者を株式の募集として整理するなかで（→264）、新株引受権という用語は廃止された。新株予約権は、会社の取締役や従業員に対してストック・オプションを付与する場合、または、社債と一体として発行する場合（新株予約権付社債。かつては新株引受権付社債といわれていた→196）に利用されてきた。さらに、最近では、敵対的企業買収の防衛策として利用される例もある（→64、294、399）。

〈新株予約権の発行の目的〉

（社数）

	ストックオプション（A）	それ以外（B）	A・B両方とも	合計
平成29年	399（84.7%）	46（ 9.8%）	26（5.5%）	471（100.0%）
平成30年	401（84.8%）	50（10.6%）	22（4.7%）	473（100.0%）
平成31年	394（87.9%）	37（ 8.3%）	17（3.8%）	448（100.0%）

（全国株懇連合会「2019年度全株懇調査報告書」〔2019年10月〕161頁より）

〈ストックオプション以外の新株予約権（発行の目的）〉

（複数回答）（社数）

	企業提携	安定株主創出	資金調達		株主優待	敵対的企業買収の予防策	融資条件有利化等、資金調達の便宜上
			ライツオファリング	その他			
平成29年	2	5	6	57	1	5	5
平成30年	4	3	4	56	1	4	7
平成31年	1	3	3	45	0	1	4

（全国株懇連合会「2019年度全株懇調査報告書」〔2019年10月〕161頁より）

〔386〕　新株予約権を有する者（新株予約権者）は、会社に対してその権利を行使すれば、株式を取得する。この点で、新株予約権者は、会社株式の取得についてのコール・オプション（オプション取引のなかで、あらかじめ特定の価格で買うことができる権利をいう）を付与されているものといえる。

2　新株予約権の発行と行使

(1)　発行手続

〔387〕　会社は、新株予約権を発行するときは、一定の事項をその新株予約権の内容としなければならない（236条1項）。さらに、会社は、その発行する新株予約権を引受ける者を募集しようとするときは、その都度、募集新株予約権について募集事項を定めなければならない（238条1項）。募集事項の決定は、公開会社以外の会社であれば株主総会の決議で行う（同条2項）。株主総会の決議によって、募集事項の決定を取締役（取締役会設置会社では取締役会）に委任することができる（239条1項）。公開会社であれば募集事項は取締役会（240条1項）において決議する。公開会社では、割当日の2週間前までに、株主に対して、決定した募集事項を通知・公告しなければならない（同条2項・3項）。これらの規定は、株式の発行規制と同様のものが定められている（→265、269）。

新株予約権の内容と募集事項

〔388〕 新株予約権の内容として、次のものが定められている（236条１項）。

① 新株予約権の目的である株式の数またはその数の算定方法

② 新株予約権の行使に際して出資される財産の価額またはその算定方法

③ 金銭以外の財産を出資の目的とするときは、その旨ならびにその財産の内容および価額

④ 新株予約権を行使することができる期間

⑤ 新株予約権の行使により株式を発行する場合における増加する資本金および資本準備金に関する事項

⑥ 譲渡による当該新株予約権の取得について、会社の承認を要することとするときは、その旨

⑦ 新株予約権について、会社が一定の事由が生じたことを条件としてこれを取得することができるときは、法が定める一定の事項（236条１項７号イからチに列挙。たとえば、会社は使用人に新株予約権〔ストック・オプション〕を付与するとき、会社を退社した場合に会社が新株予約権を強制的に取得する旨の規定を定めることができる〔取得条項付新株予約権〕）

⑧ 合併、吸収分割等において、新株予約権者に、存続会社、承継会社等の新株予約権を交付するときは、その旨および条件（新株予約権の承継）

⑨ 新株予約権を行使した新株予約権者に交付する株式の数に１株に満たない端数がある場合において、これを切り捨てるものとするときは、その旨

⑩ 新株予約権にかかる新株予約権証券を発行することとするときは、その旨

⑪ ⑩の場合、新株予約権者が記名式証券と無記名式証券の転換請求の全部または一部をすることができないこととするときは、その旨

〔389〕 また、会社が決定しなければならない募集事項は次のとおりである（238条１項）。

① 募集新株予約権の内容および数

② 募集新株予約権と引換えに金銭の払込みを要しないとする場合（無償発行の場合）には、その旨

③ ②以外の場合には、募集新株予約権の払込金額またはその算定方法

④ 募集新株予約権を割り当てる日（割当日）

⑤ 募集新株予約権と引換えにする金銭の払込みの期日を定めるときは、その期日

⑥ 募集新株予約権が新株予約権付社債に付されたものである場合、募集社債に関して決定すべき事項（676条）

⑦ ⑥の場合において、新株予約権付社債に付された募集新株予約権について、買取請求の方法につき別段の定めをするときは、その定め

〔390〕 新株予約権に行使の条件を付することは許される。その場合、当該条件は、新株予約権の内容となる（911条3項12号ハ。登記事項となる）。買収防衛策として、ある者が発行株式総数の一定割合以上を取得した場合に、それ以外の新株予約権者に新株予約権の行使を認めることも行われている（→399）。

〔391〕 会社は募集に応じて募集新株予約権の引受けの申込みをしようとする者に対して、①会社の商号、②募集事項、③新株予約権の行使に際して金銭の払込みをすべきときは、払込みの取扱いの場所、④その他法務省令で定める事項を通知しなければならない（242条1項）。もっとも、これらの事項を記載した目論見書を交付している場合などには、通知義務は免除される（同条4項）。会社は、申込者の中から、割り当てる者を定め、その者に割り当てる新株予約権の数を定めなければならない（243条1項）。

〔392〕 申込者は、割当日に、新株予約権者となる（245条1項）。また、新株予約権者は、払込期日までに、払込取扱の場所で、募集新株予約権の払込金額の全額を払い込まなければならない（246条1項）。会社の承諾を得れば、金銭以外の財産給付や会社に対する債権による相殺もできる（同条2項）。

新株予約権の有利発行

〔393〕 募集株式の募集の場合と同様に（→261）、新株予約権の有利発行の場合には、特別の規制に服する。①新株予約権が無償で発行され、それが新株予約権者に特に有利な条件となる場合、②払込金額が新株予約権者に特に有利な金額である場合、株主総会の特別決議を要する（238条2項、309条2項6号）。取締役は有利発行を行う理由を説明しなければならない（238条3項）。有利発行に該当するかどうかについて、かつて、新株予約権の払込金額と権利行使に際して出資されるべき額との合計と新株予約権行使期間中における株式の時価の平均値との比較で判断されるべきとの立場があった。もっとも、現在では、新株予約権の価値自体を測定して、発行価額が有利であるかどうかが判断されると解されている（オプションの価値を測定する理論であるブラック＝ショールズ・モデルなどが利用されることになる）。募集新株予約権の発行に際して、発行価額の大幅な減額を導く取得条項が存在しており、この点で、有利発行であるとされた事例がある（東京地決平18・6・30判タ1220・110〔百選28事件〕）。

〈新株予約権（ストック・オプション目的）の発行決議の方法〉

（社数）

	取締役会（公開会社の募集事項の決定機関）	株主総会　特別決議（有利発行をする場合）	株主総会　普通決議（確定金額報酬枠及び非金銭報酬枠として決議）	合計
平成 29 年	308（72.5%）	68（16.0%）	49（11.5%）	425（100.0%）
平成 30 年	306（72.3%）	64（15.1%）	53（12.5%）	423（100.0%）
平成 31 年	294（71.5%）	67（16.3%）	50（12.2%）	411（100.0%）

（全国株懇連合会「2019 年度全株懇調査報告書」〔2019 年 10 月〕161 頁より）

〔394〕　会社は、株主に対して新たに払込みをさせないで新株予約権の割当てを行うことができる（277 条。新株予約権無償割当という）。新株予約権無償割当は、株式無償割当（→ 375）に相当するものである。新株予約権無償割当をするときは、その都度、①株主に割り当てる新株予約権の内容および数またはその算定方法、②新株予約権無償割当の効力発生日等を、定款に別段の定めがある場合を除き、株主総会の決議（取締役会設置会社では取締役会の決議）により定めなければならない（278 条 1 項・3 項）。新株予約権無償割当は、いわゆる「ライツ・オファリング」を行う場合に利用される（→ 198）。

〔395〕　会社は、新株予約権無償割当の効力発生日（278 条 1 項 3 号）後、株主に遅滞なく割当通知を行う必要がある（279 条 2 項）。他方、新株予約権の行使の準備をする時間的余裕を確保する必要がある。そのため、新株予約権無償割当の行使期間の末日の 2 週間前までに割当通知がなされなかった場合には、割当通知の日から 2 週間を経過する日まで、行使期間が延長される（同条 3 項）。

(2)　新株予約権の行使

〔396〕　新株予約権者は、新株予約権を行使する日に、払込取扱場所において、権利行使価額の全額を払い込まなければならない（281 条 1 項）。金銭以外の財産を新株予約権の行使に際してする出資の目的とするときは、新株予約権者は、新株予約権を行使する日に、当該財産を給付しなければならない（同条 2 項前段）。この場合、原則として、裁判所が選任した検査役の調査が必要である（284 条 1 項・2 項）。新株予約権を行使した新株予約権者は、新株予約権を行使した日に、当該新株予約権の目的である株式の株主となる（282 条 1 項）。

〔397〕　新株予約権の発行に際して、発行する株式が証券取引所に上場され

６月を経過するまで、新株予約権を行使できないとする条件を後日変更するなど、違法な（そのような変更をした取締役会決議が無効とされた）新株予約権の行使により発行された株式の効力を無効とした事例がある（東京地判平21・3・19民集66・6・2971）。

3　新株予約権の発行の瑕疵

(1)　新株予約権の発行の差止め

〔398〕 募集新株予約権の発行が法令もしくは定款に違反する場合、または著しく不公正な方法により行われる場合に、株主が不利益を受けるおそれがあるときは、株主は、会社に対して、当該募集新株予約権の発行をやめることを請求することができる（247条）。

買収防衛策としての新株予約権の発行（差別的取扱いの是非）

〔399〕 敵対的買収に備えて、買収防衛策として新株予約権無償割当がなされたことにつき、その発行が不公正発行に該当するかどうかが問題となった事例がある。そこでは、株主名簿上の株主に新株予約権が無償で１株につき３個が割当られたが、特定の者（買収者）以外には、新株予約権１個の行使で株式１株が交付されるものの、買収者には、新株予約権の行使に対価として現金が交付されるというものであった（差別的行使条件。これにより、買収者の持株比率は低下するものの、その損失は金銭的に埋め合わされる）。最高裁決定では（最決平19・8・7民集61・5・2215〔百選100事件〕。ブルドックソース事件）、①会社の利益ひいては株主の共同の利益が害されることとなる場合には、その防止のために当該株主を差別的に取り扱ったとしても、当該取扱いが衡平の理念に反し、相当性を欠くものでない限り、ただちに株主平等の原則の趣旨に反するものとはいえない、②会社の利益が害されるか否かは、最終的には、株主自身により判断されるべきものであるが、株主総会の手続が適正を欠くなど、判断の正当性を失わせるような重大な瑕疵が存在しない限り、その判断が尊重されるとした（本件では、このような買収防衛策が、株主総会において80％を超える賛成によって可決されている）。

⑵　新株予約権の発行の無効

〔400〕　新株予約権の発行の無効は、新株予約権の発行の効力発生日から６月（公開会社でない会社では１年）以内に、株主等、新株予約権者が訴えをもって主張することができる（828条１項４号）。新株予約権の発行を無効とする判決が確定すると、無効とされた新株予約権は将来に向かってその効力を失う（839条。遡及効が否定される）。無効判決は第三者にもその効力を有する（838条。対世効が認められる）。

〔401〕　新株予約権の発行の無効事由は法定されておらず、解釈に委ねられる。公開会社でない会社において株主割当の方法によらずになされた新株予約権の発行が株主総会の特別決議を欠く場合、公開会社において株主割当の方法によらない新株予約権の発行が募集事項の通知・公告を欠く場合などが無効原因と解されている。新株発行の場合と同じく（→299、300）、新株予約権の発行の不存在の訴えの制度も存在する（829条３号）。

⑶　新株予約権者等の責任

〔402〕　新株予約権を行使した新株予約権者は、募集新株予約権の払込金額を無償とすることが著しく不公正な条件であり、取締役（指名委員会等設置会社では執行役）と通じて新株予約権を引き受けた場合、新株予約権の公正な価額を会社に対して支払う義務を負う（285条１項１号）。また、同様に、新株予約権の払込金額を有償とする場合、取締役（指名委員会等設置会社では執行役）と通じて著しく不公正な払込金額で新株予約権を引き受けたときは、当該払込金額と新株予約権の公正な価額との差額に相当する金額を会社に対して支払う義務を負う（同項２号）。このほか、現物出資財産の価額が著しく不足する場合の不足額の支払義務なども法定されている（同項３号）。

4　新株予約権の譲渡

〔403〕　新株予約権の譲渡は当事者の合意により行われる。新株予約権の譲渡につき会社の承認を要する旨を新株予約権の内容として定めることができる

（236条１項６号）。譲渡制限については、株式の場合と同様の規制が存在するものの、買取人指定の請求制度（→315）は規定されていない。

〔404〕　会社は、新株予約権にかかる新株予約権証券を発行することができる（証券発行新株予約権。236条１項10号）。株券発行会社であるか否かにかかわらず、新株予約権証券を発行することができる。この場合、証券発行新株予約権を発行した後、遅滞なく、新株予約権証券を発行しなければならない（288条１項）。新株予約権証券には、会社の商号、新株予約権の内容および数、番号を記載し、代表取締役（指名委員会等設置会社においては代表執行役）がこれに署名しまたは記名押印しなければならない（289条）。証券発行新株予約権の譲渡は、新株予約権証券を交付しなければその効力は生じない（255条１項）。

〔405〕　新株予約権の譲渡は、その新株予約権を取得した者の氏名・名称および住所を新株予約権原簿に記載・記録しなければ、会社その他の第三者に対抗することができない（257条１項）。会社は、新株予約権を発行した日以降遅滞なく、新株予約権原簿を作成しなければならない（249条）。新株予約権原簿は、株主名簿（→327）や社債原簿（→431）に相当するものである。無記名式の新株予約権証券は、証券の交付で譲渡の効力を生じ、証券の占有が会社・第三者に対する対抗要件となる。したがって、取得者の氏名・名称は新株予約権原簿記載事項とはならず、この場合、証券の番号、予約権の内容・数が記載事項となる（同条１号）。記名式の新株予約権証券が発行される場合には、新株予約権原簿に、証券の番号、予約権の内容・数に加えて、新株予約権者の氏名・名称、取得日の記載を要する（同条３号）。氏名等の記載が会社に対する対抗要件となる（257条２項）。

〔406〕　会社法は、一定の事由が生じたことを条件として、会社がその新株予約権を取得することができる制度（取得条項付新株予約権）を認めている（236条１項７号）。取得条項付新株予約権は、取得条項付株式（→239）に相当するものである。たとえば、敵対的企業買収の防衛策として発行した新株予約権を消却する場合、早期退職した役職員が保有するストック・オプションを消却する場合などの利用が考えられる。会社は、新株予約権を取得して、自己新株予約権とすることができる（155条参照）。その処分については自己株式のような規制（→363）は存在しない。

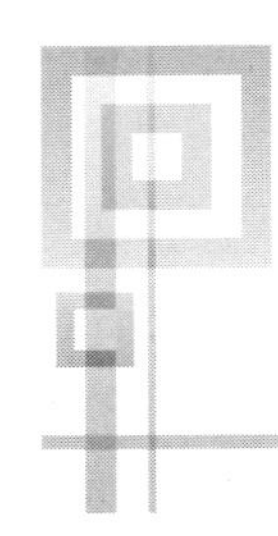

第4節　社　　債

1　社債の意義

〔407〕 株式会社は長期の資金を調達するために社債を発行する。社債は株式と異なり、会社の債務である。そのため、社債の発行で調達した資金は、期限が来れば返済しなければならない。また、会社は会社の利益と関係なく社債権者に対して、通常、確定利息を支払わなければならない。社債権者は会社の債権者であるので、株主と異なり、会社の経営に関与する権利を有さない。

〔408〕 社債の償還期限は一般に長期であることから、社債は会社にとって安定した資金源となっている。日本の株式会社は海外で社債発行による資金調達を積極的に行ってきた。その理由としては、日本では、社債の発行に伴う諸費用が海外と比較して割高であること、財務制限条項（→414）などの諸規制が海外と比較して厳しいことなどが指摘されてきた。もっとも、預金金利の低迷で投資先を探している国内一般投資家向けに普通社債が発行されるようになっている。

〔409〕 会社は剰余金の配当および残余財産の分配が他の株主よりも優先する優先株式を発行することができる（108条１項１号・２号）（→227）。会社は優先株について、株主の議決権を奪い（議決権制限株式→232）、決算期に優先配当の一部または全部が支払われなかった場合には、次の期にその不足分を支払うものとし（累積的優先株式→228）、さらに取得条項付株式（→239）とすることができる。このような株式は社債の性質に類似したものとなる。なお、社債と株式との中間的形態として、将来、株式を取得する権利が与えられた新株予約権付社債がある（→417-420）。

〔410〕 社債については、会社法のほか、担保付社債信託法（担保付社債の

〈普通社債と転換社債型新株予約権付社債の銘柄数発行額〉

（単位：百万円）

年	普通社債		転換社債型新株予約権付社債	
	銘柄数	発行額	銘柄数	発行額
1998	764	12,642,900	6	73,000
1999	394	6,912,500	26	528,000
2000	411	7,975,060	19	275,000
2001	354	8,272,390	17	248,000
2002	282	7,151,205	15	280,000
2003	366	7,380,760	9	56,500
2004	296	5,766,500	20	211,000
2005	329	6,851,500	9	65,000
2006	323	6,544,500	15	553,000
2007	443	9,186,300	4	35,000
2008	324	8,842,800	1	150,000
2009	374	11,393,100	4	203,500
2010	456	9,558,900	6	122,500
2011	394	8,283,500	2	32,500
2012	416	8,209,900	2	8,500
2013	444	8,658,803	7	75,500
2014	463	8,396,950	7	44,000
2015	341	6,848,200	5	160,000
2016	501	10,615,900	5	72,000
2017	587	11,273,500	2	13,000
2018	590	10,154,600	2	16,000
2019	704	15,758,919	12	9,081

（日本証券業協会「公社債発行額・償還額等」より）

場合）、さらに、その発行について金融商品取引法の適用もあり得る（→ 284-289）。平成17年改正前の商法では、社債の規定は株式会社のみに適用され、有限会社には社債発行についての規定が存在しなかった。合名会社や合資会社も社債の発行はできなかった。会社法では、株式会社のみならず、持分会社（→ 15）も社債を発行することができる。社債に関する会社法の規定は、第２編株式会社、第３編持分会社に続き、第４編社債として独立に定められている。

2　社債の種類

(1)　公募債と私募債

〔411〕　金融商品取引法は一般投資家を保護するために、有価証券の「募集」を行う場合に企業内容の開示制度（ディスクロージャー制度）を定めている（→284-287）。「募集」に該当する方法で発行される社債を公募債といい、それ以外の方法で発行される社債を私募債という。

〔412〕　私募債を発行する場合には、発行者に代わって社債を投資家に販売する仲介者が利用される。そのため、どのような者がこの私募債の取扱い業務に参入できるかが問題となる。私募の取扱いは金融商品取引法上の「金融商品取引業」である（金商２条８項６号）。したがって、金融商品取引業者（証券会社）は本業として当該業務を営むことができる（金商 28 条）。一方、銀行は金融商品取引法 33 条１項により原則として金融商品取引業への参入が禁止される。もっとも、例外的に、私募債の取扱い業務が禁止の適用除外とされている（金商 33 条２項４号）。そのため、銀行は付随業務として当該業務を営むことができる（銀行 10 条２項６号）。日本では、このように銀行と金融商品取引業者が相乗りの形で私募債の取扱い業務への参入を行っている。しかし、実際は銀行による取扱いが大多数を占めている。

(2)　担保付社債と無担保社債

〔413〕　担保付社債は物上担保が付されている社債である。社債の場合には社債権者が多数存在し、個々の社債権者がその担保権を自ら保存あるいは実行することは困難である。そのため、担保付社債を発行する場合には、発行会社と社債権者の間に担保の受託会社が置かれる（→428、439）。一方、物上担保が付されず、元利金の支払を発行会社の信用に委ねる社債が無担保社債である。

〔414〕　かつて、社債権者の保護を理由として、日本で発行される社債のほとんどは担保付社債であった（有担保原則）。しかし、昭和 54 年に初めて無担保の転換社債が発行され、続いて、無担保の普通社債が昭和 60 年に公募によ

り発行された。無担保社債を発行するためには適債基準を満たしたものでなければならないものとされていた。この基準は徐々に緩和され、平成8年1月1日から完全に撤廃された。また、これまで、担保提供制限、純資産額維持、配当制限、利益維持など、画一的な財務制限条項の設定を義務づけていたものが、このような制約もなくなった。現在では、同様の条項（財務上の特約）を設定するかしないか、設定する場合の内容もすべて当事者間の自由にまかされることになった。

社債の格付け

〔415〕 社債発行に当たっての適債基準が撤廃されてから後は、投資家は自己責任によって社債発行者の信用評価を行わなければならない。しかし、一般投資家にとってこれは難しい。そこで、投資家に代わって、「格付機関」とよばれる民間機関が、社債の信用力すなわち元本と利息の支払われる確実性の程度を評価し、投資情報として公表している。格付機関は、社債発行会社の依頼を受けて格付けを行うが、なかには、依頼なしに、独自の判断で格付けを行う場合もある（勝手格付け）。

〔416〕 世界的に格付けサービスを提供する会社としてスタンダード・アンド・プアーズ（S&P）、ムーディーズ（Moody's）などがある（各社、日本法人がある）。たとえば、S&Pの個別債務格付けとして、AAA、AA、A、BBB、BB、B、CCC、CC、Cといったものがある（AAからCCCまで、＋－が付されることがある）。BB以下に格付けされた債務は投機的要素が大きいとみなされる。ムーディーズの長期格付けとして、Aaa、Aa、A、Baa、Ba、B、Caa、Ca、Cといったものがある（AaからCaaまで、1、2、3といった数字付加記号が加えられる）。Baaが中級、Ba以下が投機的であるとされる。

⑶ 新株予約権付社債

〔417〕 社債権者に対して、所定の期間（転換期間）内に、所定の条件（転換条件）で、社債発行会社の株式に転換する権利を付与した社債を転換社債とよんできた。転換社債では、転換権という甘味剤を付加することにより、利率を低く抑えることができる。また、株式への転換が徐々に行われることにより配当負担が分散されるために、収益の向上と配当負担の増加を一致させることもできる。

〔418〕 会社法のもとでは、このような社債は、①新株予約権（→385）

を付した社債（新株予約権付社債）であって、新株予約権だけの分離譲渡が認められないもの、さらに、②社債の発行価額と新株予約権行使に際して払い込むべき金額を同額とした上で、新株予約権を行使するときには、必ず社債が償還されるもの、そして、③社債の償還額が新株予約権の行使に際して払い込むべき金額の払込みに当てられるものとして構成される。会社法の条文では転換社債という用語は使用されていないが、実務上は、そのような用語を使うことは妨げられない（転換社債型新株予約権付社債とよばれることが多い）。

〔419〕　また、かつて、社債権者が、所定の期間内に所定数の新株を所定の発行価額によって引き受ける権利を有している社債を新株引受権付社債とよんでいた。新株引受権付社債は、新株引受権（→385）という甘味料を社債に添加したもので、会社は普通社債よりも有利な条件で発行することができる。この点で、新株引受権付社債は転換社債と同じ意義を有していた。しかし、転換社債では、転換権が行使されると社債が減少するのに対して、新株引受権付社債では、引受権が行使されても、社債の残高に変化はない（ただし、代用払込式の新株引受権付社債の場合にはこの差は存在しない）。長期の外貨建債権を会社が有している場合に、同じ外貨建ての新株引受権付社債を発行することによって長期の債務を負担すれば、会社は為替相場の変動による危険を回避することができる。転換社債の場合には、株式への転換によって社債が減少するために、上記のリスク回避の機能は期待できない。

〔420〕　このような社債は、会社法では、会社が社債と新株予約権とを同時に募集し、両者を同時に割り当てるものと構成される。これには、新株予約権を社債と分離して譲渡することができるもの（分離型）と社債と分離して譲渡できないもの（非分離型）がある。分離型の場合は、社債の規定と新株予約権の規定が同時に適用される。そのため、会社法は特別の規定を定めていない。会社法は、非分離型新株予約権付社債について、若干の規定を定めている（292条など）。

⑷　コマーシャル・ペーパー

〔421〕　会社は短期資金を調達するためにコマーシャル・ペーパー（CP）を発行する。CPは無担保で発行される会社の債務である。金融商品取引法上

〈コマーシャル・ペーパーの発行残高〉

（単位：百万円）

年（12月末時点）	合計		発行者区分							
			金融機関		事業法人		SPC		その他	
	銘柄数	発行残高	銘柄数	発行残高	銘柄数	発行残高	銘柄数	発行残高	銘柄数	発行残高
2009	5,349	16,735,640	605	2,888,700	2,365	11,121,400	2,375	2,694,540	4	31,000
2010	4,799	15,606,529	574	2,967,000	2,357	10,149,150	1,862	2,467,379	6	23,000
2011	4,873	16,542,680	528	2,931,480	2,432	11,026,600	1,898	2,435,600	15	149,000
2012	4,214	16,237,129	533	2,825,240	2,340	11,033,400	1,328	2,276,489	13	102,000
2013	3,850	15,025,459	504	2,776,070	2,165	10,446,200	1,180	1,798,189	1	5,000
2014	4,199	16,446,576	684	3,555,380	2,219	10,956,600	1,296	1,934,596	−	−
2015	4,289	16,401,184	711	4,002,350	2,148	10,573,600	1,425	1,735,234	5	90,000
2016	3,508	14,888,936	189	2,002,400	2,070	11,189,700	1,249	1,696,836	−	−
2017	3,441	16,833,299	193	2,601,100	2,192	12,654,500	1,050	1,392,699	6	185,000
2018	3,432	18,804,847	159	1,440,400	2,316	15,890,230	957	1,474,217	−	−
2019	3,507	20,473,556	155	1,648,700	2,403	17,459,400	949	1,365,456	−	−

（証券保管振替機構「統計データ」短期社債振替制度５より作成）

の法的性格は約束手形とされている（金商２条１項15号）。日本では、昭和62年に国内のCP市場が開設された。その際、銀行と証券会社の間で、CPの発行の仲介をどちらが行うことができるかが問題となった（銀行と証券の分離→412）。企業にとって短期の借入という側面を重視すれば貸付業務を本業とする銀行にその取扱いをさせることが考えられる。他方で、短期の社債と位置づければ、証券会社が本業として行えるはずである。結局、銀行の取扱いを認めるために、CPを「有価証券」とせず、約束手形とすることにした（当時の証券取引法では、「有価証券」に該当すれば、銀行はその取扱いができなかった。他方で、証券会社は、兼業業務としてその取扱いが認められた）。しかし、このような対処では、CPについて、証券取引法が定める投資者保護法制の適用がないこととなり、極めて不都合であった。そこで、その後、CPの法的位置づけを「約束手形」とする点を維持しながら、これを証券取引法上の「有価証券」と定義し、銀行の取扱いは、銀行の証券業務を禁止する規定（当時の証券取引法65条）の例外と定めることとなった。以上の経緯が、CPが約束手形と位置づけされている理由である（業際問題を解決するための便法）。

〔422〕　CPの本質は、短期の社債である。振替法では、完全に電子化され

たCPについて、書面の作成義務・保管コスト、紛失・盗難リスクの削減を行うために、CPの振替制度を定めている。そこでは、CPを「短期社債」と位置づけている。

3　社債の発行

(1)　社債の発行手続

〔423〕　会社は、社債を引き受ける者の募集をしようとするときは、その都度、募集社債について、募集事項を定めなければならない（676条）。社債の発行は、金融商品取引法上の「募集」（→ 285）に該当するときは有価証券届出書の提出が必要である。

募集事項

〔424〕　会社は、以下の事項を定めなければならない。

① 募集社債の総額
② 各募集社債の金額
③ 募集社債の利率
④ 募集社債の償還の方法および期限
⑤ 利息支払いの方法および期限
⑥ 社債券を発行するときは、その旨
⑦ 社債権者が記名式の社債券と無記名式の社債券との間の転換請求の全部または一部をすることができないとするときは、その旨
⑦の２　社債管理者を定めないこととするときは、その旨
⑧ 社債管理者が社債権者集会の決議によらず706条１項２号に掲げる行為（社債全部についてする訴訟行為等）をすることとするときは、その旨
⑧の２　社債管理補助者を定めることとするときは、その旨
⑨ 各募集社債の払込金額もしくはその最低金額またはこれらの算定方法
⑩ 募集社債と引換えにする金銭の払込の期日
⑪ 一定の日までに募集社債の総額について割当を受ける者を定めていない場合に、募集社債の全部を発行しないこととするときは、その旨およびその一定の日
⑫ その他法務省令（施162条）で定める事項

〔425〕 取締役会設置会社では、募集事項のうち一定の事項（676条１号に掲げる事項その法務省令〔施99条〕で定める事項）について、取締役会の決議で決定しなければならない（362条４項５号。指名委員会等設置会社の場合では執行役に委任可能）。もっとも、これ以外の事項については、その決定を取締役に委任することができる。取締役会決議で発行する社債の総額を決め、実際の発行は数回に分けて、取締役が決定すること（シリーズ発行）も可能である。

〔426〕 会社は、募集社債の引受けの申込みをしようとする者に対して、①会社の商号、②募集事項、③その他法務省令（施163条）で定める事項を通知しなければならない（677条１項）。金融商品取引法にもとづく目論見書を交付している場合には、この通知は不要となる。社債の引受けの申込みをする者は、申込みをする者の氏名・名称および住所、引き受けようとする募集社債の金額および金額ごとの数等を記載した書面を会社に交付しなければならない（同条２項。電磁的方法でも可能（同条３項））。申込みがあった者に対して募集社債の割当てがなされる（678条１項）。払込期日（676条10号）に社債について払込みをすることを要する。

〔427〕 応募額が発行予定社債総額に満たないときは、募集事項にその旨を定めておけば（676条11号）、応募額をもって社債を成立させることができる。現実の社債の申込みでは、個々の投資者が投資申込によって申込みをするという形式はとりつつも、証券会社が応募者の計算において自己の名義で一括して申込みをする慣行が行われている。

〔428〕 担保付社債を発行する場合には、担保の受託会社を決め、受託会社との間で信託契約が締結される（担信２条）。信託契約は信託証書でしなければ、その効力は生じない（担信18条１項）。信託証書には、担保付社債の総額（各担保付社債の金額）・利率・償還方法および期限、利息支払いの方法および期限、担保の種類・担保の目的である財産・担保権の順位などを記載・記録しなければならない（担信19条１項）。

〔429〕 多額の社債を公衆に募集する場合には、社債の引受会社が利用される。引受けは、発行会社から発行する証券のすべてを買い取り、自らの責任で売りさばくこと（総額引受、買取引受ともいう）、あるいは売りさばきの努力がなされた後に、売れ残った証券があればそれを買い取ること（残額引受）を約

する契約である。引受業務は金融商品取引法にいう金融商品取引業であり、証券会社（金融商品取引業者）のみが行うことができる（金商2条8項6号、29条）。したがって、日本では、会社が担保付社債を発行する場合には、証券会社が引受業務を担当し、銀行が信託の受託業務を担当するといった形で業務の分担が図られている。

〔430〕　昭和62年に、普通社債の発行市場を活性化することを目的として、引受契約の締結の際に「プロポーザル発行方式」が導入された。これは、公募社債の発行を決定した会社が複数の証券会社に対して条件の提示を求め、その提示された条件をもとに発行会社が主幹事証券会社（引受シンジケート団の代表）を指名するものである。その後、証券会社間の競争と値引き販売が激化し、社債の値崩れ現象が問題となった。そのため、幹事証券会社との協議で発行価格などの発行条件をあらかじめ決定する「均一価格販売方式」が採用されるに至った。

(2)　社債の譲渡

〔431〕　会社が社債を発行したときには、取締役は社債原簿を作成して、これを本店に備え置かなければならない（681条、684条1項）。

〔432〕　募集事項で社債券の発行を定めた場合は（676条6号）（→424）、会社は債券を発行しなければならない。社債券を発行する旨の定めがある社債の譲渡は、当事者間の意思表示および社債券の交付によってその効力が生じる（687条）。記名社債については、社債原簿の名義書換が発行に対する対抗要件となる（688条2項）。これに対して、無記名証券については、社債券の交付が発行会社その他の第三者に対する対抗要件である（同条3項）。社債券を発行する旨の定めのない社債の譲渡は、当事者間の意思表示のみによりその効力を要するものの、社債原簿の名義書換が、発行会社その他の第三者に対する対抗要件となる（同条1項）。

〔433〕　社債や国債などの証券の取引について、券面を必要としない新しい振替制度の整備や、効率的な決済を可能とする清算機関制度の整備を行うなど、安全で効率性の高い決済制度を構築することが、証券市場の整備の一環として求められる。平成13年6月には、「短期社債等の振替に関する法律」により、

CPのペーパーレス化とCPに関する振替制度が実現した。その後、より包括的な証券決済法制の整備が検討され、平成14年6月に、「証券決済制度等の改革による証券市場の整備のための関係法律の整備等に関する法律」（証券決済システム改革法）が制定された。この法律により、券面を必要としない統一的な証券決済法制の対象が、CPから社債、国債に拡大され、法律の題名も、「社債等の振替に関する法律」に改められた（さらに、平成16年の改正で、株式等についても適用が可能となり、法律名も「社債、株式等の振替に関する法律」となった→338）。

〔434〕　この制度のもとでは、社債は、券面が発行されず、「振替社債」として規制される。振替社債の譲渡は、口座管理機関または振替機関がその管理する口座において当該譲渡に関する社債の金額の増額の記載・記録をすることで、その効力が生じる。社債権者が発行会社に対して権利を行使する場合には、口座管理機関または振替機関から証明書の交付を受け、それを供託することで権利行使を行う。

社債権者の権利行使

〔435〕　社債権者は、利息の支払いを受ける権利がある。記名社債の場合、社債原簿の記載・記録に基づき利息の支払いがなされる。無記名社債の場合、利札が発行されていれば（697条2項）、利札の所持人に対して利札と引換えに利息の支払いがなされる。発行会社が社債の利息の支払を怠ったときは、社債権者集会（→447-449）の決議にもとづき、社債の総額について期限の利益を喪失する（739条）。

〔436〕　また、社債権者は、社債の償還を受ける権利がある。満期における一括償還のほか、一定期間後、一定期日までに随時償還するか、定期的に一定額または抽選によって償還する方法などがある。会社はいつでも、自己の社債を取得し、社債を消滅させることができる。

〔437〕　社債の償還請求権の時効は10年、利息請求権については、5年である（701条）。

4　社債権者の保護

(1)　社債管理者と社債管理補助者

〔438〕 かつて、社債の受託業務には、募集の受託と担保の受託とがあった。募集の受託は、発行者から社債の募集の委託を受けるもので、その内容は社債申込証の作成、申込みに対する社債の割当および払込金の徴収を発行会社に代って行うものであった。募集の受託会社はさらに、社債権者のために、社債の償還に関する一切の行為を行うことができた。募集の受託会社の設置は義務ではなかったが、受託会社をつけずに社債が発行された例はなかった。募集の受託会社は、銀行または信託会社でなければならなかった。

担保の受託会社

〔439〕 担保の受託は、担保付社債権者のため担保権の管理を行うものである。担保の受託会社は、総社債権者のために、信託契約による担保権を保存し、実行する義務を負う。受託会社は、担保付社債の権利に関して、担保付社債信託法に特別の定めがある場合を除き、社債管理者と同一の権限を有し、義務を負う（担信35条）。したがって、受託会社は公平かつ誠実に信託事務を処理しなければならず（704条１項）、かつ社債権者に対して善良な管理者の注意をもって信託事務を処理する義務を負う（同条２項）。社債権者は、信託契約の受益者として、その債権額に応じて平等に担保の利益を享受する（担信37条１項）。

〔440〕 わが国の社債の受託会社制度ではかつて独特の慣行が行われていた。すなわち、債務不履行（デフォルト）となった社債について、社債権者の保護のため、募集の受託会社が社債権者に対して額面で一括買取を行う慣行があった。しかし、現在は、すべて社債権者の自己責任として処理されざるを得ないという本来の姿になっている。

〔441〕 平成５年の改正によって、募集の受託会社は、社債管理会社とその名を改め、無担保社債の発行に当たってはその設置が強制されることとなった。会社法では、社債管理者と名称が改められている。これは、会社以外の法人（農林中央金庫等）も社債管理業務を行うことができることを理由とする。各社債

の金額が1億円を下らない場合または社債の総額を社債の最低額をもって除した数が50を下る場合は社債管理者の設置は不要である（702条、施169条）。社債管理者は、銀行、信託会社または担保の受託会社の免許を受けた会社等でなければならない（703条、施170条）。

〔442〕　社債管理者は、社債権者のために弁済を受け、または債権の実現を保全するために必要な一切の裁判上または裁判外の行為を行う権限を有する（705条1項）。社債管理者は、その権限を行使するために必要なときは、裁判所の許可を得て、社債発行者の業務・財産の状況を調査することができる（同条4項）。

〔443〕　社債管理者は、社債権者のために、公平かつ誠実に社債の管理をなすことを要し（704条1項）、社債権者に対し善良な管理者の注意をもって社債の管理をなす義務を負う（同条2項）。さらに、社債管理者が社債発行会社に対して有する債権につき弁済を受けた場合に、その3月後にその社債発行者がデフォルト（債務不履行）に陥ったときには、社債管理者は、原則として社債権者に対して損害賠償の責任を負う（710条2項本文）。日本では、メインバンクが社債管理者になることが多い。そこで、この規制は、社債の発行会社についての情報を入手した銀行が、自己の貸付債権をいち早く回収するといった、抜け駆け的行為を規制するために設けられたものである。もっとも、社債管理者が誠実にすべき社債の管理を怠らなかったことまたはその損害が社債管理者の行為によって生じたものでないことを証明したときは、責任を負わない（同項ただし書。社債管理者の免責が認められた事案として、名古屋高判平21・5・28判時2073・42〔百選83事件〕参照）。

〔444〕　社債管理者は社債の金額が1億円を下らない場合には設置は強制されない（702条）。平成7年にソフトバンクが社債管理会社（社債管理者）を置かずに社債を発行して以来、社債管理者を置かずに、社債を発行する会社が増えている。社債権利者の権限が広範であり、その義務・責任および資格要件が厳格であるため、社債権利者の設置に要するコストが高くなる。会社は発行する社債を社債管理者不設置債にすることにより、支払うべき手数料を節約することができる。

〔444-2〕　もっとも、近年、社債管理者を定めないで発行された社債につ

いて、その債務の不履行が発生し、社債権者に損失や混乱が生じる事例が見られた。そこで、令和元年の改正で、社債管理者よりも限定された権限を有する社債管理補助者の制度が新設された。すなわち、会社は、社債管理補助者を定め、社債権者のために、社債の管理の補助を行うことを委託することができる（714条の2本文。社債が担保付社債である場合は、この限りでない（同条ただし書））。社債管理補助者は、①破産手続、再生手続参加または更生手続参加、②強制執行または担保権の実行の手続における配当要求、③期間内の債権の申出を行う権限を有する（714条の4第1項）。さらに、社債管理補助者は、委託に係る契約に定める範囲において、社債権者のために、社債に係る弁済を受ける権限を有することもできる（同条2項）。このように社債管理者と比べて社債管理補助者の権限が限定されていることから、社債管理者と比較して、その資格要件が緩和されている（714条の3）。

社債の発行限度の廃止

〔445〕 平成5年の改正前は、社債の発行は、最終の貸借対照表により会社に現存する純資産額（資産 - 負債）を超えることができなかった（改正前商297条1項）。また社債発行限度暫定措置法によって、商法の発行限度の2倍まで社債の発行限度が緩和されていた。ただし、この場合、商法の定める限度を超えた部分については、担保付社債、転換社債、新株引受権付社債および外債のみを発行することができた。また、長期信用銀行の発行する社債（金融債）、電力会社の発行する社債（電力債）などについてはさらに規制が緩和されていた（長期信用銀行法8条、一般電気事業会社の社債発行限度に関する特例法2条）。

〔446〕 社債発行限度は、社債権者の債権の担保となる会社の資力以上に社債を発行することを規制するために設けられたものである。しかし、銀行などからの借入金の額については制限がないことから、立法の効果について疑問が提起されていた。産業界から社債の発行限度撤廃の要請が強く、社債発行限度についての商法の規定は平成5年の改正で削除された。

(2)　社債権者集会

〔447〕 社債権者集会は、社債権者の利害に重大な関係を有する事項について社債権者の総意を決定するため、各種類の社債別に招集される（715条）。同

一の社債権者は、利害を共通にしている。そのため、多くの社債権者がその共同の利益を団結して守るために社債権者集会が認められている。この制度によって、発行会社も個々の社債権者を相手に交渉しなくてよいことになる。社債権者集会は、会社外の組織で、会社の機関ではない。ただし、社債権者集会の費用は会社の負担となる（742条１項）。社債権者集会は、社債権者集会の目的事項以外については決議ができない（同条３項）。

〔448〕　社債権者集会は、社債の発行会社または社債管理者が招集する（717条２項）。また、社債の総額の10分の１以上に当たる社債を有する社債権者も社債権者集会の招集を請求することができる（718条１項）。社債権者集会では、各社債権者は、その有する社債の金額の合計額に応じて議決権を有する。社債権者集会の決議が効力を有するためには裁判所の認可が必要である（734条１項）。なお、社債権者集会の目的である事項についての提案につき、議決権者の全員が書面または電磁的記録により同意の意思表示をしたときは、当該提案を可決する旨の社債権者集会の決議があったものとみなされる（735条の２第１項）。この場合、裁判所の認可も不要となる（同条４項）。

〔449〕　日本の社債はほとんど無記名式で発行されている。したがって、社債権者集会の招集が実務上困難となっていた。そのため、平成５年の改正によって社債権者集会の決議を原則として定足数を要しない普通決議（出席をした社債権者の議決権総額の過半数で可決）とした（724条１項）。社債の全部についてするその支払いの猶予、その債務の不履行によって生じた責任を免除または和解等の決議をするには、議決権者の議決権の総額の５分の１以上で、かつ、出席した議決権者の議決権の総額の３分の２以上の議決権を有する者の同意が必要である（同条２項）。

第3章
企業の経営と統治
（コーポレート・ガバナンス）

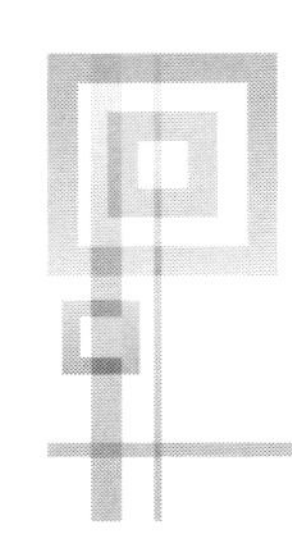

第1節　機　　関

1　機関の意義

〔450〕 株式会社は法人である（3条）（→ 163）。会社は自ら意思を決定し行動することはできないため、ある自然人（または自然人の合議体）の意思決定や行為を会社の意思決定や行為として扱う必要がある。このような決定を行うものを「機関」という。

〔451〕 伝統的な考えのもとでは、株主は会社の実質的所有者とされてきた。他方で、大規模会社では、その多数の株主に直接経営に参加させることは合理的ではない。そこで、会社法では、株主は株主総会において取締役を選任し（→ 547）、取締役に経営を委ねる制度を採用している。ただし、会社の基本的事項について意思決定の権限は株主総会に留保されている（→ 485）。株主は株主総会の議決権を通して、これらの決定に参加する。

〔452〕 かつての商法は、株式会社を大規模会社のための組織として規律していた。そこでは、所有（株主）と経営（取締役）が制度的に分離されていた。会社は定款をもっても取締役を株主でなければならない旨を定めることができなかった（改正前商 254 条 2 項）。しかし、日本の株式会社の実態は、人的な信頼関係を基礎とする小規模会社が大多数を占めている（→ 25）。このような会社では、所有と経営の一致が見られる。会社法では、かかる状況に配慮して、公開会社以外の会社について、定款の定めをもって、取締役等の資格を株主に限ることを認めている（331 条 2 項ただし書）（→ 556）。

〔453〕 取締役会は、取締役を構成員とする機関である。取締役会は、業務執行に関する意思決定と代表取締役の選定を行う（→ 572）。代表取締役は、日常的な意思決定を行い、会社の業務を執行する（→ 598）。株主は、株主総

会における取締役の選任・解任を通してだけでなく、代表訴訟（→654）や違法行為の差止請求権の行使（→676）によって取締役の行為を是正することができる。

〔454〕　さらに、株主は、株主総会の決議で監査役を選任し（→688）、取締役の行為を監視させることができる。監査役会は3名以上の監査役で構成される機関である（→715）。これらに加えて、会計の専門家として会計監査人が株主総会で選任される（→756）。会社法では、取締役と共同して計算書類を作成する会計参与を会社の機関として認めている（→771）。

〔455〕　平成14年の改正によって、監査役の設置に代えて、社外取締役が過半数を占める委員会（指名委員会、報酬委員会、監査委員会）および執行役を置く会社が認められた（委員会等設置会社、委員会設置会社、指名委員会等設置会社と名称が変更されている→718）。さらに、平成26年の改正で、監査等委員会設置会社が創設された（→743）。そこでは、監査を行う監査等委員会が置かれるものの、指名委員会および報酬委員会は不要である。また、執行役・代表執行役は置かれず、取締役会が選任する代表取締役が会社を代表する。これらの点で、監査等委員会は、監査役設置会社・監査役会設置会社と指名委員会等設置会社の間にある機関設計といえる。これらの3つの機関設計のどれを選択するかは、会社に委ねられている。

2　機関設計

〔456〕　株式会社は、株主総会のほか、取締役を設置しなければならない（326条1項）。その上で、会社は定款の定めをもって、取締役会、会計参与、監査役、監査役会、会計監査人、監査等委員会または指名委員会等を置くことができる（同条2項）。このように、機関設計について定款自治が認められているが、次のような制限があることに注意が必要である。

〔457〕　会社は、①「公開会社」（→178）と②「公開会社以外の会社」、さらに、③「大会社」（→177）と④「大会社以外の会社」に区分される。そのため、会社は、①③（分類1）、②③（分類2）、①④（分類3）および②④（分類4）に大別できる。

〈会社の分類〉

	①公開会社	②公開会社以外の会社
③大会社	（分類１）	（分類２）
④大会社以外の会社	（分類３）	（分類４）

〔458〕公開会社では、取締役会を設置しなければならない（327条１項１号）。公開会社においては、株式の自由譲渡により多数の株主の存在が想定される。株主が頻繁に変動する会社では、株主は会社の経営に参画する意思を持たないことが多く、会社の業務執行機関やその監視機関を設けることが不可欠とされた。また、監査役会設置会社、監査等委員会設置会社および指名委員会等設置会社では取締役会を置かなければならない（同項２号〜４号）。

〔459〕取締役会を設置する会社では、監査役を置かなければならない（327条２項本文）。取締役会設置会社では、株主総会の権限を縮小し、取締役会に広い権限が認められる（295条２項）。代表取締役などの専横の危険性もある。そこで、監査役による監視が必要とされている。大会社（公開会社以外の会社、監査等委員会設置会社、指名委員会等設置会社を除く）では、監査役に代わり、監査役会が置かれる（328条１項）。公開会社でない会社では、大会社を除き、監査役に代えて、会計参与を置くことで足りる（327条２項ただし書）。なお、監査等委員会設置会社と指名委員会等設置会社では、監査等委員会や監査委員会が存在するため、監査役を置いてはならない（同条４項）。

〔460〕　大会社は、会社の規模が大きく、その利害関係者が多数にのぼることが考えられる。大会社では、このような利害関係者のために、計算書類の適切な作成を目的として会計監査人の設置が義務づけられる（328条）。会計監査人設置会社（監査等委員会設置会社、指名委員会等設置会社を除く）は、監査役を置かなければならない（327条３項）。これは、会計監査人の会計監査を適切に行わせるためには経営陣からの独立性を確保することが不可欠であり、会計監査人の選任・解任に関する議案の決定権（→756）を有する監査役が設置されていることが必要と考えられたためである。

〔461〕　なお、会社の規模にかかわらず、すべての会社で会計監査人を置くことができる（326条２項）。会計監査人を設置するには、監査役・監査役会（業務監査権限を有する）または３委員会等（指名委員会、報酬委員会、監査委員会お

よび執行役）を設置しなければならない（327条3項・5項）。監査等委員会設置会社と指名委員会等設置会社は会計監査人を置かなければならない（同条5項）。これらの会社では、取締役会の決議事項を大幅に取締役・執行役に委任することが可能であるため（→719、749）、会計監査人による、適正な計算書類の作成を通じた財務面での監督が必要と考えられた。

会社の機関設計

〔462〕「①公開会社＋③大会社」（分類1）は、(a)取締役会＋監査役会＋会計監査人（監査役会設置会社）、(b)取締役会＋3委員会等＋会計監査人（指名委員会等設置会社）、(c)取締役会＋監査等委員会＋会計監査人（監査等委員会設置会社）の選択ができることとなる。「②公開会社以外の会社＋③大会社」（分類2）については、公開会社に要求される取締役会を設置する必要がなく、監査役会、3委員会等、監査等委員会の設置も義務づけられない。したがって、(d)取締役会＋監査役＋会計監査人、(e)取締役＋監査役＋会計監査人という選択ができる。なお、このような会社は、監査役会や3委員会等の設置が強制されないだけで、任意にその設置をすることが認められる。そのため、(a)(b)(c)の選択も可能である。いずれの場合も、会計参与は任意に設置できる（326条2項）。

〔463〕「①公開会社＋④大会社以外の会社」（分類3）は、取締役会を設置しなければならない（①であるため）。また、3委員会等を置かない限り、監査役の設置が必要である（327条2項）。この場合、監査役会の設置が可能である。他方、大会社でないため、会計監査人および監査役会の設置は義務づけられない。そのため、この分類の会社では、(d)取締役会＋監査役＋会計監査人に加えて、(f)取締役会＋監査役会、(g)取締役会＋監査役の選択が可能であり、さらに、「①公開会社＋③大会社」（分類1）で選択できる(a)(b)(c)の選択もできる。この場合も、会計参与の設置は任意で認められる（326条2項）。

〔464〕「②公開会社以外の会社＋④大会社以外の会社」（分類4）では、これまでの会社と比べてより簡素な機関設計が認められる。まず、取締役会の設置が義務づけられない（①でないため）。株主の変動が少ない会社では、株主は長期的に会社と利害関係を有するため、株主が直接に経営に参加する機関設計が認められる（株主総会の権限も制限されない。295条1項）。また、取引先等の債権者の数も比較的少数と考えられ、会計監査人の設置も強制されない（③でないため）。また、さらに、このような会社では、監査役を置くことも要しない（327条2項参照）。これにより、平成17年改正前の有限会社型の機関設計が可能となる（取締役または取締役＋監査役）。取締役会を設置しない会社は監査役会も設置できない（同条1項2号）。取締役会を設置しないという簡易な機関設計を選択した会社が監査役についてだけ複雑で大掛かりに仕組みを設けるニーズはないと判断された。以上のことから、この分類では、分類3で認められた機関設計のほか、(h)取締役会＋会計参与、(i)取締役＋監査役、(j)取締役の選択ができる。

	①公開会社	②公開会社以外の会社
③大会社	（分類１） (a)取締役会＋監査役会＋会計監査人 (b)取締役会＋３委員会等＋会計監査人 (c)取締役会＋監査等委員会＋会計監査人	（分類２） (a)取締役会＋監査役会＋会計監査人 (b)取締役会＋３委員会等＋会計監査人 (c)取締役会＋監査等委員会＋会計監査人 (d)取締役会＋監査役＋会計監査人 (e)取締役＋監査役＋会計監査人
④大会社以外の会社	（分類３） (a)取締役会＋監査役会＋会計監査人 (b)取締役会＋３委員会等＋会計監査人 (c)取締役会＋監査等委員会＋会計監査人 (d)取締役会＋監査役＋会計監査人 (f)取締役会＋監査役会 (g)取締役会＋監査役	（分類４） (a)取締役会＋監査役会＋会計監査人 (b)取締役会＋３委員会等＋会計監査人 (c)取締役会＋監査等委員会＋会計監査人 (d)取締役会＋監査役＋会計監査人 (e)取締役＋監査役＋会計監査人 (f)取締役会＋監査役会 (g)取締役会＋監査役 (h)取締役会＋会計参与 (i)取締役＋監査役 (j)取締役

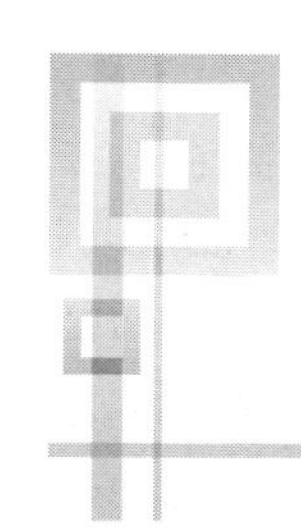

第2節　株主総会

1　日本の株主総会の実態

〔465〕 株主総会は、株主を構成員とする合議体で、株式会社の基本的な事項についての意思決定を行う。株主総会には定時株主総会と臨時株主総会とがある。定時株主総会は毎事業年度の終了後一定の時期に招集されなければならない（296条1項）。また、臨時株主総会は必要ある場合に随時これを招集することができる（同条2項）。株主総会は取締役の選任と解任を行う権限を有し、その決議は取締役の経営を拘束するため、法律上は、株式会社における最高意

〈株主総会の所要時間〉

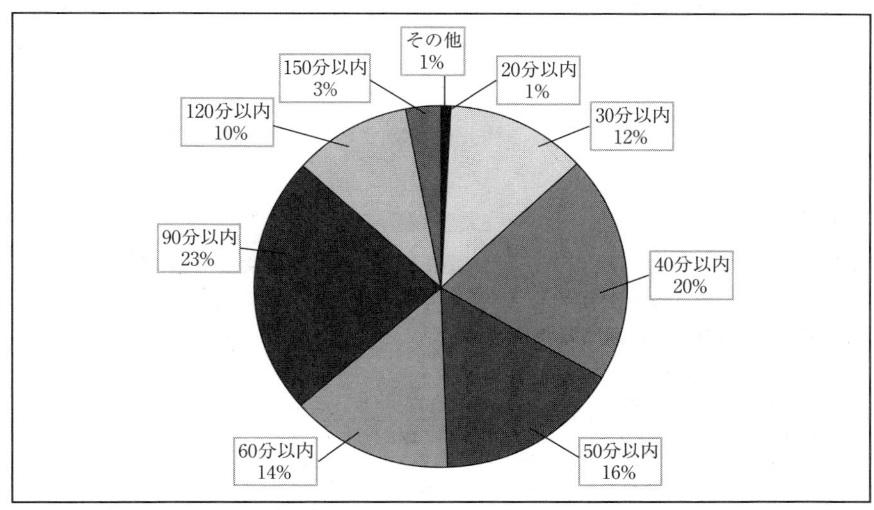

（商事法務研究会編「株主総会白書」〔2019〕（『旬刊商事法務』2216号102～103頁）より作成）

思決定機関である。

〔466〕　もっとも、日本の会社の株主総会は形骸化していると指摘される。大規模株式会社では、個人株主の持株比率は低く、法人株主の持株比率が高いため（→30）、株主総会において個人株主は重要な影響力を有さない。さらに、株式の相互保有をしている法人株主は会社経営者を支持するのが一般的である。大部分の株式会社では、株主総会に出席する株主の数は少なかった。そこでは実質的な審議が行われることはなく、株主総会は比較的短時間で終了していた。

〔467〕　かつては、総会屋が存在し、株主総会で議長の議事進行を円滑にするために協力することの代償として金銭を得ていた。会社から相当な額の金銭が得られないときは、株主総会の会場で議長の議事運営を妨害するため、日本の大規模な株式会社は、ほとんど例外なく、この種の株主に金銭を贈っていた。

〔468〕　昭和56年の改正によって、株主の権利の行使に関して利益供与をすることを禁じ、違反した取締役等に民事責任を定め（制定当時は商294条ノ2。その後、条文は商295条となり、会社法では120条に定めがある）、刑事責任を科することとした（制定当時は商497条。会社法では970条に定めがある）。この改正は、わが国の株主総会の形骸化の原因の１つとみなされる総会屋のこのような活動を排除するためのものであった。

〔469〕　後述するように、日本の会社は３月決算会社が多く、その大半は、６月末の同一日に定時総会が集中的に開催されていた。これは、会社が、総会屋による株主総会への出席を分散化させようとしているためであった。しかし、このような状況は、複数の会社の株式を保有する一般株主が複数の会社の総会へ出席する権利をも奪うものであった。

〔470〕　平成９年に、上記の利益供与規制に違反した場合の罰則を強化する商法改正が行われた。改正内容は会社法にも引き継がれている。現行法のもと

〈株主総会の開催日（３月決算会社）〉

	1995年	2000年	2005年	2010年	2015年	2020年
総会件数	1,822	2,018	2,050	1,917	1,880	1,824
総会集中日	6/29	6/29	6/29	6/29	6/26	6/26
集中件数	1,704	1,680	1,273	861	809	606
集中度	93.5%	83.3%	62.1%	44.9%	43.0%	33.2%

（「資料版商事法務」より作成）

では、取締役等は、株主の権利行使に関し、その会社や子会社の計算で財産上の利益を供与したときは、３年以下の懲役または300万円以下の罰金に処せられる（970条１項）。情を知って、かかる利益供与を受けた者または第三者にこれを供与させた場合、さらに、利益供与を要求しただけでも刑事罰が科せられる（同条２項・３項）。利益供与を受けた者または要求した者が、その実行につき、威迫の行為をしたときは、５年以下の懲役または500万円以下の罰金に処せられる（同条４項）。これらの罪を犯した者には、情状によっては、懲役および罰金が併科されることもある（同条５項）。

〔471〕　以上の刑事罰の強化により、総会屋の活動は衰退した。株主総会の

〈株主総会に現実に出席した株主数〉

（社数）

資本金（円）＼回答（人）	1-20	21-40	41-60	61-80	81-100	101-150	151-200	201-300	300超	計
5億円未満	27	34	29	12	7	10	4	3	7	133
5億円以上 10億円未満	57	72	46	18	13	11	10	10	8	245
20億円以下	54	95	72	44	28	43	19	14	24	393
30億円以下	28	60	55	29	20	31	19	14	19	275
50億円以下	13	64	55	53	32	40	17	24	31	329
100億以下	10	64	80	62	40	63	26	19	49	413
300億円以下	7	31	47	55	50	85	47	44	84	450
500億円以下	−	7	4	13	7	23	13	19	34	120
1,000億円以下	−	1	1	5	1	8	16	8	53	93
1,000億円超	−	1	2	1	−	8	11	11	85	119
計	196	429	391	292	198	322	182	166	394	2,570

（商事法務研究会編「株主総会白書」〔2019〕（『旬刊商事法務』2216号117頁）より）

〈株主総会の活性化等の取組み状況（連結売上高別）〉

	招集通知の早期発送	集中日を回避した株主総会の設定（３月決算会社）	電磁的方法による議決権の行使	議決権電子行使プラットフォームへの参加	招集通知の英訳版作成
100億円未満	58.2%	26.8%	30.7%	18.0%	18.8%
100億円以上 1000億円未満	66.7%	39.3%	27.7%	18.9%	24.7%
1000億円以上 １兆円未満	83.2%	45.8%	69.9%	61.8%	65.7%
１兆円以上	94.8%	64.7%	97.4%	96.1%	97.4%
全社	69.4%	38.6%	40.8%	31.4%	35.4%

（東京証券取引所「東証上場会社コーポレート・ガバナンス白書2019」15頁より）

開催日が分散化される傾向は、これと無関係ではない。株主総会の開催日を同一日にするのは総会屋対策のためという言い訳は成立しなくなったからである。平日に株主総会を開催する会社も増え、株主総会に出席する個人株主の数は、有名企業を中心に増加傾向にある。

出席株主へのお土産

〔472〕 株主総会への出席者にお土産を提供することは、社会的儀礼の範囲であれば、違法な利益供与に該当しない。自社製品・サービスのPRを兼ねて、自社製品や自社のサービスの優待券などを提供する会社もある。また、他社製品として、プリペイドカードを配布する会社もある。調査結果（商事法務研究会編「株主総会白書」〔2019〕」）によると、お土産の金額は「500円超1,000円以下」が最も多く（40.2%）、ついで「1,000円超1,500円以下」が多かった（29.3%）。

〔473〕 平成25年６月に過去最多１万693人の株主が出席したソニーでは、翌年にお土産の配布を中止したところ、出席者は4,662人に激減した。個人株主を中心としてお土産は、株主総会に出席をする上で、重要な要素となっていることが分かる。もっとも、近年、お土産を出さない会社の数が徐々に増え、上記の調査によれば、39.3%の会社が株主に対するお土産を取りやめている（前年度比5.2ポイント増）。

2　株主総会の招集

(1)　招集の時期

〔474〕 定時株主総会では、決算期後に計算書類の承認または報告が行われる（438条、439条）。日本の株式会社の多くは、年１回、３月31日を決算日と定めている（「３月決算会社」とよんでいる）。会社は株主総会に出席する株主を確定するために基準日（→334）の設定を行う（124条１項。たとえば、３月31日）。会社は、基準日において株主名簿に記載・記録されている株主をその権利者とすることができる。会社は基準日から３月以内に株主総会を開催する必要があり（同条２項）、３月決算会社では６月末に定時株主総会が開催されることとなる〈→定款12条〉。

⑵　招集の権限

〔475〕　株主総会の招集の決定は、取締役会非設置会社では取締役が、取締役会設置会社では取締役会の決議で行う（298条1項・4項）。招集は、取締役会非設置会社では取締役が、取締役会設置会社では代表取締役が行う（296条3項）。また、総株主の議決権の3％以上を6月以上前から引き続き保有している株主は、会議の目的と招集の理由を示して、会社に株主総会の招集を請求することができる（297条1項）。この請求のあった後に遅滞なく招集の手続がなされなかった場合または請求日から8週間以内の日を株主総会の日とする株主総会の招集通知が発せられない場合には、請求を行った株主は、裁判所の許可を得て自ら株主総会を招集することができる（同条4項）。上記の総議決権の3％以上または6月以上の保有要件は、定款で緩和することができる（同条1項）。さらに、公開会社以外の会社では、6月以上の保有要件は不要である（同条2項）。裁判所は、検査役の調査の結果、必要があると認めたときには、取締役に株主総会を招集させることができる（307条1項1号）（→523）。

⑶　招集の通知

〔476〕　株主総会を招集するためには、株主総会の会日から2週間前までに書面をもって招集通知を各株主（議決権を行使できない株主には不要）に発しなければならない（299条1項）。この期間は、公開会社以外の会社では1週間となり、取締役会非設置会社では、定款でさらに短縮が可能である。閉鎖的な会社においては、株主の数は多くなく、また株主間の関係も緊密であるのが通常であり、招集通知を早期に出す必要性が少ないことを理由とする。株主総会を招集する者は、書面での通知に代えて、株主の承諾を得て、電磁的方法により、招集通知を発することができる（同条3項）。株主総会の招集通知には、総会の日時や場所のほか、会議の目的たる事項（すなわち議題）が記載・記録される（同条4項、298条1項1号・2号）。会議の目的たる事項には、事業報告などの報告事項も含まれる。なお、株主総会において議決権を行使することができるすべての株主の同意があるときは、招集の手続を経ずに株主総会を開催することができる（300条）。

〈招集通知の総会前発送日〉

（社数　(　)内％）

資本金（円）＼回答	14日前（法定期限）	15日前	16日前	17日前	18日前	19日前	20日前	21日前	22日前	23日前	24日前	25日前	26日前	27日前	28日前	29日以上前	無回答	回答社数
5億円未満	6 (11.8)	9 (17.6)	6 (11.8)	3 (5.9)	5 (9.8)	2 (3.9)	7 (13.7)	9 (17.6)	1 (2.0)	−	1 (2.0)	−	−	1 (2.0)	1 (2.0)	−	−	51 (100)
5億円以上10億円未満	12 (11.5)	14 (13.5)	13 (12.5)	10 (9.6)	10 (9.6)	11 (10.6)	14 (13.5)	12 (11.5)	2 (1.9)	1 (1.0)	1 (1.0)	−	−	−	1 (1.0)	−	3 (2.9)	104 (100)
20億円以下	23 (10.7)	33 (15.3)	31 (14.4)	17 (7.9)	26 (12.1)	13 (6.0)	21 (9.8)	34 (15.8)	9 (4.2)	2 (0.9)	−	3 (1.4)	1 (0.5)	1 (0.5)	−	−	1 (0.5)	215 (100)
30億円以下	14 (9.5)	11 (7.5)	29 (19.7)	10 (6.8)	10 (6.8)	11 (7.5)	20 (13.6)	20 (13.6)	18 (12.2)	−	2 (1.4)	−	1 (0.7)	1 (0.7)	−	−	−	147 (100)
50億円以下	11 (4.7)	27 (11.6)	24 (10.3)	12 (5.2)	14 (6.0)	31 (13.3)	36 (15.5)	39 (16.7)	29 (12.4)	1 (0.4)	2 (0.9)	4 (1.7)	2 (0.9)	1 (0.4)	−	−	−	233 (100)
100億円以下	22 (7.4)	24 (8.1)	20 (6.8)	26 (8.8)	23 (7.8)	22 (7.4)	28 (9.5)	72 (24.3)	42 (14.2)	5 (1.7)	2 (0.7)	4 (1.4)	1 (0.3)	1 (0.3)	1 (0.3)	1 (0.3)	2 (0.7)	296 (100)
300億円以下	10 (2.8)	18 (5.0)	23 (6.4)	15 (4.2)	19 (5.3)	19 (5.3)	36 (10.1)	108 (30.3)	67 (18.8)	14 (3.9)	10 (2.8)	6 (1.7)	3 (0.8)	7 (2.0)	2 (0.6)	−	−	357 (100)
500億円以下	3 (3.1)	6 (6.1)	3 (3.1)	1 (1.0)	5 (5.1)	4 (4.1)	9 (9.2)	35 (35.7)	20 (20.4)	5 (5.1)	5 (5.1)	1 (1.0)	−	−	−	1 (1.0)	−	98 (100)
1,000億円以下	2 (2.4)	2 (2.4)	−	1 (1.2)	5 (6.0)	2 (2.4)	4 (4.8)	27 (32.5)	26 (31.3)	1 (1.2)	2 (2.4)	3 (3.6)	2 (2.4)	3 (3.6)	2 (2.4)	1 (1.2)	−	83 (100)
1,000億円超	−	1 (0.9)	3 (2.7)	2 (1.8)	6 (5.5)	4 (3.6)	10 (9.1)	25 (22.7)	37 (33.6)	8 (7.3)	6 (5.5)	1 (0.9)	2 (1.8)	2 (1.8)	−	2 (1.8)	1 (0.9)	110 (100)
計	103 (6.1)	145 (8.6)	152 (9.0)	97 (5.7)	123 (7.3)	119 (7.0)	185 (10.9)	381 (22.5)	251 (14.8)	37 (2.2)	31 (1.8)	22 (1.3)	12 (0.7)	17 (1.0)	7 (0.4)	5 (0.3)	7 (0.4)	1,694 (100)

（商事法務研究会編「株主総会白書」〔2019〕（『旬刊商事法務』2216号71頁）より）

〔477〕　取締役会設置会社では、株主総会の招集通知は書面または電磁的方法による。これに対して、取締役会非設置会社では、招集通知の方法について特に定めはない。そのため、口頭での通知も可能である。もっとも、後の紛争に備えて、書面等による通知を行うことが望ましい。

〔478〕　取締役会設置会社では、定時株主総会の招集の通知に際しては、計算書類（→778）および事業報告（監査役設置会社では監査報告〔→784〕、会計監査人設置会社では会計監査報告〔→785〕を含む）が提供される（437条）。さらに、書面投票（→500）を行う会社では、議決権行使の参考となるべき事項を記載した書類（株主総会参考書類）および議決権行使書面が交付される（301条1項）。書面に代えて電磁的方法で招集通知を受け取ることを承諾した株主に対しては、参考書類も同様に電磁的方法で提供することができる（同条2項本文）。ただし、株主の請求があったときは、その書類を株主に交付しなければならない（同項ただし書）。

〈株主総会の招集通知〉

令和○年５月26日

株主各位

京都市上京区今出川通烏丸東入
同志社物産株式会社
代表取締役社長　新島　襄次郎

第10○回　定時株主総会招集ご通知

拝啓　平素は格別のご高配を賜り、厚く御礼申し上げます。
さて、当社第10○回定時株主総会を、下記のとおり開催いたしますので、ご出席下さいますようご通知申し上げます。
なお、当日、おさしつかえの場合は、後記の株主総会参考書類をご検討いただき、同封の議決権行使書用紙に賛否を表示のうえご返送いただくか、インターネットにより議決権を行使されるか、いずれかの方法により、令和○年６月26日（火曜日）午後５時45分までに議決権を行使いただきますようお願い申し上げます。

敬具

記

１　日　　時　令和○年６月27日（水曜日）午前10時
２　場　　所　同志社物産株式会社 本社 良心館ホール
３　目的事項
報告事項　第◇期　事業報告の内容および計算書類の内容の報告の件
決議事項
第１号議案　剰余金の処分の件
第２号議案　定款一部変更の件
第３号議案　取締役５名選任の件
第４号議案　監査役２名選任の件

〔478-2〕　ところで、株主総会参考書類の記載事項のうち一定の事項について、定款に定めれば、会社のウエッブサイトに掲載することで、株主への提供に代えることができる（施94条。「WEB開示」と呼ばれる）（事業報告、個別注記表、株主資本等変動計算書および連結計算書類も同様（施133条３項、計133条４項・134条４項））。WEB開示は、インターネットの普及に伴い、平成17年の会社法改正で導入された。平成26年の改正で、WEB開示の対象事項は大幅に拡大した。これらにより、WEB開示を実施する会社も増加している。

〔478-3〕　もっとも、株主総会に関する資料の全部を電磁的に提供するためには、株主の個別の承諾が必要である。そのため、電磁的方法による招集通知を採用している会社は少数に留まっていた（商事法務研究会「株主総会白書」

〈WEB 開示の実施〉

（社数　（　）内％）

資本金（円）＼回答	WEB 開示に係る定款規定あり			WEB 開示に係る定款規定なし	無回答	回答社数
	従前から実施	今回から実施	実施せず			
5億未満	22（43.1）	6（11.8）	15（29.4）	8（15.7）	－	51（100）
5億以上 10億未満	55（52.9）	3（2.9）	35（33.7）	8（7.7）	3（2.9）	104（100）
20億以下	124（57.7）	7（3.3）	64（29.8）	19（8.8）	1（0.5）	215（100）
30　〃	86（58.5）	12（8.2）	43（29.3）	5（3.4）	1（0.7）	147（100）
50　〃	156（67.0）	14（6.0）	49（21.0）	13（5.6）	1（0.4）	233（100）
100　〃	215（72.6）	11（3.7）	59（19.9）	10（3.4）	1（0.3）	296（100）
300　〃	291（81.5）	18（5.0）	40（11.2）	7（2.0）	1（0.3）	357（100）
500　〃	88（89.8）	2（2.0）	8（8.2）	－	－	98（100）
1,000　〃	79（95.2）	1（1.2）	3（3.6）	－	－	83（100）
1,000 億超	104（94.5）	－	6（5.5）	－	－	110（100）
計	1,220（72.0）	74（4.4）	322（19.0）	70（4.1）	8（0.5）	1,694（100）

（商事法務研究会編「株主総会白書」〔2019〕（『旬刊商事法務』2216 号 65 頁）より）

（2019 年）によれば、調査対象の 1694 社のうち、採用した会社は 62 社（3.7%）に過ぎなかった）。令和元年の改正で、電磁的方法により株主への情報提供を促進するため、株主総会資料の電子提供措置が創設された。これは、株主総会資料を自社のウエブサイトに掲載し、そのアドレスを株主の書面で通知した場合、株主の個別の承諾を得ていないときであっても、株主に適法に提供したものとするものである。電子提供措置が適用される株主総会資料は、①株主総会参考書類、②議決権行使書、③計算書類および事業報告および④連結計算書類で、電子提供措置を採用するには定款の定めが必要である（325 条の 2）。

〔478-4〕　電子提供措置をとる会社では、株主総会の日の３週間前の日または招集通知を発した日のいずれか早い日（電子提供措置開始日）から株主総

会の日後3月を経過する日までの間、継続して電子提供措置をとらなければならない（325条の3第1項）。なお、金融商品取引法上の有価証券報告書を提出しなければならない会社（金商24条1項参照）は、EDINET（開示用電子情報処理組織）で必要な事項を記載した有価証券報告書を開示した場合、電子提供措置をとることを要しない（325条の3第3項）。上記の資料が電磁的方法によってすでに別に開示されていることが理由である。

〔478-5〕株主総会資料の電子提供措置の導入に際しては、インターネットを利用しない株主の保護が問題となる（インターネットなどの情報通信技術を利用できる者と利用できない者との間に生じる格差は「デジタル・デバイド」などと言われる）。この点について、電子提供措置を採用する会社の株主は、会社に対して、電子提供措置事項を記載した書面の交付を請求できる（325条の5第1項）。このような請求をした株主に対して、会社は、株主総会の招集通知に際して、電子提供措置事項を記載した書面を交付しなければならない（同条2項）。書面交付請求をした株主がある場合、その書面交付請求の日から1年経過したときは、会社は、当該株主に対して、書面の交付を終了する旨を通知し、かつ、これに異議がある場合には一定の期間内（1月以内）に異議を述べる旨を催告することができる（同条4項）。株主が催告期間に異議を述べた場合を除いて、催告期間を経過した段階で、書面交付請求権は効力を失う（同条5項）。

〔478-6〕　株主総会資料の電磁的提供について、株主の個別の承諾を必要とする制度では、株主が承諾しない限り、会社は書面の交付が必要であった。これに対して、電子提供措置制度のもとで、株主が一定期間に書面交付請求をしない限り、会社は書面の交付が不要となる。この改正で、株主総会資料の電磁的提供がより促進することが期待される。なお、上場会社等の振替株式制度を利用する会社（→338、339）は、類型的に株式の売買が頻繁に行われることが想定される。これらの会社については、株主総会資料の電子提供制度の利用が義務づけられる（電子提供措置をとる旨を定款で定めなければならず、改正法が施行される日に当該定款変更の決議をしたものとみなされる。振替法159条の2第1項、振替法の一部改正に伴う経過措置）。

〔479〕　株主総会の招集手続を欠くものの、株主全員が株主総会に出席した場合に（いわゆる全員出席総会）、その決議の効力が問題となる。かつての判例

は、「単純ナル株主ノ会合」にすぎず、株主総会における決議とはいえない（法律上、当然に無効）と解していた。しかし、最高裁は、その後、一人会社について、株主１人が出席すれば株主総会は成立し、招集手続を要しないことを明らかにした（最判昭46・6・24民集25・4・596）。さらに、一人会社以外の会社においても、代理出席を含む全員出席総会の決議は有効に成立するとした（最判昭60・12・20民集39・8・1869〔百選30事件〕）。会社法は、この点を明文で定めている（300条本文）。

〔480〕　会社法では、株主総会の招集地について規定は存在しない（平成17年の改正前までは、定款に別段の定めがある場合を除き、本店の所在地またはそれに隣接する地で招集することを要した。改正前商233条）。もっとも、株主が出

〈株主総会の開催場所〉

（複数回答）（社数　（　）内％）

資本金（円）＼回答	本店所在地（本社会場）	本店所在地（自社施設）	本店所在地（借会場）	本店所在地外（自社施設）	本店所在地外（借会場）	無回答	回答社数
5億未満	8 （15.7）	1 （2.0）	29 （56.9）	1 （2.0）	12 （23.5）	－	51 （100）
5億以上10億未満	18 （17.3）	1 （1.0）	60 （57.7）	3 （2.9）	22 （21.2）	1 （1.0）	104 （100）
20億以下	60 （27.9）	10 （4.7）	95 （44.2）	11 （5.1）	40 （18.6）	－	215 （100）
30　〃	44 （29.9）	9 （6.1）	62 （44.2）	1 （0.7）	31 （21.1）	－	147 （100）
50　〃	73 （31.3）	7 （3.0）	108 （46.4）	7 （3.0）	40 （17.2）	－	233 （100）
100　〃	100 （33.8）	14 （4.7）	105 （35.5）	15 （5.1）	64 （21.6）	－	296 （100）
300　〃	139 （38.9）	25 （7.0）	116 （32.5）	16 （4.5）	64 （17.9）	－	357 （100）
500　〃	36 （36.7）	4 （4.1）	34 （34.7）	5 （5.1）	19 （19.4）	－	98 （100）
1,000　〃	25 （30.1）	4 （4.8）	21 （25.3）	2 （2.4）	31 （37.3）	－	83 （100）
1,000億超	17 （15.5）	3 （2.7）	44 （40.0）	4 （3.6）	42 （38.2）	－	110 （100）
計	520 （30.7）	78 （4.6）	674 （39.8）	65 （3.8）	365 （21.5）	1 （0.1）	1,694 （100）

（商事法務研究会編「株主総会白書」〔2019〕（『旬刊商事法務』2216号36頁）より）

席しにくい招集地を特に選択した等の場合には、招集手続が著しく不公正な場合に該当し、株主総会決議の取消事由となり得る（831条１項１号）（→526）。実際には、本店所在地での本店（本社）会場等の自社施設、本店所在地やその隣接地の借会場での開催が多い。

⑷　株主提案権

〔481〕　取締役会設置会社では、総株主の議決権の１％以上または300個以上を６月前から引き続き保有している株主は、取締役に対して、株主総会において一定の事項を会議の目的とすることを請求することができる（303条２項）。また、上記の株主は、会議の目的たる事項について、自己の議案の要領を株主に通知することを請求できる（305条１項ただし書。参考書類に記載するが、その全部を記載することが適切でない程度の多数の文字等をもって構成されているときは、その概要で足りる〔施93条１項〕。

〔482〕　取締役選任決議を例にとれば、「取締役選任の件」が議題であり、「Ａを取締役に選任する件」が議案となる。１％以上または300個以上または６月間の保有という要件は、定款で緩和することができる（303条２項、305条１項）。公開会社でない取締役会設置会社では、６月前という要件は不要である（303条３項、305条２項）。なお、取締役会非設置会社では単独株主権となる（303条１項、305条１項本文）。これらの請求は、公開会社にあっては、株主総会の日の８週間前までに行わなければならない（303条２項、305条１項）。株主の

〈株主提案の行使状況〉

（複数回答）（社数）

調査項目＼会社区分		株式上場	株式非上場	計
行使あり	株主提案議案を総会に付議・否決	38	1	39
	株主提案議案を総会に付議・可決	2	1	3
	総会前に撤回・取下げ	7	0	7
	不適法として提案の全てを却下	6	1	7
	不適法として提案の一部を却下	0	0	0
行使なし	働きかけ等はあったが、行使されず	7	0	7
	なし	1,624	62	1,686
合　計		−	−	1,748

（全国株懇連絡会「2019年度全株懇調査報告書」〔2019年10月〕25頁より）

〈付議された株主提案議案の内容〉

（複数回答）（社数）

会社区分／調査項目	株式上場	株式非上場	計
剰余金の処分・配当	15	2	17
取締役の選任	11	1	12
取締役の解任	11	0	11
監査役の選任	6	0	6
監査役の解任	2	0	2
定款の変更	23	1	24
その他	12	2	14
合計	－	－	55

（全国株懇連絡会「2019 年度全株懇調査報告書」〔2019 年 10 月〕26 頁より）

〈株主提案権を行使した株主の属性〉（行使権数１件につき１属性を選択）

（複数回答）（社数）

会社区分／調査項目	株式上場	株式非上場	計
国内機関投資家	1	0	1
海外機関投資家	12	0	12
一般法人	5	1	6
市民団体・ＮＰＯ等	6	0	6
その他団体	4	0	4
オーナー一族	4	0	4
その他個人株主	22	2	24
合計	－	－	55

（全国株懇連絡会「2019 年度全株懇調査報告書」〔2019 年 10 月〕26 頁より）

利益になるため、この期間を下回る期間を定款で定めることは可能である。

〔483〕　会社は、①議案が法令もしくは定款に違反する場合、②株主が、もっぱら人の名誉を侵害し、人を侮辱しもしくは困惑させ、または自己もしくは第三者の不正な利益を図る目的で、当該議案を提出する場合、③当該議案の提出により株主総会の適切な運営が著しく妨げられ、株主の共同の利益が害されるおそれがあると認められる場合、④実質的に同一の議案につき、総株主の議決権の 10％以上の賛成を得られなかった日から３年を経過していない場合には、株主の議案の提案請求を拒否することができる（305 条 4 項）。株主は、株主総会当日に、株主総会の目的である事項について議案を提出することができる（304 条本文）。もっとも、事前の株主提案と同様に、上記①②のような場合、議案の提案をすることは認められない（同条ただし書）。

近年の株主提案権の行使例

〔484〕 株主提案は、平成14年のM&Aコンサルティング（村上ファンドとよばれていた）による東京スタイルの定時株主総会での提案が一躍脚光を浴びることとなった。そこでは、剰余金の配当につき、会社側の提案「1株20円」に対して、「1株500円」の株主提案を行った。また、海外の投資ファンドなどが、増配や自己株式の取得の提案を行う例が続いた（たとえば、平成20年には、ザ・チルドレンズ・インベストメント・ファンドによるJパワーでの株主提案、平成21年には、ブランディス・インベストメント・パートナーズによるロームへの提案などがなされた）。その後、いわゆるリーマン・ショックの影響で、投資ファンドの勢いが衰えるとともに、これらによる株主提案の動きも影を潜めた。もっとも、関西電力の大株主である大阪市などが、平成24年、同社の定款に、公務員の天下りの禁止や脱原発を盛り込む提案を行ったことが注目された。さらに、1人の株主が一度に何十もの提案を行い、その取扱いが問題となった。株主提案権の行使が権利の濫用として許されない場合もある（東京高決平24・5・31資料版商事法務340・30〔百選31事件〕は、議案数が58個に及んだ株主提案について、全体として権利濫用に当たるといい得るまでの事情は認められないとした）。

〔484-2〕 株主が同一の株主総会において提案できる議案の数は10に制限される（305条4項前段）。株主の提案する議案が10を超える場合、10を超える数に相当することとなる議案は取締役が決定する（305条5項）。これは、株主提案の濫用的な行使を制限するためのもので、令和元年の改正で導入された。この場合、役員等の選任・解任に関する議案については、選任・解任される役員等の数にかかわらず、1の議案とみなされ（会計監査人を選任しないことに関する議案についても同様）、定款の変更に関する2以上の議案について、異なる議決がなされたとすれば当該議案の内容が相互に矛盾する可能性がある場合にも1の議案とみなされる（305条4項後段1号から4号）。

3　株主総会の決議

(1)　決議事項

〔485〕 取締役会非設置会社の株主総会は、会社法に規定する事項および株式会社の組織、運営、管理その他株式会社に関する一切の事項について決議をすることができる（295条1項）。これに対して、取締役会設置会社では、株主総会で決議できる事項は、会社法に規定する事項および定款で定めた事項に限られる（同条2項）。取締役会設置会社では、機動的な業務執行を実現するため、

これら以外の事項の決定は取締役会が行う。もっとも、定款で定めることにより、法定事項以外の事項を株主総会の権限とすることができる点に留意が必要である。

〔486〕　一方で、会社法の規定で株主総会の決議を必要とする事項について、取締役、執行役、取締役会その他の株主総会以外の機関が決定することができることを内容とする定款の定めは、その効力を有さない（295条3項）。取締役会設置会社では、株主総会は招集通知に記載・記録された議案についてのみ決議をすることができる（309条5項）。これに対して、取締役会非設置会社では、事前に通知のない事項についても決議をすることができる（309条5項の反対解釈）。

(2)　決議の種類

〔487〕　株主総会の決議には、普通決議、特別決議および特殊決議がある。

〔488〕　普通決議は、総株主の議決権の過半数に当たる株式を有する株主が出席して（定足数）、その出席株主の議決権の過半数の議決で成立する（309条1項）。普通決議は、役員等の選任（329条1項）（→547、688、721、747、756）、役員等の報酬の決定（361条1項、387条1項）（→617、699）、計算書類の承認（438条2項）（→786）などの決議に際してなされる。普通決議については、定款で要件を変更することが認められている（309条1項）。そのため、多くの会社は、定款で定足数を排除し、その結果、出席株主の議決権の過半数で普通決議が成立している〈→定款16条1項〉。ただし、役員の選任・解任決議の定足数については、定款によっても、これを総株主の議決権の3分の1未満とすることはできない（341条）〈→定款19条2項〉。

〔489〕　特別決議は、総株主の議決権の過半数に当たる株式を有する株主または定款に定める議決権の数を有する株主が出席して（定足数）、その出席株主の議決権の3分の2以上に当たる議決で成立する（309条2項）。定款で定める定足数については、総株主の議決権の3分の1未満にすることはできない〈→定款16条2項〉。3分の2以上という決議要件は、定款で引き上げることができる。さらに、定款の規定で、一定数以上の株主の賛成を要する旨を定めることができる。これは、旧有限会社の特別決議で認められていた頭数要件を引

き継いだものである。特別決議は、監査役の解任決議（→696）、合併・事業譲渡等の承認決議（→844、860）などで必要とされる（同項各号参照）。

〔490〕　なお、発行する全部の株式の内容として譲渡制限を定める定款変更の決議等（→313）については、通常の定款変更と異なり、議決権を有する総株主の半数以上で総株主の議決権の３分の２以上の多数決で成立する（309条３項）。これらの要件は定款で加重することができる。また、公開会社でない会社では、剰余金の配当を受ける権利、残余財産の分配を受ける権利、株主総会における議決権について、株主ごとに異なる取扱いを行う旨を定款で定めることができる（109条２項）（→218）。かかる定款変更の決議は、総株主の半数以上であって、総株主の議決権の４分の３以上の多数決が必要である（309条４項）。この場合でも、要件を定款で加重することができる。

(3)　議決権

〔491〕　株主総会の決議に加わる権利を議決権という。株主は原則としてその有する株式１株につき１個の議決権を持つ（308条１項本文）。これを１株１議決権の原則という。単元株制度（→219）を採用している会社では、１単元１議決権となる（単元株制度を利用した複数議決権について→234）。しかし、この原則は、議決権制限株式（108条１項３号）（→232）、単元未満株式（308条１項ただし書）（→222）、自己株式（同条２項）（→361）、相互保有株式（同条１項本文）（→906）などには適用されない。

(4)　議決権の不統一行使

〔492〕　株主は２株以上の株式を有するときは、その議決権を統一せずに行使することができる（313条１項）。証券投資信託、株式管理信託または米国預託証券（ADR〔American Depositary Receipt〕）などにおける株式は、株主名簿上では１名の株主の名義になっていても、実質的には複数の株主が存在する。そのような場合に、実質株主の意思を株主総会で反映させるためには、議決権の不統一行使が必要となる。

〔493〕　取締役会設置会社では、議決権の不統一行使をしようとする株主は、株主総会の会日の３日前までに会社に対し不統一行使を行う旨およびその

理由を通知しなければならない（313条２項）。取締役会非設置会社では、事前通知は必要ない。かかる会社では、招集通知に会議の目的事項を記載・記録する必要がなく、株主として当日まで会議の目的事項を知り得ない場合があり、議決権の不統一行使に関して、事前の通知を要求することは適当でないと考えられたためである。なお、一般の株主には議決権の不統一行使を認める必要がない。そのため、会社は、その株主が信託その他他人のために株式を有する場合以外には、その議決権の不統一行使を拒むことができる（同条３項）。

議決権拘束契約と議決権信託

〔494〕　株主の議決権行使は、各株主の自由に委ねられるのが原則である。もっとも、閉鎖型の会社では株主の間で議決権拘束契約が締結されることがある。出資比率が異なる株主の間で各株主が選任する取締役の数を合意する例などがある。議決権拘束契約は、当事者間では有効であるものの、これに違反して議決権が行使されても、その決議の効力に影響ないとする立場が有力である。このように、契約違反があった場合に、決議の効力が争えない場合に備えて、議決権信託が利用されることがある。議決権信託は、株主が１人の受託者に株式を信託するものである。議決権信託では、株式は受託者名義となり、議決権の行使も受託者が行うものと約定されるのが通例である。通説は、議決権信託の有効性を認めている。もっとも、議決権を不当に制限する目的で議決権信託が用いられる場合には、会社法の精神に照らして無効と解されている（大阪高決昭58・10・27判時1106・139〔百選33事件〕）。

⑸　代理人による議決権の行使

〔495〕　株主は代理人によって議決権を行使することができる（310条１項）。代理人は代理権を証明する書面（委任状）を会社に提出しなければならない。代理権は総会ごとに授与しなければならない（同条２項）。会社は株主総会に出席できる代理人の数を制限することができる（同条５項）。

〔496〕　代理人の資格については、会社法上は何らの規定も存しない。会社は定款で代理人の資格を、その会社の株主に制限していることが多い〈→定款17条１項〉。判例は、この定款規定は、株主以外の者により株主総会が撹乱されることを防止し、会社の利益を保護するためのものであるとして、その有効性を肯定している（最判昭43・11・1民集22・12・2402〔百選32事件〕）。もっとも、

〈大株主からの包括委任状の提出通数〉

（社数　（　）内％）

資本金(円)＼回答	１通	２通	３通	４通	５通以上	提出なし	無回答	計
５億未満	1 （2.0）	3 （5.9）	1 （2.0）	2 （2.0）	（略）	38 （74.5）	2 （3.9）	51 （100）
５億以上10億未満	6 （6.1）	5 （5.1）	4 （4.0）	3 （3.0）		70 （70.7）	3 （3.0）	99 （100）
20億以下	31 （14.6）	9 （4.2）	10 （4.7）	4 （1.9）		136 （63.8）	2 （0.9）	213 （100）
30億以下	21 （14.3）	15 （10.2）	15 （10.2）	3 （2.0）		69 （46.9）	1 （0.7）	147 （100）
50億以下	33 （14.3）	14 （6.1）	14 （6.1）	11 （4.8）		124 （53.7）	4 （1.7）	231 （100）
100億以下	42 （14.2）	32 （10.8）	16 （5.4）	12 （4.1）		141 （47.8）	5 （1.7）	295 （100）
300億以下	53 （14.9）	38 （10.7）	31 （8.7）	21 （5.9）		131 （36.9）	5 （1.4）	355 （100）
500億以下	9 （9.2）	18 （18.4）	6 （6.1）	8 （8.2）		25 （25.5）	−	98 （100）
1,000億以下	9 （10.8）	7 （8.4）	10 （12.0）	3 （3.6）		20 （24.1）	−	83 （100）
1,000億超	6 （5.5）	10 （9.2）	6 （5.5）	7 （6.4）		33 （30.3）	1 （0.9）	109 （100）
計	211 （12.6）	151 （9.0）	113 （6.7）	74 （4.4）	（略）	787 （46.8）	23 （1.4）	1,681 （100）

（商事法務研究会編「株主総会白書」〔2019〕（『旬刊商事法務』2216号89頁）より）

〈包括委任状〉

委　任　状

同志社物産株式会社の株主である私は、同社の株主である○○○氏を代理人と定め下記の権限を委任します。

令和○年６月27日開催の同志社物産株式会社の（継続会または延会を含む）に出席し、議決権を行使する一切の権限。

令和○年６月10日
株主　　住所　　京都市左京区一乗谷○丁目１番地
氏名　　有栖川　史郎　㊞
保有株式数　　××株

株式が自由に譲渡できることから、代理人の資格を株主に限定する意味は少ない。大規模会社では、代理人となる株主を探すことが困難であり、事実上株主の議決権行使の機会を奪うことになるとの見解も有力に主張されている。

〔497〕　会社が株主に対して委任状の勧誘を行う場合にも、株主総会におけ

る議決権の代理行使が行われる。会社は株主側からの動議（→518）に対処するために、包括委任状の提出を受ける。株主総会の当日に出席する株主（書面投票・電子投票により議決権を行使した株主を除く）の議決権の過半数を確保できれば動議に対応できるため（普通決議の要件→488）、比較的規模の大きな会社では、大株主から1または2通の包括委任状の提出を受けることで対処している。また、株主総会で会社に対して特定の提案を行う株主も、議決権の代理行使を求めて委任状の勧誘を行う。このような場面では、委任状合戦（プロキシー・ファイト）が展開される。委任状の勧誘が金融商品取引所に上場されている株式についてなされる場合には、金融商品取引法194条およびこれに基づく金融商品取引法施行令の規制を受ける（委任状勧誘規制）。

金商法上の委任状勧誘規制（とその違反の効果）

〔498〕　金融商品取引法では、委任状の勧誘者に、被勧誘者に対する所定の委任状用紙と参考書類の交付を義務づけている。委任状用紙には、議案ごとに賛否を記載する欄を設けなければならない。委任状勧誘規制に違反して、これらを交付せず、またはこれらに虚偽記載があるときは30万円以下の罰金に処せられる（金商205条の2の3第2号）。

〔499〕　会社の経営権を争っている株主が、株主総会の招集通知が到着する前に、全株主に対して委任状用紙および参考書類を送付して、取締役と監査役の選任についての議決権の代理行使の勧誘を行った際、会社提案にかかる候補者について、委任状用紙における賛否記載欄、参考書類における記載がなった点について、委任状と当該委任状による会社提案についての議決権行使の代理権授与の効果が争われた事例がある（東京地判平19・12・6判タ1258・69〔百選34事件〕。モリテックス事件）。判決は、委任状による委任の内容は会社提案について反対する趣旨であると解し、また、常に会社提案についても賛否を記載する必要があるとすれば、議決権行使の勧誘について会社と株主の公平を著しく害する結果となるとして、委任状勧誘規制の趣旨に反する違反はないとした。なお、本件では、Quoカードを贈呈するとしていた点について、株主に対する利益供与（→470）が問題となっている点にも留意が必要である。

⑹　書面による議決権の行使（書面投票）

〔500〕　議決権を有する株主の数が1,000人以上の会社においては、株主総会に出席しない株主は、書面によって議決権を行使することが認められる

〈議決権行使書と委任状の採用状況〉

（社数　（　）内％）

資本金(円)＼回答	議決権行使書（強制適用会社）	議決権行使書（任意採用会社）	委任状	無回答	計
5億未満	44 (86.3)	7 (13.7)	–	–	51 (100)
5億以上10億未満	81 (77.9)	18 (17.3)	3 (2.9)	2 (1.9)	104 (100)
20億以下	189 (87.9)	24 (11.2)	2 (0.9)	–	215 (100)
30億以下	135 (91.8)	12 (8.2)	–	–	147 (100)
50億以下	223 (95.7)	8 (3.4)	1 (0.4)	1 (0.4)	233 (100)
100億以下	290 (98.0)	5 (1.7)	1 (0.3)	–	296 (100)
300億以下	354 (99.2)	1 (0.3)	2 (0.6)	–	357 (100)
500億以下	98 (100)	–	–	–	98 (100)
1,000億以下	82 (98.8)	1 (1.2)	–	–	83 (100)
1,000億超	108 (98.2)	1 (0.9)	–	1 (0.9)	110 (100)
計	1,604 (94.7)	77 (4.5)	9 (0.5)	4 (0.2)	1,694 (100)

（商事法務研究会編「株主総会白書」〔2019〕（『旬刊商事法務』2216号82頁）より）

〈議決権行使書面〉

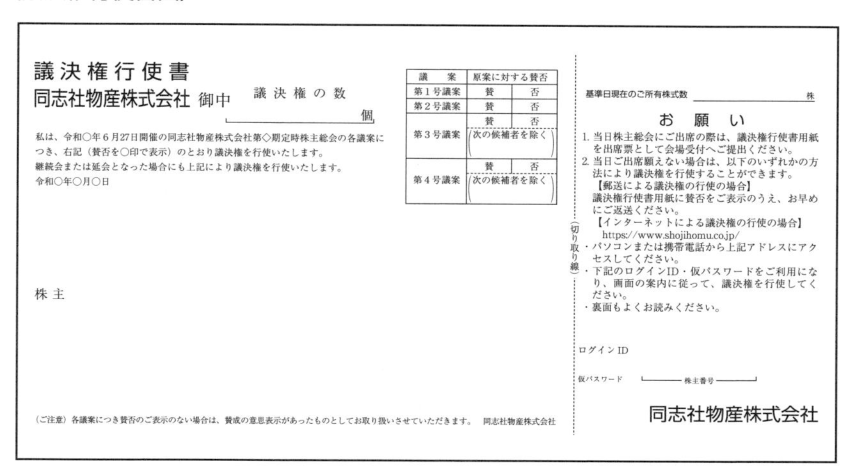

議 決 権 行 使 書

同志社物産株式会社 御中

議 決 権 の 数　　　　個

私は、令和○年６月27日開催の同志社物産株式会社第◇期定時株主総会の各議案につき、右記（賛否を○印で表示）のとおり議決権を行使いたします。
継続会または延会となった場合にも上記により議決権を行使いたします。
令和○年○月○日

議　案	原案に対する賛否	
第１号議案	賛	否
第２号議案	賛	否
第３号議案	賛	否
	（次の候補者を除く　）	
第４号議案	賛	否
	（次の候補者を除く　）	

株 主

（ご注意）各議案につき賛否のご表示のない場合は、賛成の意思表示があったものとしてお取り扱いさせていただきます。　同志社物産株式会社

（切り取り線）

基準日現在のご所有株式数　　　　株

お　願　い

1. 当日株主総会にご出席の際は、議決権行使書用紙を出席票として会場受付へご提出ください。
2. 当日ご出席願えない場合は、以下のいずれかの方法により議決権を行使することができます。
【郵送による議決権の行使の場合】
議決権行使書用紙に賛否をご表示のうえ、お早めにご返送ください。
【インターネットによる議決権の行使の場合】
https://www.shojihomu.co.jp/
・パソコンまたは携帯電話から上記アドレスにアクセスしてください。
・下記のログインID・仮パスワードをご利用になり、画面の案内に従って、議決権を行使してください。
・裏面もよくお読みください。

ログインID

仮パスワード　　株主番号

同志社物産株式会社

（298 条 1 項 3 号・2 項）。この場合は、会社は招集通知に際して、議決権の行使について参考になるべき事項を記載した書類（株主総会参考書類）および株主が議決権を行使するための書面（議決権行使書面）を交付しなければならない（301 条 1 項）。書面投票においては、議決権行使書面に必要事項を記載し、これを株主総会の前日までに会社に提出して議決権を行使する（311 条 1 項、施 69 条）。この書面によって行使した議決権の数は、出席した株主の議決権数（定足数）に算入される（311 条 2 項）。

〔501〕　金融商品取引法に基づく委任状による議決権の行使（→497）と書面投票は、それらのいずれかを選択して利用することができる。すなわち、書面投票が強制される会社で、かつ上場会社にあっては、会社が株主総会の招集通知に委任状用紙を交付して総株主に対し議決権の行使を第三者に代理させることを勧誘したときは、書面投票に関する規定は適用されない（298 条 2 項、施 64 条）。

〔502〕　以上の書面投票は、議決権を有する株主の数が 1,000 人以上の会社における株主の権利である。このような会社の株主は地域的に分散している程度が高く、株主総会に出席できない多くの株主に議決権行使の機会を与えることが必要となる。したがって、会社側に同制度の採用に選択権はない。上記の会社以外でも、取締役会非設置会社では取締役、取締役会設置会社では取締役会決議によって、株主の書面による議決権行使を認めることができる（298 条 1 項 3 号。株主に特に不利になることはないため、取締役会決議で可能となる）。その場合には、書面投票が強制される会社と同様の規制に服する。

(7)　電磁的方法による議決権の行使

〔503〕　会社は、株主総会に出席しない株主が、電磁的方法により、議決権を行使することができる旨を定めることができる（298 条 1 項 4 号）。その場合、株主総会の招集通知を電磁的方法によって受け取ることを承諾した株主に対して、議決権行使書を電磁的方法によって提供する（302 条 3 項）。電磁的方法による通知を承諾していない株主から、株主総会の会日の 1 週間前までに、議決権行使書面に記載すべき事項の提供を電磁的方法によるべきことを請求されたときは、ただちに、電磁的方法によりそれを株主に提供しなければならない

(同条４項)。電磁的方法による議決権の行使は、議決権行使書面に記載すべき事項を記録した電磁的記録に必要な事項を記録し、これを総会の会日の前日までに、電磁的方法により会社に提供して行う（312条、施70条)。

〈電子投票制度の採用と電子投票行使率〉

（社数　(　) 内％）

資本金（円）＼回答	採用した	採用していない			無回答	計
		次回の総会では採用の予定	採用の予定はない	その他		
5億未満	10 (19.6)	−	40 (78.4)	1 (2.0)	−	51 (100)
5億以上10億未満	14 (13.5)	2 (1.9)	81 (77.9)	5 (4.8)	2 (1.9)	104 (100)
20億以下	40 (18.6)	9 (4.2)	154 (71.6)	10 (4.7)	2 (0.9)	215 (100)
30億以下	39 (26.5)	9 (6.1)	88 (59.9)	11 (7.5)	−	147 (100)
50億以下	95 (40.8)	8 (3.4)	126 (54.1)	3 (1.3)	1 (0.4)	233 (100)
100億以下	166 (56.1)	11 (3.7)	110 (37.2)	9 (3.0)	−	296 (100)
300億以下	286 (80.1)	11 (3.1)	56 (15.7)	3 (0.8)	1 (0.3)	357 (100)
500億以下	93 (94.9)	1 (1.0)	4 (4.1)	−	−	98 (100)
1,000億以下	80 (96.4)	−	3 (3.6)	−	−	83 (100)
1,000億超	108 (98.2)	−	−	1 (0.9)	1 (0.9)	110 (100)
計	931 (55.0)	51 (3.0)	662 (39.1)	43 (2.5)	7 (0.4)	1,694 (100)

（商事法務研究会編「株主総会白書」〔2019〕(『旬刊商事法務』2216号82頁）より）

(8)　書面等による株主総会決議（書面決議）

〔504〕　書面投票や電磁的方法による議決権行使を採用する会社においても、株主総会を開催して、決議を行うことは必要である。これらの方法は、株主が総会当日会場に出向き、議決権行使をしなくてもよいとするものにすぎない。しかし、議題について株主全員が同意している場合にまで、株主総会を開

催することは合理的とはいえない。そこで、株主総会の決議事項について、会議を省略し、書面（または電磁的記録）をもって、議決権を行使できる総株主が提案内容に賛成の意思を表示することにより、株主総会の決議があったものとみなすことが認められている（319条1項）。これによって、いわゆる持回り決議が可能となる。報告事項についても、株主総会開催の省略が認められる（320条）。当該書面（または電磁的記録）は、本店に10年間備え置き（319条2項）、株主、親会社社員の閲覧・謄写に供される（同条3項・4項）。小規模な閉鎖会社が書面決議を活用するものと考えられるが、条文上はその利用はこれに限られない。もっとも、総株主の同意を必要とするため、書面決議を利用できる株式会社は株主数の少ない小規模会社に事実上限られる。

(9)　株主の調査

〔505〕　株主が株主総会における議決権を適切に行使するためには、会社の状況を正確に知ることが必要である。株主は、定款、株主総会および取締役会の議事録、株主名簿、計算書類およびその附属明細書などを閲覧し、謄写することができる（31条2項、318条4項、371条2項、125条2項、442条3項）。監査役設置会社、監査等委員会設置会社または指名委員会等設置会社では、取締役会の議事録の閲覧・謄写は、株主の権利行使に必要な場合に限り、裁判所の許可を得て行うことができる（371条3項）。

〔506〕　また、総株主の議決権の3%以上に当たる株式を保有している株主は、会計帳簿および関係する資料の閲覧または謄写を行うことができる（433条1項前段）。また、それらが電磁的記録をもって作られているときは、その記録された情報の内容を閲覧または謄写することとなる。会計帳簿は、会計学上の仕訳帳、元帳および補助簿、会計の資料とは、会計帳簿作成に当たって直接の資料となった書類を意味する（横浜地判平3・4・19判時1397・114〔百選A30事件〕）。この請求に際しては、理由を明らかにしなければならない（同項後段）。請求の理由は具体的に記載する必要があるものの、請求の要件として、その記載された請求の理由を基礎づける事実が客観的に存在することの立証までは必要ない（最判平16・7・1民集58・5・1214〔百選77事件〕）。

会計帳簿の閲覧の拒否事由

〔507〕　会計の帳簿および書類の閲覧または謄写を会社が拒否することのできる場合として次のものが法定されている（433条２項）。

① 請求者がその権利の確保または行使に関する調査以外の目的で請求を行ったとき。
② 請求者が会社の業務の遂行を妨げ、株主の共同の利益を害する目的で請求を行ったとき。
③ 請求者が会社の業務と実質的に競争関係にある事業を営む、またはこれに従事するものであるとき。これについて、請求者が競業をなす者であるなどの客観的事実が認められれば足り、知り得る情報を自己の競業に利用するなどの主観的意図があることまで要しないとする判例がある（最決平21・1・15民集63・1・1〔百選78事件〕）。
④ 請求者が会計帳簿またはこれに関する資料の閲覧・謄写によって知り得た事実を利益を得て第三者に通報するため請求したとき。
⑤ 請求者が、過去２年以内において、会計帳簿またはこれに関する資料の閲覧・謄写によって知り得た事実を利益を得て第三者に通報したことがあるものであるとき。

⑽　種類株主総会

〔508〕　会社が数種の株式を発行している場合（→225）、異なる種類の株主の間で権利調整が必要となる。そのために、会社法では種類株主総会が規定されている。種類株主総会は、会社法に規定する事項および定款に定めた事項に限り、決議をすることができる（321条）。

〔509〕　種類株主総会の決議には、普通決議、特別決議、特殊決議がある。普通決議は、定款に別段の定めがある場合を除き、その種類の株式の総株主の議決権の過半数を有する株主が出席し、出席した株主の議決権の過半数で行う（324条１項）。特別決議は、議決権を行使できる株主の議決権の過半数を有する株主が出席し、出席した株主の議決権の３分の２以上の賛成で行う（同条２項）。定足数は定款で３分の１まで引き下げることが可能である。また、決議要件を厳格化することもできる（一定数以上の株主の賛成を必要とする等を定めることができる）。特殊決議は、議決権を行使できる株主の半数以上であって、議決権の３分の２以上の賛成が必要となる（同条３項）。定足数や決議要件を定款で厳格化することもできる。

種類株主総会の決議が必要な場合

〔510〕 ①株式の種類の追加、株式の内容の変更、発行可能株式総数または発行可能種類株式総数の増加についての定款変更、①の2 特別支配株主からの株式売渡請求の承認、②株式の併合または株式の分割、③株式無償割当、④株式を引き受ける者の募集（202条1項の事項を定めるものに限る）、⑤新株予約権を引き受ける者の募集（241条1項の事項を定めるものに限る）、⑥新株予約権無償割当、⑦合併、⑧吸収分割、⑨吸収分割による他の会社がその事業に関して有する権利義務の全部または一部の承継、⑩新設分割、⑪株式交換、⑫株式交換によるその他の会社の発行済株式総数全部の取得、⑬株式移転、⑭株式交付を行う場合において、ある種類の株式の種類株主に損害を及ぼすおそれがあるときは、その種類の株式の種類株主を構成員とする種類株主総会の決議がなければ、その効力は生じない（322条1項各号）。かかる決議は特別決議でなされる（324条2項4号）。

〔511〕 会社は、定款の定めで、上記②から⑭の事項について、種類株主総会の決議を不要とすることができる（322条2項・3項）。もっとも、定款変更をする場合には、種類株主総会の決議を要する。この場合でも、単元株式数についての定款変更には種類株主総会の決議を不要とできる（同条3項ただし書）。ある種類の株式を発行した後に、定款を変更して、その種類の株式について種類株主総会の決議を不要とする定款の定めを設けようとするときは、その種類の種類株主全員の同意が必要となる（同条4項）。

〔512〕 さらに、⑮その種類の株式に全部取得条項を付する定款変更（111条2項）、⑯譲渡制限株式の追加発行（またはその委任。199条4項、200条4項）、⑰譲渡制限株式を新株予約権の目的とする新株予約権の発行（またはその委任。238条4項、239条4項）、⑱ある種類株主に損害を及ぼすおそれがある行為（322条1項）、⑲取締役等の選任・解任権に関する株式を発行した場合における取締役等の選任・解任（347条2項・339条1項）、⑳存続会社等における吸収合併等の承認（795条4項）、㉑株式交付計画の承認（816条の3第3項）、㉒株式の譲渡制限を新設する定款変更（111条2項）、㉓消滅会社等における吸収合併等の承認（783条3項）・消滅会社等における新設合併等の承認（804条3項）には、種類株主総会の決議が必要となる（324条2項・3項）。これらの場合は、定款で決議を不要とすることが許されない。⑮から㉑までの決議（⑲は監査役の解任決議に限る）については、特別決議を要する。㉒および㉓については、特殊決議を要する。

〔513〕 また、会社は、株主総会等において決議すべき事項について、その決議のほか、その種類株主総会の決議を要する種類株式を発行することができる（108条1項8号）。この場合、定款に規定を定める必要がある（同条2項8号）。かかる定款の定めがあるときは、その事項は種類株主総会（任意種類株主総会）の普通決議がなければ効力が生じない（323条）。

4　株主総会の議事運営

(1)　議　　長

〔514〕　株主総会の運営は、議長によって行われる。議長は、定款に定めがないときには、株主総会において選任される。多くの会社では、定款に社長が株主総会の議長となる旨の規定を置いている〈→定款14条1項〉。議長は、総会の運営を行い、総会の秩序を維持し、議事を整理する（315条1項）。議長は議事を整理するために、議長が発した命令に従わないなど総会の秩序を乱す者に対しては、これを退場させることができる（同条2項）。

(2)　取締役・監査役の説明義務

〔515〕　株主総会の議題または議案に関して株主が質問する権利は、取締役、会計参与、監査役および執行役の説明義務という形で規定されている（314条）。取締役等が、株主の質問に対して違法に説明を拒絶した場合には、株主総会の決議取消事由となる（831条1項1号）。

〈株主総会の議長と総会の主たる回答者〉

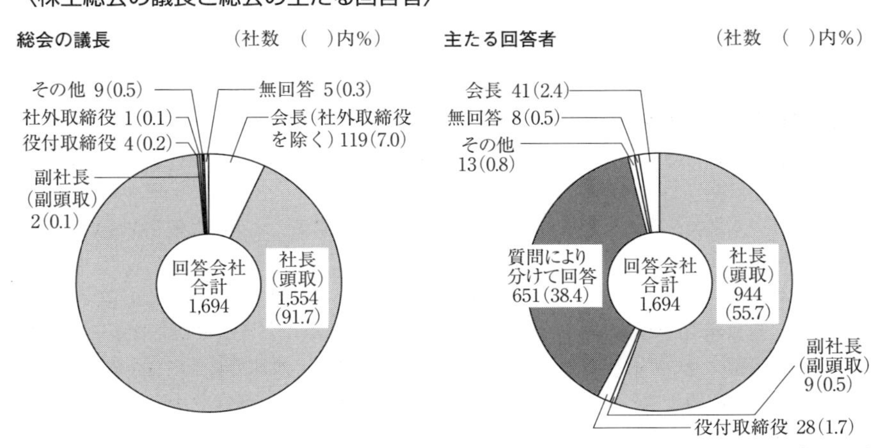

（商事法務研究会編「株主総会白書」〔2019〕（『旬刊商事法務』2216号105頁、106頁）より）

〈質問の内容〉　（複数回答）（社数）

	2017 年	2018 年	2019 年
質問なし	349（20.2%）	349（20.2%）	332（19.6%）
経営政策・営業政策	1,065（61.6%）	1,051（60.9%）	976（57.6%）
増資・資金調達	63（3.6%）	81（4.7%）	48（2.8%）
株価動向	240（13.9%）	294（17.0%）	376（22.2%）
配当政策・株主還元	509（29.4%）	503（29.1%）	496（29.3%）
財務状況	342（19.8%）	333（19.3%）	334（19.7%）
政策保有株式関係	30（1.7%）	45（2.6%）	36（2.1%）
役員の指名関係	117（6.8%）	129（7,5%）	121（7.1%）
役員報酬・賞与	119（6.9%）	113（6.5%）	159（9.4%）
役員退職慰労金	17（1.0%）	16（0.9%）	11（0.6%）
役員の兼務の状況	10（0.6%）	18（1.0%）	21（1.2%）
社外役員・独立役員関係	121（7.0%）	120（6.9%）	135（8.0%）
役員の構成関係	131（7.6%）	160（9.3%）	143（8.4%）
取締役会の実効性評価関係	12（0.7%）	11（（0.6%）	14（0.8%）
政治献金・寄付金	3（0.2%）	3（0.2%）	4（0.2%）
株主総会の運営方法等	153（8.8%）	157（9.1%）	145（8.6%）
リストラ・人事・労務	335（19.4%）	318（18.4%）	350（20.7%）
環境問題・社会貢献	108（6.2%）	139（8.0%）	146（8.6%）
ESC・SDGs 関係	--	57（3.3%）	83（4.9%）
子会社・関連会社関係	263（15.2%）	253（14.6%）	256（15.1%）
クレーム・事件・事故	173（10.0%）	164（9.5%）	172（10.2%）
内部統制状況・リスク管理体制	160（9.2%）	177（10.2%）	148（8.7%）
監査役等の関係	37（2.1%）	35（2.0%）	47（2.8%）
会計監査人関係	33（1.9%）	13（0.8%）	21（1.2%）
買収防衛策	24（1.4%）	25（1.4%）	21（1.2%）
機関設計関係	20（1.2%）	15（0.9%）	17（1.0%）
景気の不透明感・地政学リスク	--	--	133（7.9%）
その他	378（21.8%）	391（22.6%）	388（22.9%）
無回答	15（0.9%）	19（1.1%）	11（0.6%）
回答社数	1,730（100%）	1,727（100%）	1,694（100%）

（商事法務研究会編「株主総会白書」〔2017・2018・2019〕（『旬刊商事法務』2151 号 128～129 頁、2184 号 130～131 頁、2216 号 136～137 頁）より作成）

説明を拒否できる場合

〔516〕　取締役等は、次の場合には説明を拒否することができる（314 条ただし書、施 71 条）。

① 株主が説明を求めた事項がその株主総会の会議の目的たる事項と関係がないとき

② 説明をすることによって株主の共同の利益を著しく害するとき

③ 株主が説明を求めた事項について説明をするために調査をすることが必要である場合（当該株主が総会の日より相当の期間前に当該事項を会社に対して通知した場合、当該事項について説明をするために必要な調査が著しく容易である場合を除く）

④ 株主が説明を求めた事項について説明をすることにより会社その他の者の権利を侵害することとなる場合

⑤　株主がその株主総会において実質的に同一の事項について繰り返して説明を求める場合
⑥　これらのほか、株主が説明を求めた事項について説明をしないことにつき正当な事由がある場合

〔517〕　取締役等の説明義務は、株主総会において説明を求められて初めて生じるものである。そのため、質問状の提出があっただけでは、説明義務は発生しない。他方で、説明義務は、株主が議案を合理的に判断できる客観的な範囲の説明であれば足り、複数の株主の質問について一括して説明することも許される（東京高判昭61・2・19判時1207・120〔百選35事件〕）。株主からの質問があった場合、回答者は議長が指名する（議長の裁量）。質問によって回答者を分担する例もあるが、社長（議長）が回答を行うことが多い。

⑶　株主の動議提出権

〔518〕　株主は、株主総会の場において、一定の事項について総会の決議を求めることを要求することができる。すなわち、株主は、議案の修正を行う動議を提出し、議事進行に関して、討議の打切り、休憩、総会の延期・続行などの動議を提出することができる。株主から動議が出された場合、それを認めるかどうか、株主総会の決議をとらなければならない。このような事態に備えて、大株主から包括委任状を得ておく実務も行われている（→497）。

⑷　採　　決

〔519〕　議案についての審議が終われば、採決が行われる。会社法には採決の方法について特別の規定はない。採決は、必ずしも、投票で行う必要はなく、挙手、起立などの方法でもよい。
〔520〕　平成22年3月期決算に関する総会（6月総会）から、議決権行使結果の開示が義務づけられることとなった。すなわち、有価証券報告書を提出しなければならない会社のうち、上場会社は、株主総会において決議事項が決議された場合、①株主総会が開催された年月日、②決議事項の内容、③決議事項に対する賛成・反対または棄権の意思表示にかかる議決権の数、決議事項が可

〈採決の方法〉

（複数回答）（社数（　）内％）

資本金(円)＼回答	拍手	挙手	書面投票	電子投票	その他	無回答	回答社数
5億未満	50 （98.0）	−	−	−	−	1 （2.0）	51 （100）
5億以上10億未満	99 （95.2）	1 （1.0）	−	−	3 （2.9）	1 （1.0）	104 （100）
20億以下	210 （97.7）	5 （2.3）	−	−	−	−	215 （100）
30億以下	145 （98.6）	4 （2.7）	−	−	2 （1.4）	−	147 （100）
50億以下	228 （97.9）	2 （0.9）	3 （1.3）	2 （0.9）	−	1 （0.4）	233 （100）
100億以下	286 （96.6）	9 （3.0）	4 （1.4）	2 （0.7）	1 （0.3）	−	296 （100）
300億以下	349 （97.8）	2 （0.6）	3 （0.8）	2 （0.6）	6 （1.7）	2 （0.6）	357 （100）
500億以下	95 （96.9）	3 （3.1）	−	−	−	−	98 （100）
1,000億以下	82 （98.8）	2 （2.4）	1 （1.2）	−	−	−	83 （100）
1,000億超	101 （91.8）	9 （8.2）	−	−	1 （0.9）	1 （0.9）	110 （100）
計	1,645 （97.1）	37 （2.2）	11 （0.6）	6 （0.4）	13 （0.8）	6 （0.4）	1,694 （100）

（商事法務研究会編「株主総会白書」〔2019〕（『旬刊商事法務』2216号110頁）より）

〈議決権行使結果の開示〉

株式会社LIXILグループの例（令和元年６月25日開催の定時株主総会）

臨時報告書

1【提出理由】

① 2019年6月25日開催の当社第77回定時株主総会において、決議事項が決議されましたので、金融商品取引法第24条の5第4項及び企業内容等の開示に関する内閣府令第19条第2項第9号の2の規定に基づき、本臨時報告書を提出するものであります。

② また、同定時株主総会において、2019年6月21日提出の第77期（自　2018年4月1日　至　2019年3月31日）有価証券報告書に記載した決議事項が修正されましたので、金融商品取引法第24条の5第4項及び企業内容等の開示に関する内閣府令第19条第2項第9号の3の規定に基づき、本臨時報告書を提出するものであります。

③ さらに、同定時株主総会終結後に開催された取締役会（2019年6月25日開催）において、代表執行役の異動について決議いたしましたので、金融商品取引法第24条の5第4項及び企業内容等の開示に関する内閣府令第19条第2項第9号の規定に基づき、本臨時報告書を提出するものであります。

2【報告内容】

① 株主総会における決議（企業内容等の開示に関する内閣府令第19条第2項第9号の2）

(1)　定時株主総会が開催された年月日
2019年６月25日

(2)　当該決議事項の内容

［会社提案］

第１号議案　取締役８名選任の件
取締役として、内堀民雄、河原春郎、カート・キャンベル（Kurt M. Campbell)、竹内洋、福原賢一、松﨑正年、三浦善司及び大坪一彦を選任する。

［会社提案・株主提案］

第２号議案　取締役２名選任の件
取締役として、鬼丸かおる及び鈴木輝夫を選任する。

［株主提案］

第３号議案　取締役６名選任の件
取締役として、西浦裕二、濱口大輔、伊奈啓一郎、川本隆一、吉田聡及び瀬戸欣哉を選任する。

(3)　決議事項に対する賛成、反対及び棄権の意思の表示に係る議決権の数、当該決議事項が可決されるための要件並びに当該決議の結果

決議事項	賛成数（個）	反対数（個）	棄権数（個）	賛成率（％）	決議結果
第１号議案					
内堀　民雄	1,367,426	961,538	33,127	57.89	可決
河原　春郎	1,216,358	1,112,595	33,134	51.50	可決
カート・キャンベル（Kurt M. Campbell）	1,254,935	1,073,932	33,224	53.13	可決
竹内　洋	1,048,490	1,280,335	33,258	44.39	否決
福原　賢一	1,061,067	1,267,805	33,212	44.92	否決
松﨑　正年	1,239,036	1,089,898	33,154	52.46	可決
三浦　善司	1,211,689	1,117,572	32,826	51.30	可決
大坪　一彦	1,211,371	1,119,199	31,518	51.28	可決
第２号議案					
鬼丸　かおる	2,230,906	113,722	17,435	94.45	可決
鈴木　輝夫	2,230,486	114,133	17,444	94.43	可決
第３号議案					
西浦　裕二	1,227,127	1,111,612	23,326	51.95	可決
濱口　大輔	1,524,648	800,290	37,133	64.55	可決
伊奈　啓一郎	1,387,576	963,680	10,808	58.74	可決
川本　隆一	1,200,069	1,152,211	9,790	50.81	可決
吉田　聡	1,214,294	1,137,866	9,910	51.41	可決
瀬戸　欣哉	1,268,660	1,084,380	9,026	53.71	可決

（注）各議案が可決されるための要件は、議決権を行使することができる株主の議決権の３分の１以上を有する株主の出席および出席した当該株主の議決権の過半数の賛成であります。

決されるための要件ならびに当該決議の結果などを記載した臨時報告書を提出しなければならない（金商24条の５第４項、開示府令19条２項９号の２)。臨時報告書は、金融庁のEDINETで閲覧することができる。

⑸　議 事 録

〔521〕　株主総会の議事については、法務省令で定めるところにより議事録を作成しなければならない（318条1項）。この議事録は10年間会社の本店（その謄本は5年間支店）に備え置かれる（同条2項。なお3項参照）。株主および債権者は、会社の営業時間内に、議事録の閲覧・謄写を求めることができる（同条4項）。会社の親会社社員（従業員ではなく、株主等を意味する）は、その権利を行使するために必要があるときは、裁判所の許可を得て、議事録の閲覧・謄写の請求ができる（同条5項）。

⑹　延会と続会

〔522〕　株主総会を招集したものの、定足数が必要な決議においてその定足数を確保することができなかった場合には、その総会において総会の延期の決議（延会の決議）を行うことができる。この決議は普通決議で行うことができるため、普通決議の定足数を定款で排除している会社（→488）では、この決議は出席した株主の議決権の過半数で行われる。また、株主総会の議事が終了しないような場合には、会議を中断し、後日引き続き審議を行う決議（続会の決議）を行うことができる。この決議も普通決議で行われる。これらの決議により後日開催される株主総会については、改めて招集手続をとる必要はない（317条）。

⑺　総会検査役と調査者

〔523〕　会社または特定の要件を満たす株主は、株主総会の招集の手続と決議の方法を調査させるため、総会前にあらかじめ検査役の選任を裁判所に請求することができる（総会検査役。306条）。これは、総会の混乱が予想される場合などに、後日、決議の手続的瑕疵などを理由とした訴訟が提起されることに備えて、証拠を残すために利用されるものである。検査役には通常、弁護士が選任される。検査役の選任を請求できる株主は、1％以上の議決権を有する者である（同条1項）。公開会社では、6月の継続保有が要件とされる（同条2項）。検査役は、調査の結果を裁判所に報告し、裁判所は、必要があると認めるとき

は、株主総会の招集を命じることができる（307条1項1号）。調査の結果の株主への通知を命じることもある（同項2号）。この調査結果の通知を受けて、株主総会の決議に瑕疵があると判断した株主は、決議取消しの訴え等を提起することができる。

〔524〕　株主総会においては、その決議で、取締役、会計参与、監査役、監査役会および会計監査人が株主総会に提出・提供した資料を調査する者を選任することが認められている（316条1項）。少数株主により招集された株主総会においては、その決議で、会社の業務および財産の状況を調査する者を選任できる（同条2項）。

5　株主総会決議の瑕疵

〔525〕　株主総会決議に瑕疵があるときは、この決議には原則として法律効果を認めるべきではない。他方で、株主総会決議は多くの利害関係者に重大な影響を及ぼす。そのために、会社法は、決議の瑕疵の程度に応じて、それが決議の取消原因となる場合と決議の無効・不存在の原因となる場合とを定めている。種類株主総会決議についても同様の規制がある。

(1)　決議の取消し

〔526〕　会社法は、株主総会の決議の取消事由を定めている（831条1項）。株主総会の決議に取消事由がある場合、決議はいったん有効に成立するが、取消しの判決が出された場合、それは遡及的に無効となる。決議の取消原因には以下のものがある。

①　(i)(a)株主総会の招集の手続または(b)決議の方法が法令もしくは定款に違反するとき、または(ii)(a)株主総会の招集の手続または(b)決議の方法が著しく不公正なとき

②　株主総会の決議の内容が定款に違反するとき

③　株主総会の決議について特別利害関係人が議決権を行使したことにより、著しく不当な決議がなされたとき

〔527〕　①(i)(a)の招集手続の法令もしくは定款違反には、取締役会の決議に

基づかない招集の場合、一部の株主に対して招集通知がなされていない場合（→476）、招集通知期間が不足する場合（→476）などが該当する。判例・多数説は、他の株主に対する招集手続に瑕疵があった場合、その対象となった株主以外（招集通知を受け取っていた株主）も決議取消しの訴えを提起できると解している（最判昭42・9・28民集21・7・1970〔百選36事件〕）。①(i)(b)の決議の方法の法令もしくは定款違反には、法律または定款に定める定足数を欠く決議がなされた場合（→488、489）、株主またはその代理人以外の者が決議に参加した場合（→495）、株主総会における取締役または監査役の説明不足の場合（→515）などが該当する。さらに、①(ii)(a)(b)の招集手続または決議の方法の著しい不公正には、総会の当日に会場を変更し、株主の出席を困難にして決議がなされた場合、暴行脅迫を用いて決議を成立させた場合などがこれに該当する。

〔528〕　②の決議内容の定款違反も取消事由となる。昭和56年改正前の商法では、「決議ノ内容ノ法令又ハ定款ニ違反」は決議の無効原因とされていた。しかし、この定款違反の決議は、総会決議でその定款を変更した上で決議をすれば違反はなかったこととなり、広い意味で手続上の瑕疵と考えられる。さらに、定款は、会社内部の自治規則であるから、その違反を主張できるのは、会社の構成員に限られるべきであり、決議取消しにおける訴訟適格を適用することが適当である。そのため、昭和56年の改正で、決議内容の定款違反は決議内容の法令違反と区別して取消原因となった。

〔529〕　③の特別利害関係人の議決権行使による著しい不当決議があった場合も決議を取り消すことができる。昭和56年の改正前まで、特別利害関係人には議決権行使が認められなかった。しかし、株主総会の議決権行使は、株主の重要な権利である。そこで、同年の改正で、特別利害関係人に議決権行使を認めた（現行法において、その例外として、自己株式の取得に関する決議がある→361）。他方で、特別利害関係人による議決権行使によって、他の株主に不利益が及ぶ危険性がある。そこで、特別利害関係人に議決権行使を認めたことと関連して、それにより著しい不当な決議がなされたことが決議取消原因と定められた。合併の当事者（株主）が、これに関する株主総会で議決権を行使した結果、他の株主にとって、著しく不利な合併契約が承認された場合、取締役

の民事責任が追及されているなか、その責任を一部免除する決議を株主総会で決議した場合などが、これに該当する。

〔530〕　株主総会決議の取消しを求める訴えは、株主等（監査役設置会社にあっては、株主、取締役、監査役など）のみが提起することができる（831条1項）。株主総会決議による株主の地位を奪われた株主（たとえば、キャッシュ・アウト）も、決議が取り消されれば株主の地位を回復する可能性がある。そのため、このような株主にも決議の取消しの原告適格を認めるべきである（東京高判平22・7・7判時2095・128）。平成26年の改正で、このことが明定された。

〔531〕　取締役選任の株主総会決議の取消訴訟が係属中に、その決議により選任された取締役がすべて任期満了により退任し、その後の株主総会において新たな取締役が選任された場合、特段の事情がない限り、決議取消しについて訴えの利益を欠くとした判例がある（最判昭45・4・2民集24・4・223〔百選38事件〕）。また、判例は、計算書類承認に関する株主総会決議の取消訴訟が係属中に、その後の決算期の計算書類の承認決議がなされても、当該計算書類の承認の再決議がなされた等の特別の事情がない限り、決議取消しの訴えの利益は失われないとしている（計算書類の承認決議が取り消されたときは、その計算書類は未確定となり、それを前提とする次期以降の計算書類の記載内容も不確定となる。最判昭58・6・7民集37・5・517〔百選39事件〕）。

〔532〕　瑕疵がある場合でも、いたずらに不安定な状態を継続させると会社関係者に大きな影響を与えることになる。そのため、決議取消しの訴えについては訴訟提起期間が3月に制限されている（831条1項）（期間内に提起された訴

〈決議の取消事由と無効事由〉

<table>
<tr><td rowspan="3">取消事由</td><td>手続の瑕疵</td><td>(a)招集手続の法令違反
(b)招集手続の定款違反
(c)招集手続の著しい不公正
(d)決議の方法の法令違反
(e)決議の方法の定款違反
(f)決議の方法の著しい不公正</td></tr>
<tr><td>その他の瑕疵</td><td>(g)特別利害関係人による議決権行使（＋不当な決議）</td></tr>
<tr><td rowspan="2">内容の瑕疵</td><td>(h)決議の内容の定款違反</td></tr>
<tr><td>無効事由</td><td>(i)決議の内容の法令違反</td></tr>
</table>

裁量棄却　(a)(b)(d)(e)＋違反事実が重要でない＋決議に影響がない

訟において、期間経過後に新たな取消事由を追加することもできない。最判昭51・12・24民集30・11・1076〔百選37事件〕）。決議取消しの判決が確定した場合には、その判決は訴訟当事者のみならず、第三者に対しても効力を有する（838条）。これは多数の利害関係者に対して画一的に効力を生じさせるためのものである。

〔533〕　①(i)の招集手続、決議の方法が法令もしくは定款に違反する場合であって、その違反する事実が重大でなく、かつ決議に影響を及ぼさないと裁判所が認めるときに限り、裁判所はその裁量により請求を棄却することができる（831条2項）。これを裁量棄却の制度という。判例は、株主総会の招集手続などの瑕疵が重大である場合は、その瑕疵が決議の結果に及ぼす影響の有無とは無関係に、裁量棄却が認められないとしていた（最判昭46・3・18民集25・2・183〔百選40事件〕）。現行法の規定も（昭和56年改正）、決議への影響度に加えて瑕疵の重大性を問題としている。

(2)　決議の無効と不存在

〔534〕　決議の内容が定款に違反する場合には決議の取消事由となる（→528）。これに対して、決議の内容が法令に違反する場合は、決議無効確認の訴えの原因となる（830条2項）。これには、たとえば、会社法461条に違反する配当決議（粉飾決算）がなされた場合（→826）などがある。

〔535〕　また、株主総会がまったく開かれなかった場合、あるいは開かれたとしても、決議の手続的瑕疵の程度が著しいために、決議が存在したとは考えられないような場合には、会社法は、取消しという手段ではなく、別に決議不存在の訴えの制度を設けている（830条1項）。株主総会が開催されていないのに開催された旨の登記がなされているような場合あるいはほとんどの株主に招集通知が発せられなかった場合などが決議不存在の訴えの理由となる。

〔536〕　取締役の選任決議が不存在である場合、その後の取締役選任決議は原則として連鎖的に不存在になるとする判例がある（もっとも、本件は、小規模同族会社の事例であった。なお、例外的に、ある段階で取締役の選任決議が全員出席総会における決議として有効に成立した場合、この不存在の連鎖が遮断される。最判平2・4・17民集44・3・526〔百選41事件〕）。また、閉鎖的会社（有限会社の事例）において、支配的地位にあった者が、持分の譲渡（対価を受けている）の承認

決議および取締役選任決議につき、不存在の確認の訴えを提起することが訴権の濫用とされた事例もある（最判昭53・7・10民集32・5・888〔百選42事件〕）。

〔537〕　決議無効および不存在の主張については、それを主張する者の範囲を制限する規定は存在しない。また、訴えの提起期間の制限もない。これらの点は、決議取消しの場合と異なる。ただし、決議無効および不存在の確認判決の効力は、訴訟当事者のみならず第三者にも及ぶ（838条）。瑕疵が無効原因となるのか取消原因となるのか、その区分が明確でない場合もある。決議無効確認の訴えにおいてその瑕疵が取消原因に該当し、取消訴訟の出訴期間は経過しているもののその他の取消訴訟の要件を満たしている場合、無効確認の訴えの提起の時から取消しの訴えが提起されているものと扱うことができるとした事例がある（最判昭54・11・16民集33・7・709〔百選43事件〕）。

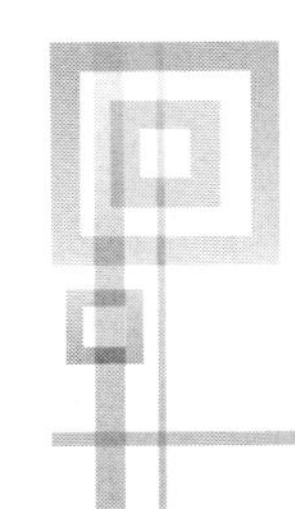

第３節　取締役・取締役会

1　日本の株式会社の経営の実態

〔538〕 平成17年の会社法制定前までは、株式会社では取締役会の設置が義務づけられていた。取締役会制度が設けられた趣旨は、取締役間での討議により、取締役の能力を結集して、適切な会社経営を行わせるところにあった。ところが、日本の大規模株式会社の中には、機動的な意思決定を行うために、取締役会とは別に、特定の取締役により構成される常務会等を設けるものがあった。しかし、取締役会が常務会等の決定を形式的に承認するだけの機能しかもたないような場合には、取締役会は形骸化することとなる。

〔539〕 会社法制定後も一定の会社については取締役会の設置が必要である（→458）。取締役会が設置される会社では、株式会社の業務執行に関する決定は、原則として取締役会によってなされる。この意思決定の実際の執行は、取締役会で選定された代表取締役または業務担当取締役が行う（363条１項）。また、日常の業務執行の決定はこの代表取締役に委ねられる。代表取締役は、会社の代表権を有している（指名委員会等設置会社では、業務執行は執行役、会社の代表は代表執行役が行う）。

〔540〕 代表取締役社長など特定の者が会社の実権を有している場合にも、取締役会が形骸化する。日本のほとんどの会社では、取締役会の構成員は、従業員から昇進した内部取締役で占められてきた。このために、これらの取締役は社長の独断を阻止することができないことが懸念されている。

〔541〕 他方で、日本の社内取締役制度は、取締役間の意思統一が容易であるという利点だけでなく、会社の従業員に昇進の機会を与え、その士気を高揚させるという利点もある。このため、従来、日本の会社では取締役の数は多数

に及び、このことが、取締役会の形骸化を招いていた。

〔542〕　従業員を兼任する取締役（いわゆる使用人兼務取締役）も存在した。使用人兼務取締役は、一方で、取締役として代表取締役を監視する役割を担い（→591）、他方で、使用人として代表取締役の指揮監督下にあるという矛盾した地位にある。このような事態を回避するため、実務上、執行役員制度を設ける会社が増加した（指名委員会等設置会社の執行役と異なることに注意を要する）。執行役員制度は、会社法が直接に規定するものでないために、各社が導入しているものにはさまざまなものが見られる。執行役員は、代表取締役などから業務執行を委ねられた使用人と位置づけするものが多い。取締役の員数を減らすために、従来の使用人兼務取締役などを執行役員とするのが典型的なものである。取締役会の人数を減少させることにより、取締役会における重要な意思決定についてのスピードアップが可能となる。さらに、執行役員は、業務執行に専念することができる。また、業務執行を真に監督できる者のみを取締役とすることにより、取締役会による監督機能の実効性を高めることが期待されている（もっとも、執行役員と取締役を兼務するケースも少なくない）。

〔543〕　取締役の数（上限）を定款で定める会社も多い〈→定款18条〉。取締役の人数は減少傾向にある。東証上場会社全社では、平均8.28名であった（東京証券取引所「東証上場会社コーポレート・ガバナンス白書2019」73頁）。会社の規模が大きくなるほど、取締役の人数が増えている。

〈執行役員制度導入状況〉

（社数）

	全体	上場	非上場	大会社	大会社以外
執行役員制度あり	2,002 （63.3%）	1,027 （77.1%）	975 （53.2%）	1,549 （70.9%）	436 （46.1%）
取締役兼務あり	1,244 （39.3%）	701 （52.6%）	543 （29.6%）	1,052 （48.1%）	188 （19.9%）
取締役兼務なし	758 （23.9%）	326 （24.5%）	432 （23.6%）	497 （22.7%）	248 （26.2%）
執行役員制度なし	1,163 （36.7%）	305 （22.9%）	858 （46.8%）	637 （29.1%）	510 （53.9%）
回答社数	3,165 （100.0%）	1,332 （100.0%）	1,833 （100.0%）	2,186 （100.0%）	946 （100.0%）

（日本監査役協会「役員等の構成の変化などに関する第20回インターネット・アンケート集計結果―監査役（会）設置会社版」〔2020年5月18日〕25頁より）

〈取締役の人数（連結売上高別）〉

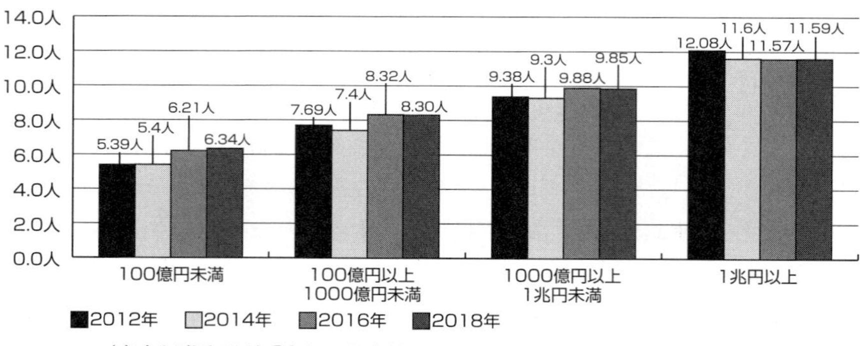

（東京証券取引所「東証上場会社コーポレート・ガバナンス白書 2019」74 頁より）

〈取締役の年齢と在任期間〉

	年齢（歳）	在任期間（年）
代表取締役	60.2	14.6
取締役	56.6	6.1
社外取締役	62.3	3.9
監査役（社内）	63.0	7.0
社外監査役	63.0	6.1
代表取締役にかかる在任期間	–	9.3
全取締役	58.9	7.4
全監査役	63.0	6.2
全社内役員	58.9	7.8
全社外役員	62.9	5.4

（コーポレート・プラクティス・パートナーズ編著『上場会社におけるコーポレート・ガバナンスの現状分析〔平成 27 年版〕』別冊商事法務 398 号〔2015〕５～６頁より）

〔544〕　取締役の平均年齢は 58.9 歳という統計がある。もっとも、代表取締役に限れば、平均年齢は 60.2 歳となる（代表権を有しない社内取締役の平均年齢は 56.6 歳）。また、同じ統計によれば、取締役の平均在任期間は 6.1 年であった。これに対して、代表取締役の在任期間は 9.3 年であった（代表取締役の取締役としての在任期間は 14.6 年）。企業規模の拡大とともに、取締役の平均年齢が高くなり、取締役の在任期間が短くなる傾向がある。

〔545〕　会社の役員には、会長、社長、専務、常務などの肩書が付与されることが通例である。これらの肩書は会社法上のものでなく、会社の内部的職制

にすぎない。会社の代表権を有するかどうかは、これらの肩書と無関係である（もっとも、通常は、社長は代表取締役である。表見代表取締役制度→603）。これらの名称とは別に、近年、CEOやCFOといった肩書が使用されることが増えている。前者は最高経営者（Chief Executive Officer）、後者は最高財務責任者（Chief Financial Officer）を意味する。米国においては、取締役会などにおいて選任された役員（officer）が会社の経営を行い、経営の責任者と財務の責任者をCEO、CFOとよんでいる。日本において、これらの名称が使われていても、その権限や責任に法的な裏づけはない。法制度上は、上記の社長等と同様に、会社内の職制の名称にすぎない。

〔546〕　近年、社外取締役が注目されている（→51-53）。上述のように、日本の会社の取締役の多くは、従業員から昇進した内部取締役である。外部の目から経営者への助言を行うこと、さらに、代表取締役に対して、毅然とした態度で意見を述べることが、これらの社外役員に期待されている。もっとも、後者の役割を果たすためには、単なる「社外」ではなく、代表取締役から「独立」した役員であることが必要である。しかし、会社と無関係で有能な人材を探すことは容易ではないというジレンマを抱えている（社外取締役の定義→553-555）。

2　取締役の選任と終任

(1)　取締役の選任

〔547〕　取締役は株主総会の普通決議によって選任される（329条1項）。取締役が欠けた場合または法令・定款で定めた員数を欠くこととなるときに備えて、補欠の取締役を選任することができる（同条3項）。就任した取締役の氏名は登記される（911条3項13号）。

〔548〕　日本の多くの会社では、株主総会の普通決議における定足数が定款により排除されている（→488）〈→定款16条1項〉。しかし、取締役の選任決議に当たっては、定款の定めをもってしても定足数を総議決権の3分の1未満に引き下げることは認められない（341条）〈→定款19条2項〉。

〔549〕 同じ株主総会で２名以上の取締役選任の決議を行う場合には、定款に別段の定めがない限り、累積投票の方法を採用することができる（342条１項）。累積投票とは、株主は１株につき、選任すべき取締役の数と同数の議決権を与えられるものである。この制度では、株主はその議決権を１人に集中して投票するか、または数人に分割して投票するかを選択することができる（同条３項）。株主は総会会日の５日前までに書面をもって累積投票を行うことを請求することができる（同条２項）。しかし、実際上は、大規模会社の多くで定款により累積投票制度は排除されている（中小企業では、このような定款規定を置かないものも見られる）〈→定款19条３項〉。

〔550〕 監査役会設置会社（公開会社で大会社であるもの）であって、有価証券報告書の提出会社であるものは、社外取締役を置かなければならない（327条の２）。公開会社で大会社であるものは、株主構成が頻繁に変動することや会社の規模も大きく、社外取締役による業務執行者に対する監督の必要性が高く、また、会社の規模から、そのコストを負担できる会社であると判断された。さらに、有価証券報告書の提出会社は、株式を上場している会社または株主数が1,000名以上である会社であり（金商24条１項）、不特定多数の株主が存在する可能性が高く、社外取締役による業務執行者に対する監督の必要性が特に高いと考えられた。

〔551〕 社外取締役の設置の義務づけは令和元年の改正で行われた。それまでは、上記の会社が社外取締役を置いていない場合は、取締役は、定時株主総会において「社外取締役を置くことが相当でない理由」を説明しなければならないものとされていた（改正前327条の２）。説明義務の内容は、社外取締役を「置かない理由」ではなく、「置くことが相当でない理由」である。社外取締役には、何らかの効用が認められる（効用の程度は別として）。したがって、それを置くことが相当でない場合は、限定されたものとならざるを得ない。そのため、事実上、社外取締役の設置を強制するといった効果があった（社外取締役の選任が進んでいる状況→53）。このような状況のもと、令和元年の改正では、社外取締役の設置を義務づけることとした。社外取締役の選任の義務づけは、現状の追認とも言えるが、日本の資本市場の信頼性確保のため、独立した客観的な立場からの監督機能を法的規律により強制していることを明確にした点で

意義がある。

〔552〕 東京証券取引所は、上場規程を平成26年に改正し、上場会社は、取締役である独立役員（独立社外取締役）を少なくとも１名以上確保するように努めなければならない旨の規定を設けている（上場規程445条の4）（→53）。さらに、コーポレートガバナンス・コードは、独立社外取締役を２名以上選任することを求めている（→53）。

「社外取締役」の定義

〔553〕 社外取締役は、株式会社の取締役であって、次の要件のいずれにも該当するものをいう（2条15号）。

① 会社（または子会社）の「業務執行取締役等」（業務執行取締役〔→600〕、執行役、支配人その他の使用人をいう）でなく、かつ、その就任の前10年間当該会社（または子会社）の「業務執行取締役等」であったことがないこと

② 就任前10年内に、会社（または子会社）の取締役、会計参与または監査役であった者は、その就任前10年内に、会社（または子会社）の業務執行取締役等であったことがないこと

③ 会社の親会社等（自然人の場合）または親会社等の取締役、執行役、使用人その他の使用人でないこと

④ 会社の親会社等の子会社等（兄弟会社等に該当する）の業務執行取締役等でないこと

⑤ 会社の取締役、執行役、支配人その他の重要な使用人または親会社等（自然の場合）の配偶者、二親等以内の親族でないこと

〔554〕 ①により、過去10年間に、業務執行取締役等の一定の役職に就いていた場合、社外性が否定される。過去10年間に業務執行取締役等の地位になかった場合でも、②のように、当該期間に会社（子会社）との間に一定の関係があったものについては、その関係の開始前10年間における役職を見て社外性の判断がなされることになる。たとえば、株主総会の日（社外取締役への就任が問題となる日）から遡り10年内に、会社の監査役であった者については、「監査役就任日から遡り10年内」に業務執行取締役であった場合、社外取締役に就任することができない。これは、業務執行取締役等であった者が、これを辞めた後10年を経過しない間に、業務執行取締役以外の取締役、監査役となった場合には、たとえ、①の要件を満たしたとしても、社外取締役の機能を十分果たすほど業務執行者からの影響力が希薄化したとはいえないと判断されたことによる。

〔555〕 平成26年の改正で、③④親会社等、兄弟会社等の関係者、⑤近親者でないことが「社外性」の要件となった（要件の厳格化）。他方で、改正前まで、会社等の取締役

等であれば社外性を失うものとされていたが、①②において、10年間空白期間があれば社外取締役になれることになった（要件の緩和）。なお、東証の「独立社外取締役」の定義では、取引関係（経済的利害関係）のないことが要件となっているが（上場管理等に関するガイドラインⅢ 5.⑶の２）、会社法の「社外取締役」では、かかる要件はない。

⑵　取締役の資格

〔556〕　取締役はその会社の株主であることを要しない。さらに、公開会社では、定款の定めをもってしても、会社は取締役の資格を株主に限定することはできない（331条2項本文)。取締役の資格を株主に限定することを認めない趣旨は、取締役には広く適材を求めるべきと考えられてきたことによる。しかし、公開会社でない会社では、株主の変動が生じることはまれで、かつ、このような会社では、取締役が大株主であるものが多い。このような実態に着目して、会社法では、公開会社については、これまでの立場を維持しながら、公開会社以外の会社については、定款で定めることで、取締役の資格を株主に制限することを認めることとした（同項ただし書。このような会社では、所有と経営が一致する)。また、会社の監査役は、会社またはその子会社の取締役等を兼任することはできない（335条2項)。監査する側と監査される側が同じであれば、適正な監査は期待できない。

〔557〕　取締役になれない事由は法定されている（これを取締役の欠格事由という)。欠格事由としては次のものがある（331条1項)。

①　法人

②　会社法もしくは一般社団法人法及び一般財団法人に関する法律の規定に違反しまたは金融商品取引法・民事再生法・外国倒産処理手続の承認援助に関する法律・会社更生法・破産法に規定する一定の罪を犯し、刑に処せられ、その執行を終わりまたはその執行を受けることがなくなった日から２年を経過しない者

③　②に規定する罪以外の罪により、禁錮以上の刑に処せられ、その執行を終わるまでまたはその執行を受けることがなくなるまでの者（執行猶予期間中の者は除外される）

〔558〕　従来から法人は取締役になれないと解されていた。会社法では、①

でこの点を明確にした。また、平成17年改正前の商法では、「破産ノ宣告ヲ受ケ復権セザル者」を欠格事由と定めていた（改正前商254条ノ２第２号）。しかし、債務者に再度の経済的再生の機会を早期に与えることが有益であるとの判断から、会社法では、このような欠格事由は削除された。なお、成年被後見人が取締役に就任するには、その成年後見人が、成年被後見人の同意を得たうえで、成年被後見人に代わって就任の承諾をする必要がある（331条の２第１項）。また、被保佐人が取締役に就任するには、その保佐人の同意を得なければならない（同条２項）。

(3)　取締役の任期

〔559〕　取締役の任期は、選任後２年以内に終了する事業年度のうち最終のものに関する定時株主総会の終結の時までである（原則２年。332条１項本文）。

〈上場会社の取締役の任期〉

定款上の取締役の任期（連結売上高別・監査役会設置会社）

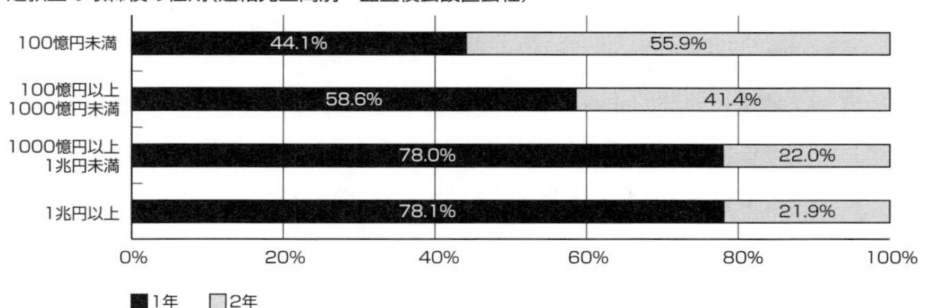

定款上の取締役の任期（外国人株式所有比率別・監査役会設置会社）

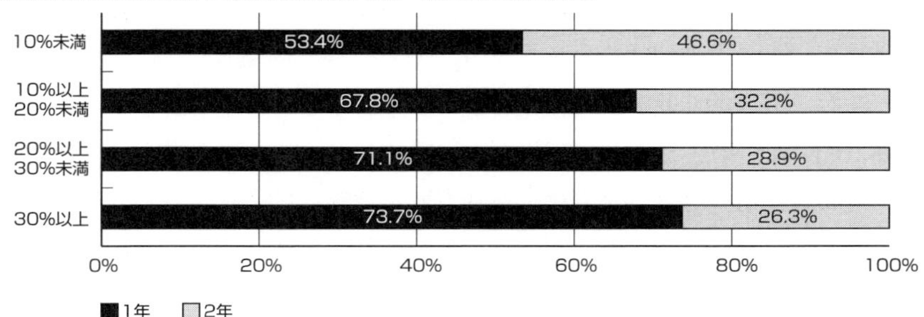

（東京証券取引所「東証上場会社コーポレート・ガバナンス白書2019」71頁、72頁より）

この任期は、定款または株主総会の決議によって短縮することができる（同項ただし書）。指名委員会等設置会社の取締役は１年と定められている（同条６項）。監査等委員会設置会社の取締役の任期も１年であるが（同条３項）、監査等委員である取締役の任期は２年で、しかも、定款や株主総会の決議によっても短縮できない（同条１項ただし書・４項）（→ 747）。

〔560〕 監査役設置会社または監査役会設置会社でも、取締役の任期を１年とする会社が増えている〈→定款 20 条〉。取締役の任期が１年の会社は、他の要件を満たせば、剰余金の分配を、株主総会の決議から取締役会決議に変更することができる（→ 818）。なお、外国人の持株比率が高い会社ほど、取締役の任期を１年とする傾向が見られる。

〔561〕 公開会社以外の会社（監査等委員会設置会社、指名委員会等設置会社を除く）では、定款の定めによって、取締役の任期を選任後 10 年以内に終了する定時株主総会の終結の時まで伸長することができる（332 条２項）。会社法制定前、株式会社の取締役の任期は２年であったものの、有限会社の取締役に任期はなかった。会社法の制定で、有限会社と株式会社を一体化する際に、このような任期の相違をどのように調整するかが問題となった。公開会社以外の会社では、株主の変動がまれで、株主による取締役の信任を頻繁に問う必要性は乏しい。そこで、取締役の任期は原則２年としつつ、公開会社以外の会社では、定款で、最長 10 年まで任期を伸長できるものとした。

(4)　取締役の終任

〔562〕 取締役は任期の満了または辞任によってその地位を終任する。また、取締役の死亡、会社または取締役の破産手続開始の決定および取締役の後見開始の審判によっても取締役は終任する（330 条、民 653 条）。

〔563〕 株主総会は、普通決議により、取締役をいつでも解任することができる（339 条１項）。ただし、正当な理由なくして、株主総会で、その任期満了前に取締役が解任されたときは、解任された取締役は会社に対して損害賠償を請求することができる（同条２項）。これは、株主に解任の自由を保障しながら、取締役の任期に対する期待を保護することで、両者の利益の調和を図る趣旨による。このことから、賠償すべき損害の範囲は、取締役が解任されなければ得

ることができた利益（報酬等）の額となる。ここにいう正当な理由は、その取締役としての責務の遂行を期待することが客観的に難しい場合に認められるべきである（最判昭57・1・21判時1037・129〔百選44事件〕参照。そこでは、病状悪化と本人が療養に専念するつもりであったとの事実認定のもと、正当事由を認めた）。経営判断の失敗を正当事由に含めることについては見解が分かれている。

〔564〕　会社法制定前まで、取締役の解任は株主総会の特別決議によるものとされていた（改正前商257条1項・2項）。選任決議を普通決議としながら解任決議に特別決議を要するとされていたのは、経営者の地位を安定させるためであった。会社法では、株主による経営監督の強化を重視し、普通決議でも解任ができるようにした。もっとも、定款の定めで決議要件を加重することが認められる（341条）。定款で特別決議と同様の決議要件、さらに、より厳格な決議要件とすることもできる。もっとも、株主の経営監督の強化という前述の立法趣旨が果たされないこととなるため、株主の同意を得ることは難しく、このような定款変更を行う会社は少ない。

〔565〕　累積投票制度（→549）によって選任された取締役については、少数派の株主の意向を取締役の選任に反映させるという制度の趣旨から、普通決議による解任を認めず、特別決議による解任という決議要件が規定されている（342条6項、309条2項7号）。

〔566〕　6月前から引き続いて総株主の議決権の3%以上に当たる株式を有している株主は、取締役解任のための株主総会を招集する権利を有している（297条1項）（→475）。さらに、取締役の職務の遂行に関し、不正の行為または法令もしくは定款に違反する重大な事実があるにもかかわらず、株主総会でその取締役の解任が否決されたときは、上記の株主は、決議の日から30日内に裁判所にその取締役の解任を請求することができる（854条1項）。会社と取締役の双方が被告となる（855条）。公開会社以外の会社では、6月の保有期間の制限はない（854条2項）。解任判決の確定により取締役解任の効果が生じる。

〔567〕　種類株主総会により選任された取締役（→252）について、不正の行為または法令・定款違反の重大な事実があるにもかかわらず、種類株主総会において解任議案が否決された場合には、6月前から引き続きその種類の総株主の議決権の3%以上を有する株主は、決議の日から30日以内にその取締

役の解任を裁判所に請求できる（854条3項）。種類株主総会で選任された取締役の解任権は、その種類株主総会にあり、総株主の総会の決議により解任することは原則として認められない（347条1項）。

〔568〕　取締役の終任により会社法または定款に定めた員数を欠くこととなった場合には、新しい取締役が選任されるまでは、退任した取締役が引き続き取締役としての権利義務を有する（346条1項。役員権利義務者などとよばれる）。後任の取締役選任に時間を要する場合に備えて、このような規定が置かれている。ただし、株主、取締役、使用人等の利害関係人からの請求があり、裁判所がその必要性を認めるときは、裁判所は一時的に取締役の職務を行う者（仮取締役）を選任することができる（同条2項）。役員権利義務者に不正行為等があった場合でも、取締役の解任請求の規定を使って、その解任を求めることはできないとするのが判例である（最判平20・2・26民集62・2・638〔百選45事件〕）。株主は仮取締役の選任を申し立てることで、役員権利義務者の地位を失わせることができることが理由とされている。

〔569〕　会社が取締役の選任について内容の異なる株式を発行している場合（→252）は、この種類株式に関する定款の定めに従って取締役の選任・解任がなされる（347条）。

職務執行停止と職務代行者

〔570〕　取締役の解任の訴えが提起されても、それによって当然に取締役の職務執行停止の効力が生じるわけではない（選任決議の無効確認、不存在、取消しの訴えの場合も同様である）。もっとも、このような状況で、取締役の職務執行をそのまま認めることが適切でない場面もある。そのため、訴えの提起後または訴えの提起前でも急迫な事情がある場合は、裁判所は、当事者の申立てにより、仮処分により、取締役の職務執行を停止し、さらに、職務代行者を選任できる（民保23条2項、24条）。取締役の職務代行者には、通常、弁護士が選任される。仮処分は、本案判決の確定によりその効力を失う。後任者が選任されても、取締役職務代行者の権限が当然に消滅するものではない（最判昭45・11・6民集24・12・1744〔百選46事件〕）。

〔571〕　職務代行者の権限は、仮処分命令に別段の定めがある場合を除き、会社の常務に限定される。常務に属さない行為をするには、裁判所の許可を要する（352条1項）。ここにいう会社の常務とは、会社として日常行われるべき通常の業務をいう。募集株式の発行などは常務に属さないと解されている。また、株主総会の招集も常務に含まれない（少

数株主の請求による臨時株主総会の招集について、最判昭 50・6・27 民集 29・6・879〔百選 47 事件〕)。

3　取締役会

(1)　取締役会の意義

〔572〕　取締役会設置会社では３名以上の取締役が必要である（331 条５項)。取締役会は、取締役全員で構成される（362 条１項)。取締役の集合体たる機関（board of directors）との意味で用いられる場合と、その機関が開催する会議体（meeting of directors）の意味で用いられる場合がある。取締役会は業務執行に関する会社の意思を決定する（同条２項１号)。さらに、代表取締役の選定や解職を行うとともに、代表取締役や業務執行取締役の職務の執行を監督する役割も担っている（同項２号・３号)。

(2)　取締役会の招集

〔573〕　取締役会の会議は、取締役会で招集を行う取締役を定めた場合を除いて、各取締役により招集される（366 条１項本文)。定款または取締役会規則で、社長など特定の取締役に招集権限を限定する会社が多い（同項ただし書参照)。

〔574〕　このように取締役会の招集権限者が定められている場合においても、他の取締役は会議の目的たる事項を記載した書面を提出して取締役会の招集を請求することができる（366 条２項)。この請求があったにもかかわらず、５日以内に、請求から２週間以内の日を会日とする取締役会の招集通知が発せられないときは、開催を請求した取締役が自ら取締役会を招集することができる（同条３項)。

〔575〕　取締役会を招集するには、その会日から少なくとも１週間前にすべての取締役（監査役設置会社では、各取締役および各監査役）に対して、その通知を発しなければならない（368 条１項)。ただし、この期間は定款の定めに

よって短縮することができる〈→定款21条〉。また、取締役（監査役設置会社では、取締役および監査役）全員の同意がある場合には、招集手続を行わずに取締役会を開催することができる（368条2項）。したがって、取締役と監査役全員の同意で定めた定例日に取締役会を開催する会社にあっては、取締役会ごとに招集の手続を行う必要はない。

〔576〕　監査役は、取締役が不正の行為をし、もしくはその行為をするおそれがあると認めるとき、または法令・定款に違反する事実もしくは著しく不当な事実があると認めるときは、取締役会の招集を請求することができる（383条2項）。監査等委員会設置会社の監査等委員、指名委員会等設置会社の監査委員は取締役会を招集する権限を有する（399条の14、417条1項）。監査役を置かない会社、監査等委員会設置会社・指名委員会等設置会社以外の会社では、株主は、取締役が会社の目的の範囲外の行為その他法令・定款に違反する行為をなし、またはこれらの行為をするおそれがあると認めるときは、取締役会の招集を請求できる（367条1項）。

〔577〕　日本の会社では、「月1回＋α」で取締役会が開催される慣行が定着している。

〈取締役会の開催頻度〉

（平均）	全体		上場		非上場		大会社		大会社以外	
	2018年	2019年	2018年	2019年	2018年	2019年	2018年	2019年	2018年	2019年
開催数（回）	12.78	12.86	14.59	14.44	11.46	11.71	13.02	13.07	12.25	12.35
決議事項（件）	33.43	33.94	42.96	41.78	26.47	28.25	35.94	36.20	27.16	28.29
報告事項（件）	38.33	38.63	47.05	47.05	31.96	32.52	41.01	40.76	31.29	32.35

（日本監査役協会「役員等の構成の変化などに関する第20回インターネット・アンケート集計結果—監査役（会）設置会社版」〔2020年5月18日〕55頁より）

(3)　取締役会の決議

〔578〕　取締役会には議長が置かれるのが通常である。取締役会の議長は社長が務める会社が多い（東証上場会社では全体の83.1％を占める。会長が議長となる会社も15.0％あり、社長または会長が議長を務める会社がほとんどを占める〔東京証券取引所「東証上場会社コーポレート・ガバナンス白書2019」72頁〕）。

〔579〕 取締役会の決議は、議決に加わることができる取締役の総数の過半数が出席し（定足数）、その出席取締役の過半数で行われる（369条1項）。この決議要件は定款の定めで加重することができる。しかし、要件を軽減することは許されない。取締役会決議では、代理人による議決権行使は認められない。これらの点は、株主総会決議の場合（→495）と異なる。

〔580〕 取締役会の決議事項に特別の利害関係を有する取締役は、その決議に参加することはできない（369条2項）（比較→529）。取締役が会社と競業する取引を行う場合あるいは取締役と会社との間に利益相反が生じる取引を行う場合には、取締役会の決議が必要である（356条1項）（→633、636）。取締役会においてこのような取引を承認する決議を行う場合には、取引を行う取締役は特別利害関係人となる。また、判例は、代表取締役の解職が議題となっている取締役会においては、当該代表取締役が特別利害関係人に該当するとしている（最判昭44・3・28民集23・3・645〔百選66事件〕）。

〔581〕 取締役会の議事録は10年間本店に備え置かれる（371条1項）。株主は、その権利を行使するため必要があるときは、会社の営業時間内は、いつでも、議事録の閲覧・謄写等の請求をすることができる（同条2項）。監査役設置会社、監査等委員会設置会社または指名委員会等設置会社では、裁判所の許可が必要である（同条3項）。

〔582〕 ところで、かつては、取締役会については、書面決議（持回り決議）が認められないと解されていた。取締役会制度は、取締役の知識と経験を持ち寄り、協議を行うことで、より合理的な意思決定を可能にするものであるからである。もっとも、通信技術の発達とともに、実際の会合の開催と遜色ない形での討議が可能であれば、取締役が集まる必要は必ずしもないと考えられていた（たとえば、テレビ会議の許容）。会社法では、これをさらに進めて、取締役会決議の省略を認めるものとした。すなわち、会社は、定款に規定があれば、議

〈特別利害関係人の議決権〉

株主総会の議決権
　あり→議決権の行使で、著しく不当な決議がなされたとき→決議取消事由
　＊例外　会社が自己株式を取得する際の株主総会決議→売主である株主は議決権がない
取締役会の議決権
　なし

決に加わることのできる取締役全員が書面（または電磁的記録）により議案に同意する意思表示をした場合、その提案を可決する旨の取締役会決議があったものとみなすことができる（370条）〈→定款23条〉。監査役設置会社では、監査役が取締役会決議の省略に異議を述べたときは、かかる省略は認められない。

〔583〕　取締役会への報告事項についても、取締役（監査役設置会社では、取締役および監査役）の全員に通知をした場合には、取締役会への報告を省略できる（372条１項）。もっとも、代表取締役や業務執行取締役が３月に１度取締役会に対して行わなければならない報告（→592）は省略できない（372条２項）。このような報告は、取締役会による監督に不可欠なものと考えられているからである。したがって、取締役会設置会社では、少なくとも３月に１度は、取締役会を開催する必要がある。

〔584〕　取締役会の決議に瑕疵があった場合、株主総会の決議の場合（→525）と異なり、一般原則によりその決議は無効となる。判例は、一部の取締役に対する招集通知を欠いた取締役会の決議の効力について、その取締役が出席してもなお決議に影響がないと認めるべき特別の事情があるときは、瑕疵は決議の効力に影響を及ぼさないとしている（最判昭44・12・2民集23・12・2396〔百選65事件〕）。学説では、招集通知の欠如は取締役会に出席する機会を奪う重大な瑕疵である等の理由から、このような判例の立場に批判的なものも少なくない。他方で、決議に影響がないことの証明がなされたときには決議は有効となるとする説、「特別の事情」を厳格に解することを前提として本判決に賛成する説もある。

(4)　取締役会の権限

〔585〕　取締役会は、株主総会の決議事項として会社法および定款で定める事項を除き、会社の業務執行に関する意思決定を行う（362条２項１号）。

〔586〕　さらに、会社法は、次に掲げる事項その他の重要な業務執行の決定には、必ず取締役会の決議が必要である（代表取締役等に委任できない）と規定している（362条４項）。

①　重要な財産の処分および譲受け

②　多額の借財

③　支配人その他の重要な使用人の選任および解任

④　支店その他の重要な組織の設置、変更および廃止

⑤　社債の総額の決定、社債を引き受ける者の募集に関する重要な事項として法務省令で定める事項

⑥　取締役の職務が法令・定款に適合することを確保するための体制その他会社の業務ならびに会社およびその子会社からなる企業集団の業務の適正を確保するために必要なものとして法務省令で定める体制の整備

⑦　定款の定めに基づく取締役等の責任の一部免除

〔587〕　①について、処分または譲り受ける財産が「重要な財産」であるかどうか（取締役会の決議を必要とするかどうか）は、財産の価額、総資産に占める割合、財産の保有目的、処分行為の態様および会社の従来の取扱い等の事情を総合的に考慮して判断される（最判平6・1・20民集48・1・1〔百選63事件〕）。

〔588〕　⑥はいわゆる内部統制システムの大綱である。大会社の取締役会では、⑥を必ず定めなければならない（362条5項）。平成26年の改正で、企業集団に関する内部統制システムが追加された（従来は法務省令で規定していたものを法律上のものに引き上げた）。

法務省令による内部統制システムの内容

〔589〕　法務省令では、次の事項が規定されている（施100条1項）。

①　会社の取締役の職務の執行にかかる情報の保存および管理に関する体制

②　会社の損失の危険の管理に関する規程その他の体制

③　会社の取締役の職務の執行が効率的に行われることを確保するための体制

④　会社の使用人の職務の執行が法令・定款に適合することを確保するための体制

⑤　(i)会社の子会社の取締役等の職務の執行にかかる事項の会社への報告に関する体制、(ii)会社の子会社の損失の危険の管理に関する規程その他の体制、(iii)会社の子会社の取締役等の職務の執行が効率的に行われることを確保する体制、(iv)会社の子会社の取締役等および使用人の職務の執行が法令および定款に適合することを確保するための体制、その他の会社ならびにその親会社および子会社からなる企業集団における業務の適正を確保するための体制

〔590〕　監査役設置会社以外の会社では、取締役が株主に報告すべき事項を報告するための体制が含まれる（施100条2項）。さらに、監査役設置会社では、次に掲げる体制が含まれる（同条3項）。

① 会社の監査役がその職務を補助すべき使用人を置くことを求めた場合におけるその使用人に関する事項
② ①の使用人の会社の取締役からの独立性に関する事項
③ 会社の監査役の①の使用人に対する指示の実効性の確保に関する事項
④ (i)会社の取締役および会計参与ならびに使用人が会社の監査役に報告をするための体制、(ii)会社の子会社の取締役等から報告を受けた者が会社の監査役に報告をするための体制、その他の会社の監査役への報告に関する体制
⑤ ④の報告をした者が報告をしたことを理由として不利な取扱いを受けないことを確保するための体制
⑥ 会社の監査役の職務の執行について生ずる費用の前払いまたは償還の手続その他の職務の執行について生ずる費用または債務の処理にかかる方針に関する事項
⑦ その他会社の監査役の監査が実効的に行われることを確保するための体制

〔591〕 取締役会は代表取締役や業務担当取締役が行う業務執行を監督する（362条2項2号）。この監督権限には、業務執行の適法性についての監督権限のみならず、業務執行の妥当性についての監督権限も含まれる（比較。監査役の場合→683）。

〔592〕 このような監督が効率的に行えるようにするために、取締役は少なくとも３月に１回、取締役会に対して業務執行の状況の報告を行わなければならない（363条2項）。

(5) 特別取締役による取締役会決議

〔593〕 取締役会の構成員から３名の特別取締役を選定しておき、取締役会で決定すべき事項の一部を特別取締役による議決で行うことができる制度がある（373条1項）。取締役会は、その決議事項（→586）のうち、①重要な財産の処分および譲受けおよび②多額の借財について、特別取締役による議決で行うことができる旨を定めることができる。日本の大規模会社では、取締役の数が多数に及ぶため、会議体として十分機能していない状況が見られた。このような状況に対処するために、実務界では、常務会などを設けていた（→538）。特別取締役による取締役会決議の制度は、このような常務会を法定のものとして、その権限などを明確にするために設けられた。

〔594〕 特別取締役の互選で定めた者は、決議後、決議の内容を、遅滞なく

取締役会に報告しなければならない（373条3項）。この制度は、取締役の数が６名以上の会社に設置が認められる。また、権限の委任を行ったとしても、監督機能が働くことを期待して、取締役会のメンバーとして１名以上の社外取締役の選任が要件とされる。特別取締役による取締役会決議制度は、平成17年の改正で導入された。もっとも、決議が可能な事項が限定されていることなどから、この制度を採用する会社は多くない。

4　代表取締役

(1)　代表取締役の選定と解職

〔595〕　代表取締役は取締役会の決議で選定され、解職される（362条2項3号）。

〔596〕　代表取締役の員数についての定めはない。１名もしくは複数でもよい。代表取締役の資格は取締役であることから（362条3項）、その任期は取締役の任期（→559）を超えることができない。取締役でなくなれば、代表取締役としての地位をも失う。代表取締役の終任により、法律または定款に定める員数未満となったときには、取締役の欠員の場合（→568）と同様の措置をとることが認められている（351条）。代表取締役の選定および解職は登記事項となる（911条3項14号）。

(2)　代表取締役の権限

〔597〕　代表取締役は、会社を代表する権限を有している。すなわち、A社の代表取締役Xが、会社を代表して第三者Bと行った取引の効果は、Xにではなく、A社に帰属する。

〔598〕　代表取締役は、会社の業務に関する一切の裁判上または裁判外の行為について代表権を有している（349条4項）。会社の業務に関する行為には、事業としてなされる行為のみならず事業のためになされる行為までも含まれる。なお、代表取締役の代表権に、定款または取締役会の決議などにより制限を加えても、会社は、この制限を知らない（善意の）第三者に対抗することはでき

ない（同条５項）。

〔599〕　会社の代表は、対内的には常に会社の業務を執行する。そのため、代表取締役は、上記の代表権の範囲内で業務執行の権限を有していることとなる。もっとも、会社の事業に関する行為であっても、法令または定款によって株主総会または取締役会の決議を要すると定められている事項については、代表取締役は決定権を有さない。

〔600〕　代表取締役以外の取締役は、取締役として当然には業務執行権を有しない。もっとも、取締役会の決議によって、会社の業務執行をする取締役を選定することができる（363条１項２号）。代表取締役以外の取締役で、対外的関係を伴わない内部的な業務執行を担当する取締役を業務担当取締役という。会社法では、業務執行取締役は、代表取締役、業務担当取締役および会社の業務を執行した他の取締役を総称するものとして使用されている（2条15号イ参照）。

〔601〕　代表取締役が代表権を有している事項について、自己または第三者のために、その権限を行使することを代表権の濫用という。この場合には、会社は代表権の濫用を知っている（悪意の）相手方に対してのみ、権利濫用の法理によりその権利行使を拒むことができる。

〔602〕　取締役会の決議が必要な事項について、代表取締役がその決議を受けずに取引を行ったときに、その行為の効力が問題となる。たとえば、取締役会の決議を受けないで、代表取締役が募集株式の発行を行った場合（取締役会設置会社では原則として募集事項の決定は取締役会が行う→268）、その株式発行が有効であるかどうかが問題となる。このような行為は、代表取締役の代表権の範囲内のものとはいえない。しかし、取引の安全性を保護するとの観点から、代表取締役が取締役会の承認を得ずに行った行為については、会社は善意の第三者に対してその行為の無効を主張することはできないと解されている（民93条〔心裡留保〕の類推適用。最判昭40・9・22民集19・6・1656〔百選64事件〕）。ただし、取引の安全を考慮する必要のない純内部的な行為（新株発行を伴わない準備金の資本組入れなど）を、代表取締役が取締役会の承認を受けずに行った場合には、それらの行為は無効となる。

(3)　表見代表取締役

〔603〕　代表取締役でない取締役が、社長、副社長などあたかも会社の代表権を有するかのような名称を使用して行為を行った場合には、取引の相手方が、代表権を有さない取締役による行為であることを知らない（善意の）ときには、会社は帰責事由がある場合に責任を負わなければならない（354条）。このような取締役を表見代表取締役という。

〔604〕　代表取締役の氏名は登記事項である（911条3項14号）。そのために、取締役が代表取締役であるかどうかの判断は容易にできるはずである。しかし、上記のような名称を使用した取締役の行為については、代表取締役による行為と誤認する危険性が高く、さらに取引の度に登記を確認することは実際上困難である。そこで、取引の安全を保護するために、表見代表取締役の制度が定められている。

〔605〕　表見代表取締役と認められるためには、会社が取締役に会社の代表権を有すると誤認するような名称の使用を認めていることが必要である（会社に帰責事由が必要）。取締役がこのような名称を勝手に使用してもこの制度は適用されない。会社が積極的に許諾した場合だけでなく、取締役が上記の名称を使用していることを知りながら、適切な手段をとらず、黙認した場合も会社は責任を負う。

〔606〕　表見代表取締役であることについて、取引の相手方に過失があった場合でも、その相手方が善意であれば、会社は責任を負わなければならないが、重過失の場合は（悪意と同視）、責任を負わない（最判昭52・10・14民集31・6・825〔百選48事件〕）。また、判例は、取締役以外の会社の使用人が、代表取締役の承認のもとに常務取締役の名称を使用して行った行為について、表見代表取締役制度の類推適用を認めている（最判昭35・10・14民集14・12・2499）。

取締役会非設置会社における取締役の役割

〔607〕　これまで、主として、取締役会設置会社（指名委員会等設置会社、監査等委員会設置会社を除く）の取締役を念頭においてきた。取締役会を置かない会社（取締役会非設置会社）については、以下の定めがある。まず、取締役会非設置会社では、取締役は1

名で足りる。定款で別段の定めがある場合を除き、各取締役が業務執行を行う（348条1項）。取締役が2名以上いる場合には、定款で別段の定めがある場合を除き、取締役の過半数で業務執行を決定する（同条2項）。この場合、①支配人の選任および解任、②支店の設置、移転および廃止、③株主総会の招集、④取締役の職務の執行が法令・定款に適合することを確保するための体制その他会社の業務の適正を確保するために必要なものとして法務省令で定める体制（内部統制システムの大綱）、⑤定款の定めに基づく取締役の責任免除についての決定を各取締役に委任することが許されない（同条3項）。

〔608〕　取締役は単独で会社を代表する（349条1項）。他に代表取締役その他会社を代表する者を定めた場合には、その者が会社を代表する（同項ただし書）。取締役が2名以上いる場合は、取締役が各自会社を代表する（同条2項）。定款、定款の定めに基づく取締役の互選または株主総会の決議によって、取締役の中から代表取締役を定めることもできる（同条3項）。

5　取締役の義務

(1)　善管注意義務と忠実義務

〔609〕　取締役と会社との関係は委任に関する規定に従う（330条）。そのため、取締役は会社に対して善良なる管理者としての注意義務を負う（民644条。この義務を善管注意義務という）。この義務は、取締役が、個別に持っている能力や注意力とは関係なく、取締役の地位にある者に通常要求される程度の注意をもって職務を執行する義務である（銀行の取締役が負う善管注意義務について、最判平20・1・28判時1997・148〔百選51事件〕参照）。一方、会社法は、取締役に対して、法令および定款の定めならびに株主総会の決議を遵守し、会社のため忠実にその職務を遂行する義務を規定している（355条。この義務を忠実義務という）。

〔610〕　このような取締役の善管注意義務と忠実義務との関係をどのように考えるかについては見解が分かれている。第1の見解は、忠実義務は、善管注意義務と同じもので、忠実義務は、善管注意義務を具体的かつ注意的に規定したものであると解している。これに対して、第2の見解は、忠実義務は、善管注意義務と異なるもので、忠実義務は、会社と取締役との利益が衝突する場

合には、取締役は会社の利益を優先させなければならない義務であると解している。これに対して、第１の見解からは、取締役が会社の利益を優先するのは、善管注意義務の範囲内のものとされる。

〔611〕　取締役の行った業務執行が結果として失敗に終わり、会社に損失を生じさせた場合に、その取締役が当然に善管注意義務違反として責任を問われるならば、取締役の行動が消極的となり、会社の積極的な事業展開が損なわれることとなる。このことは、株主の利益にも反することになる。そのために、取締役の業務執行の決定が十分な情報をもとに、誠実に行われた場合には、取締役に責任を負わせるべきではないとする考え方が米国の判例法で認められている（裁判所は経営判断に事後的に介入しない）。このような考え方を「経営判断の原則」（Business Judgement Rule）という。日本でも、同様のものを導入すべきであるとする学説が主張されてきた。

〔612〕　日本の裁判所が採用する経営判断の原則は、取締役の経営判断に善管注意義務違反があったかどうかという場面で適用される。すなわち、経営判断の前提となった事実の認識（調査・分析など）に不注意な誤りがなく、その事実にもとづく意思決定の過程・内容において著しく不合理な誤りがなければ、善管注意義務（または忠実義務）に違反しないとするものが多い（この点で、米国の原則と異なり、日本では、裁判所が経営判断の誤りに一定の関与をすることになる）。経営判断の原則は、下級審で採用されてきたが、最高裁もこれを採用することを明らかにした（最判平22・7・15判時2091・90〔百選50事件〕）。

(2)　監視義務

〔613〕　取締役は自らの不正行為等によって会社に損害を与えることがなくても、不作為により会社に対して責任を負うことがある。取締役は、取締役会のメンバーとして業務執行を行う取締役の監視を行う義務がある（362条2項2号）。判例は、さらに、取締役会に上程された事柄にとどまらず、業務執行一般について監視義務があり、必要があれば、取締役会を自ら招集し、取締役会を通じて業務執行が適正に行われるようにする職務を有するとしている（最判昭48・5・22民集27・5・655〔百選71事件〕。ただし、これは小規模会社で取締役会も開催されたことのない会社についての事例であることに注意が必要である）。

〔614〕　代表取締役は、会社の業務執行全般にわたってその適正性を確保することが求められる（善管注意義務の内容となる）。そのため、他の代表取締役、さらに、代表権を有さない取締役に対しても監視義務を負う。

⑶　内部統制システムの構築義務

〔615〕　大会社においては、内部統制システムの大綱を取締役会で決定しなければならない（→588）。代表取締役は、この大綱に従い、業務執行として、会社の実情に応じた内部統制システムを構築する義務を負う。これ以外の会社についても、取締役の内部統制システムの構築義務は、取締役の善管注意義務の一内容であり、この不備が原因で会社に損害が生じた場合には、会社に対して損害賠償責任を負う（→641）。いわゆる大和銀行事件判決（大阪地判平12・9・20判時1721・3）がこのことを明らかにした後、学説・裁判例でもこの立場は支持されている（最判平21・7・9判時2055・147〔百選52事件〕）。

6　取締役と会社の利益相反

〔616〕　取締役の忠実義務（→609）は、会社と取締役の利益が相反する場面で、取締役は会社の利益を優先させなければならないというものである。会社が社外取締役を置いている場合において（→550）、会社と取締役との利益が相反する状況にあるとき、その他取締役が会社の業務を執行することにより株主の利益を損なうおそれがあるとき、会社はその都度、取締役の決定（取締役会設置会社の場合は取締役会の決定）によって、会社の業務を執行することを社外取締役に委託することができる（348条の2）。通常、会社の業務執行をした場合、社外取締役の要件を満たさない（→553）（社外取締役は業務執行をすることができない）。もっとも、会社との利益相反が発生する場合などでは、上記の要件のもと、業務執行を行うことが許容される。このほか、会社法は、会社と取締役の利益が相反する場面について、個別に次の規制を定めている。

⑴　報　　酬

〔617〕　取締役の報酬が取締役自らによって決定されるとするならば、過度

の報酬額が定められ、株主の利益を犠牲にして取締役の利益が図られる危険性がある。そのため、取締役の報酬額は定款でそれを定めない限り、株主総会において決定しなければならない（361条1項）。指名委員会等設置会社では、報酬委員会が報酬の額を決定する（404条3項）。

〔618〕　報酬のうち、金額が確定したものについては、その額を決議する（361条1項1号）。もっとも、定款または株主総会の決議では、取締役の報酬額を個別に定める必要はなく、全員に対する総額の最高限度額だけを定めればよい。お手盛り防止という趣旨からすれば、社外に出る金額の上限を定めることで足りると解されるからである。各取締役への配分は取締役会に委ねることができる（最判昭60・3・26判時1159・150）。これらの慣習は、日本のほとんどの会社で見られるものである。何年かに一度、総額の最高限度額の拡大の必要が生じたときに株主総会でその拡大が決定される。指名委員会等設置会社では個別に報酬が決定される（404条3項）。監査役会設置会社について、取締役の個別報酬の開示をしていない会社の比率は90.9%で、全員の個別報酬の開示を行っている会社はほとんどない（東京証券取引所「東証上場会社コーポレート・ガバナンス白書2019」58頁）。

〔618-2〕　もっとも、株主総会の決議で取締役全員の報酬等の総額を定めた場合、監査役会設置会社（公開会社で大会社であるものに限る）であって、金融商品取引法上の有価証券報告書を提出しなければならない会社（監査等委員会設置会社も同様）では、取締役会の決議で、その定めに基づく取締役の個人別の報酬等の内容についての「決定に関する方針」を決定しなければならない（361条7項）。取締役の報酬等の決定方針に関する事項は、事業報告で開示される。日本の会社では、取締役会の決議で、各取締役の報酬の額の決定を代表取締役に再一任する会社も少なくない。しかし、取締役は取締役会の一員として代表取締役の職務の執行の監督義務がある（362条2項2号）。そのため、取締役の具体的な報酬の決定を代表取締役に一任することは、取締役会のモニタリング機能を損なうものとして批判が強かった。令和元年の改正に際して、代表取締役への再一任を規制の対象とすることが議論されたが、立法化に至らず、上記のように、決定方針の決定とその開示で対処することとなった。

〔619〕　取締役会の決議において各取締役の報酬を決定する場合、報酬を受

ける取締役は特別利害関係人（→580）にはならない。取締役全員の報酬枠は株主総会で決定されており、会社と取締役との間に利益相反は存在しないからである（全員が特別利害関係者となり、議決ができなくなるという事情もある）。

〔620〕　定款や株主総会の決議により報酬の金額が定められなければ、具体的な報酬請求権は発生しない。定款や株主総会の決議がないまま報酬が支払われた場合でも、事後的に株主総会の決議があれば、その報酬の支払いは有効となる（最判平 17・2・15 判時 1890・143）。定款や株主総会の決議によって取締役の報酬が具体的に定められた場合には、その報酬額の支払いは、会社と取締役の間の契約となる。そのため、その後、株主総会が当該取締役の報酬を無報酬とする決議をしても、当事者である取締役の同意がない限り、報酬請求権はなくならない（最判平 4・12・18 民集 46・9・3006〔百選 62 事件〕）。職務の変更があった場合にも同様に考えるべきかについては見解が分かれている（減額を認めない説は、職務変更を名目として不当な減額がなされることを懸念する）。

〔621〕　会社の業績に連動する報酬など、報酬のうち金額が確定しないものについては、株主総会で、具体的な算定の方法を決議する必要がある（361 条 1 項 2 号）。報酬のうち金銭でないものについても、その具体的な内容を株主総会で決議することを要する（同項 3 号）。社宅などの物的施設の安価な提供がこれに該当する。

〔622〕　取締役に対する報酬として、ストック・オプションを付与すること

〈ストック・オプションの付与対象者〉

（複数回答）（社数）

	株式上場	株式非上場	計	構成比
業務執行取締役	368	3	371	90.3%
非業務執行取締役（社外取締役以外）	85	0	85	20.7%
社外取締役	48	0	48	11.7%
監査役	35	0	35	8.5%
執行役	20	0	20	4.9%
執行役員	213	3	216	52.6%
使用人	149	3	152	37.0%
関係会社取締役・執行役・執行役員・使用人	110	1	111	27.0%
共同研究者・取引先関係者等	6	0	6	1.5%
その他	19	0	19	4.6%
合計	−	−	411	−

（全国株懇連絡会「2019 年度全株懇調査報告書」〔2019 年 10 月〕60 頁より）

がある。同制度のもとでは、取締役の努力で、会社の業績が向上し、これにより株価が上昇すれば、その取締役は、あらかじめ定められていた価格で株式を取得し、高値でそれを売却することで利益を得ることができる。いわゆる業績連動型の報酬の典型例であり、会社の業績向上への努力をさせる動機づけとして利用される。ストック・オプションの付与は、新株予約権（→385）の付与によって行われる。新株予約権の価値は発行時に算定できる（→393）。そこで、ストック・オプションは、会社法361条1項1号にいう「報酬等のうち額が確定しているもの」で、同項3号にいう「金銭でないもの」に該当する。このような形態の報酬の新設または改定に関する議案を提出した取締役は、株主総会において、その報酬を相当とする理由を説明しなければならない（361条4項）。

〔623〕 取締役が使用人を兼務する場合（使用人兼務取締役）、使用人分の報酬を増減させることで、取締役の報酬規制を実質上形骸化させることが可能である。この点について、判例（最判昭60・3・26判時1159・150）は、使用人として受け取るべき給与の体系が明確に確立しており、それによって給与の支給がなされている限り、使用人分を除いて株主総会で決議をすればよいと解している。

〔624〕 株主総会の招集通知に添付される株主総会参考書類（→500）には、報酬算定の基準、基準の変更のときはその理由、さらに2名以上の取締役に報酬を支給する場合には、取締役の員数等を記載することが求められる（施82条1項）。公開会社にあっては、社外取締役について社内取締役と区別して記載する必要がある（同条3項）。なお、平成22年3月期決算から、報酬が1億円以上の役員の氏名と報酬額の個別開示が義務づけられることとなった（→55）。

〔625〕 ところで、取締役が退任したときに支払われる退職慰労金は、一般に、取締役の職務行為の対価すなわち報酬の後払いであり、会社法上の報酬規制が適用されると解されている。退職慰労金を報酬と考えた場合、株主総会の決議で少なくとも支給総額を決定すべきこととなる。しかし、多くの会社では、退職慰労金の額の決定を取締役会に一任する旨の決議を株主総会で行っている。退職者が少数である場合に、個人の支給額が知れわたることを好まない風潮が実務界にはある。また、退職者はすでに取締役会の構成員ではないため、取締役会に決定を委ねても、お手盛りの危険性がないことも理由とされる。

〔626〕　もっとも、無条件に取締役会あるいは代表取締役に一任することは許されない。判例は、退職慰労金については、株主総会で明示的または黙示的に一定の支給基準を示し、具体的な金額、支払い期日、支払い方法はその基準によって決めることを取締役会に一任する決議を有効としている（最判昭39・12・11民集18・10・2143〔百選61事件〕）。

〔627〕　株主総会の議案が一定の基準に従い退職慰労金の額を決定することを取締役・監査役その他の第三者に一任するものであるときは、参考書類に、その一定の基準の内容を記載しなければならない（施82条2項本文）。もっとも、各株主がその基準を知ることができるようにするための適切な措置を講じている場合には、かかる記載は不要とされる（同項ただし書）。これによって、会社は、①総額を株主総会・定款で定める、②支給基準を参考書類に記載する、③支給基準を会社の本店に備え置いて株主の閲覧に供するといった選択ができることとなる。

〔628〕　判例は、会社の従業員を兼ねていた取締役が、取締役と従業員を同時に退職した場合について、取締役としての退職慰労金は定款の定めもしくは株主総会の決議がないために支給を求めることができないが、使用人としての退職慰労金は支給を求めることができるとしている（最判昭56・5・11判時1009・124）。

〔629〕　近年、役員の退職慰労金制度を見直す企業が多い。既述のように、退職慰労金は報酬の後払いの性質を有するものである（→625）。しかるに、支給には株主総会の決議が必要であり、経営が悪化した会社や不祥事を起こした会社ではかかる決議の成立が危ぶまれる状況になっている。また、その決定方法を取締役会等に一任する慣行が手続的に不透明であるとして、特に、機関投資家を中心として決議に反対する動きがある。以上のことを背景に、退職慰労金制度を廃止する傾向が加速している。役員の退職慰労金制度を廃止した会社では、定例報酬額を見直すものやストック・オプションなど業績連動型報酬体系を採用するもある（→60）。

賞　与

〔630〕　取締役が会社に利益をもたらした功労に報いるために賞与が支給される。賞与

も報酬の一種であるが、会社法制定前の商法では、通常の報酬が経費の支出という形をとるのに対して、それは株主総会決議による利益処分という形で処理されてきた（改正前商281条1項4号、283条1項）。そのため、賞与の支給に関しては、改正前商法269条の決議を経る必要はないとされてきた。

〔631〕　もっとも、取締役に対する職務執行の対価の支払いは、会社がどのような名称でこれを支払うかを問わず、株主にとっては受任者たる役員への財産等の支払いである点で変わりはない。そこで、会社法では、このような財産上の利益をすべて「報酬等」と定義した上で、会社法361条の株主総会決議等を要するものとした。同条は、「報酬、賞与その他の職務執行の対価として株式会社から受ける財産上の利益」を「報酬等」と定義し、定款で当該事項を定めていないときは、株主総会の決議を要すると定めている。

〔632〕　監査等委員会設置会社の取締役の報酬について、定款または株主総会の決議では、監査等委員である取締役とそれ以外の取締役とを区別して定めなければならない（361条2項）。定款や株主総会の決議では、監査等委員である取締役全員の報酬総額の上限を決定することができるが、その場合、個々の取締役への分配は、その上限の範囲内において、監査等委員である取締役の協議によって決めることとなる（同条3項）。

⑵　競業取引

〔633〕　取締役会設置会社では、取締役は、自己または第三者のために会社の事業の部類に属する取引を行うときは、取締役会の承認を受けなければならない（356条1項1号、365条1項）。取締役会非設置会社では、株主総会の承認を要する（356条1項1号）。これは、取締役による不当な競業取引により、会社の利益が損なわれることを防止するためのものである（取締役の責任→642）。このことから、「自己又は第三者のために」とは、「自己又は第三者の計算において」（すなわち、経済的利益が帰属すること）を意味すると解されている（事実上の主催者として競業を行った事例として、東京地判昭56・3・26判時1015・27〔百選55事件〕参照）。

〔634〕　日本では、会社がその取締役を系列会社などに代表取締役として派遣することも少なくないため、系列会社の代表取締役による業務執行が派遣元の会社と競業する場合がある。このような場合には、個々の取引に取締役会等

の承認を得るのではなく、代表取締役としての就任の際に、包括的に承認を受けるのが通例である。ただし、競業会社が会社の完全子会社などの場合には、会社との間に利害の対立はなく、取締役等の承認は要しない。

〔635〕　取締役が競業取引の承認を求めるときには、その取引について重要な事実を開示しなければならない（356条1項）。さらに、取締役が競業取引を行った後には、遅滞なく、その取引についての重要な事実を取締役会に報告しなければならない（365条2項）。これは、現実に行われた取引が、承認を受けた取引の範囲内にあったかどうかを明らかにするためのものである。公開会社では、取締役の競業の明細が、事業報告の附属明細書に記され（施128条2項）、株主等に開示される。

⑶　自己取引

〔636〕　取締役会設置会社では、取締役が、自己または第三者のために、会社と取引を行うときには、取締役会の承認を受けなければならない（356条1項2号、365条1項）。株主全員の合意があれば取締役会決議は不要である（最判昭49・9・26民集28・6・1306〔百選56事件〕）。取締役会非設置会社では株主総会の決議を要する（356条1項2号）。これは、取締役がその会社と取引を行う場合には、会社の利益よりも自己または第三者の利益を優先させる危険性があるために定められている規制である（取締役の責任→643、644）。

〈競業取引と自己取引〉

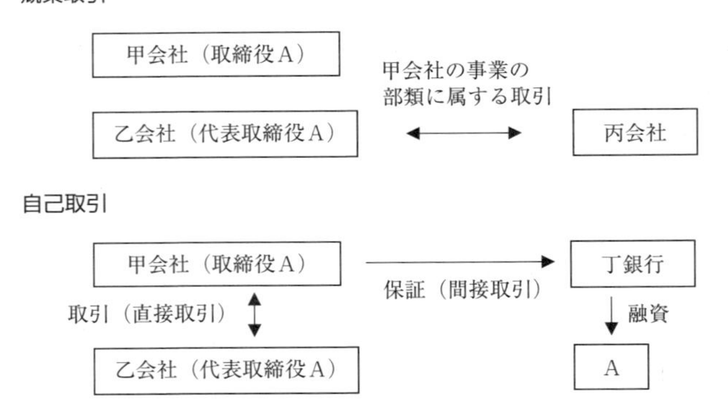

〔637〕 自己取引の具体例として、取締役が、会社の製品その他の財産を譲り受ける場合、会社に対して自己の製品その他の財産を譲渡する場合、会社から金銭の貸付を受ける場合がある。約束手形の振出しなどの手形行為も規制の対象となる（最大判昭 46・10・13 民集 25・7・900〔百選 57 事件〕）。また、このような会社と取締役の間の直接取引のほか、会社が取締役の債務を保証するというような、会社と取締役以外の者との間の取引で、会社と取締役との利益が相反するような間接取引においても承認が必要である（356 条 1 項 3 号）。取締役の自己取引の詳細は、計算書類の注記表に記載され（計 112 条 1 項・4 項 7 号）、株主に開示される（437 条、438 条、442 条）。

〔638〕 会社が取締役との間で自己取引を行った場合には、遅滞なく、その取引について重要な事実を取締役会に報告しなければならない（365 条 2 項）。取締役会の承認を受けずに行われた取引は原則として無効である。ただし、判例は、このような場合でも、取締役会の承認がないことを取引先が知っていたこと（悪意）を会社が立証するのでなければ、会社はその取引の無効を主張することができないとしている（相対無効説。最大判昭 43・12・25 民集 22・13・3511〔百選 58 事件〕）。自己取引の規制は会社の利益を保護するためのものである。したがって、取締役側から取引の無効を主張することは許されない。

⑷ 会社と取締役との間の訴訟

〔639〕 会社が取締役に対して訴えを提起する場合、あるいは、取締役が会社に対して訴えを提起する場合に、会社と取締役との間に利益の衝突が生じる。このような場合には、監査役設置会社では監査役が会社を代表する（386 条 1 項）（株主代表訴訟→ 654）。

7 取締役の責任

⑴ 会社に対する責任

〔640〕 取締役は会社に対して善管注意義務ならびに忠実義務を負う（→ 609）。取締役がこれらの義務を怠った場合には、債務不履行責任（民 415

条）として会社に対して損害賠償の責任が生じる。

〔641〕　しかし、取締役の任務は委任契約の内容だけで定まるものではなく、当事者の意思にかかわらず、法律上、当然に発生する場面もある。そこで、会社法では、取締役がその任務を怠ったときは、会社に対して、これによって生じた損害を賠償する責任を定めている（423条1項）。取締役の責任は過失の有無によって判断される（過失責任）。

〔641-2〕　取締役が法令に違反した行為を行った場合、任務懈怠責任が発生する。取締役が遵守すべき法令は、取締役を名宛人とするもののほか、会社を名宛人として、会社がその業務を行うに際して遵守すべきすべてのものが含まれる（最判平12・7・7民集54・6・1767〔百選49事件〕。この事件では、独占禁止法の規定が法令に含まれるかが問題となった）。

競業取引と自己取引についての責任

〔642〕　取締役会の承認（取締役会非設置会社では株主総会の承認）を受けずに競業取引を行った場合、会社は、その取引で蒙った損害につき、取締役に賠償を求めることができる（423条1項）。この場合の損害額は、違法行為がなければ本来取得できた利益である。しかし、競業によって失った利益の立証は困難である。そこで、競業取引によって取締役または第三者が得た利益の額を会社が蒙った損害の額と推定することとしている（同条2項）。競業取引の承認を得た場合でも、取引を行う上で任務懈怠があり会社に損害を与えた場合には、取締役は会社に対して損害賠償責任を負う（同条1項）。

〔643〕　取締役会の承認（取締役会非設置会社では株主総会の承認）を受けずに自己取引を行い、会社に損害を与えた場合、その取締役は、任務懈怠として、会社に対して損害賠償責任を負う（423条1項）。さらに、取締役会（株主総会）の承認を得てなされた取引についても、対価の不当や債務不履行など（任務懈怠があった場合）で会社に損害が発生した場合、会社に対して損害賠償をする責任が生じる。会社法では、自己取引で会社に損害が発生した場合、責任追及される取締役側に任務懈怠が存在しなかったことの立証責任を負わせている。自己取引は、会社の通常の取引行為を比べて、会社の利益を害する可能性の高い類型の行為であるため、取引の当事者である取締役だけでなく、その取引を行うことを決定した取締役（代表取締役または執行役）、取締役会決議の承認決議に賛成した取締役について、その任務を怠ったものと推定される（同条3項）。なお、監査等委員会設置会社では、監査等委員でない取締役が自己取引をする場合に、その取引について監査等委員会の承認を受けたときは、任務懈怠は推定されない（同条4項）。

〔644〕　会社法では、任務懈怠責任を過失責任としている。もっとも、自己のために直

接取引による自己取引を行った取締役は、任務懈怠がその取締役の過失によらなかった場合でも、損害賠償責任を負う（428条）。自己のために行った直接取引において、取引による利益を取締役に保持させておくことは適当ではなく、この点で、取締役は厳しい責任が課せられている。

〔645〕　株主の権利行使に関して利益供与をしたときは、利益供与に関与した取締役は、会社に対して、連帯して、供与した利益の価額に相当する額を支払う義務がある（120条4項本文）（→468）。その職務を行うにつき、注意を怠らなかったことを証明した場合には、責任はない。ただし、利益供与をした取締役自身については、かかる責任免除は認められない（同項ただし書）。違法配当をした取締役についても、同様の責任が定められている（462条）（→826）。

〔645-2〕会社法では、取締役の善管注意義務は会社に対して負うものと規定されている（→609）。この点について、取締役が株主に対して同様の義務を負うかが問題となる。一般論として、会社の利益のための行為は、その実質的所有者である株主共同の利益となる。しかし、たとえば、MBO（→65-2）の場合、取締役が対象会社の株式の買い手となり、売り手である株主との間で利益が相反する事態が発生する。このような状況において、取締役は、善管注意義務の一環として、株主のために、公正な企業価値の移転を図らなければならない（公正価格移転義務がある）とした判例がある（東京高判平25・4・17判時2190・96〔百選54事件〕）。また、MBOを公正に行う義務（善管注意義務）に違反したことにより、取締役の会社に対する損害賠償責任を認めた事例もある（大阪高判平27・10・29判時2285・117〔百選A25事件〕）。

⑵　責任の免除と軽減

〔646〕　取締役の会社に対する責任は、原則として、総株主の同意がなければ免除できない（424条、120条5項。なお、462条3項参照。多重代表訴訟の対象となる特定責任を総株主の同意で免除する場合については847条の3第10項参照）。

〔647〕　ところで、議員立法として、取締役の会社に対する責任を軽減する商法改正が、平成13年12月に国会で可決、成立した。会社法でも基本的に同様の定めを置いている。そこでは、取締役の責任の限度が、社外取締役を除く

取締役については、報酬等の４年分に制限することができる（425条１項１号ロ）。代表取締役については、報酬等の６年分が限度となる（同号イ）。一方、社外取締役については、報酬等の２年分と、その額が軽減されている（同号ハ）。
〔648〕　このような責任の軽減は、取締役が職務を行うにつき、悪意または重大なる過失があるときは認められず、さらに株主総会の特別決議が必要である（425条１項、309条２項８号。株主総会決議による責任軽減）。決議を行う株主総会では、①責任の原因となった事実および賠償すべき金額、②責任の限度額およびその算定の根拠、③責任を免除すべき理由および免除額を開示しなければならない（425条２項）。また、監査役設置会社では、取締役が株主総会に議案を提出するには、監査役の同意を得なければならない（同条３項１号）。監査役が２名以上いるときには、監査役全員の同意が必要である（監査等委員会設置会社では監査等委員、指名委員会等設置会社で監査委員の同意が必要）。
〔649〕　さらに、取締役の任務懈怠責任について、定款に規定を置けば、取締役が善意で重過失なき場合に限り、取締役会が特に必要ありと認めるときは、それにより同様の責任軽減を行うことができる（426条１項。定款・取締役会決議による免責）。この場合、責任の原因である事実の内容、その取締役の職務の執行の状況その他の事情を勘案して、その必要性を判断しなければならない。これによって善管注意義務違反に対する免責を取締役会の経営判断によって行うことが可能となる。なお、取締役が１名の会社では、株主総会決議によらないで取締役の責任を一部免除することができない。取締役による恣意的な判断により責任免除がなされることは適切でないと考えられた。
〔650〕　定款を変更して責任の一部免除の定めを設ける議案を株主総会に

〈定款による責任軽減の対象〉

（複数回答）（社数）

	株式上場	株式非上場	計	構成比
取締役	573	20	593	50.6%
社外取締役	1,050	27	1,077	92.0%
監査役	716	21	737	62.9%
社外監査役	1,020	29	1,049	89.6%
会計監査人	115	5	120	10.2%
会計参与	3	0	3	0.3%
合計	−	−	1,171	−

（全国株懇連合会「2019年度全株懇調査報告書」〔2019年10月〕51頁より）

提出する場合、さらに、責任の一部免除に関する議案を取締役会に提出する場合、監査役全員の同意が必要となる（426条2項。監査等委員会設置会社では監査等委員、指名委員会等設置会社で監査委員の同意が必要）。取締役会が責任の免除の決議を行ったときは、遅滞なく、それに異議があれば一定期間内（1月以上）に述べるべき旨を公告し、または株主への通知を行わなければならない（同条3項）。取締役の責任免除についての取締役会決議に対して、議決権の3%以上を有する株主が異議を述べたときは、かかる免除は認められない（同条7項）。

〔651〕　業務執行取締役以外の取締役の責任については、定款の定めに基づき、会社と当該取締役との契約により、責任限度額をあらかじめ定めることができる（427条1項。定款と責任限定契約による免責）〈→定款25条2項〉。当初、社外取締役の人材の確保を目的に、社外取締役についてこのような責任限定契約を認めた。平成26年の改正で、責任限定契約の対象が上記のように拡大された。同年の改正で社外取締役等の「社外性」の要件が厳格となった（→555）。そのため、社外性を失う取締役は、責任限定契約の対象から外れることとなる。そこで、上記のように責任限定契約を締結できる対象が拡大された。これにより、社外取締役以外の取締役についても、責任限定契約を締結する道が開かれた。かかる契約を締結した取締役がその会社または子会社の業務執行取締役もしくは執行役または支配人その他の使用人（業務執行取締役等）に就任したときは、その契約は、将来に向かってその効力を失う（427条2項）。定款を変更して、このような責任限定契約を認める規定を設ける議案を株主総会に提出する場合には監査役全員の同意が必要となる（同条3項。監査等委員会設置会社では監査等委員、指名委員会等設置会社では監査委員全員の同意が必要）。

〔652〕　これまで、日本の会社においては、定款で取締役等についての責任軽減規定を置くことは一般的となっている。このなかで、社外取締役（社外監査役）について責任限定契約を実際に締結している場合も多い。取締役が自己のために利益相反取引を行った場合の責任（→644）については、責任の一部免除は認められない（428条2項）。

〔653〕　取締役がその職務の執行に関し法令の規定に違反したことが疑われ、または責任の追及に係る請求を受けたことに対処するために支出する費用（防御費用）について、取締役は会社との間で、その全部または一部を会社が

〈責任限定契約の締結対象〉

（複数回答）（社数）

	株式上場	株式非上場	計	構成比
社外取締役	1,056	21	1,077	92.0%
非業務執行取締役（社外取締役以外）	134	6	140	12.0%
社外監査役	1,046	24	1,070	91.4%
監査役（社外監査役以外）	370	9	379	32.4%
会計監査人	65	4	69	5.9%
なし	44	6	50	4.3%
合計	–	–	1,171	–

（全国株懇連合会「2019 年度全株懇調査報告書」〔2019 年 10 月〕51 頁より）

補償することを約する契約（補償契約）を締結することができる（これを会社補償という）。補償契約を締結するためには株主総会（取締役会設置会社では取締役会）の決議が必要である（430 条の２第１項１号）。取締役がその職務の執行に関し、第三者に生じた損害を賠償する責任を負う場合（→ 669-675）、取締役が支払う賠償金についても同様の契約を締結することができる（同項２号）。もっとも、取締役の会社に対する責任を負う場合には、補償契約の締結が認められない。会社補償は、優秀な人材を確保するとともに、取締役がその職務の執行に伴い損害賠償責任を負うことを過度に恐れ、職務の執行が委縮することのないような仕組みとしての意義がある。会社補償が許容されるかは解釈に委ねられていたが、取締役へのインセンティブの付与の一つとして、令和元年の改正で規定が整備された。

会社役員賠償責任保険（D&O 保険）

〔653-2〕　取締役がその職務の執行に関して会社に対して損害賠償責任を負う場合に、その損害を保険者（保険会社）が補填する保険を会社役員賠償責任保険（通称 D&O 保険）という。この保険は会社と保険会社の間で、被保険者を取締役として締結される。D&O 保険も、会社補償と同様に、取締役に適切なインセンティブを付与するという意義が認められる。他方で、D&O 保険は、会社と取締役の間の利益相反関係が顕著に表れるものである。実務上、D&O 保険は、日本において上場会社を中心に広く普及している。もっとも、従来、会社法に D&O 保険に係る規定がなかったため、D&O 保険に係る契約の締結の手続き等を明確にするために令和元年の改正で規定が定められた。D&O 保険の内容を決定するためには、株主総会（取締役会設置会社では取締役会）の決議によらなければなら

ない（430条の３第１項）。この場合、会社法が会社と取締役の間の利益相反取引に関して定めている規定（→633、635）は適用されない（同条２項）。

8　株主代表訴訟

(1)　制度の趣旨と概要

〔654〕　取締役の会社に対する責任は、本来会社自身が追及すべきものである。しかし、会社内部においては取締役間に緊密な関係が存在する場合が多いために、会社としてそのような責任の追及を行わないことも考えられる。そのため、個々の株主が、代表訴訟により、会社に代わって会社のために取締役の責任を追及することが認められている。代表訴訟の対象は、取締役のほか、会計参与、監査役、執行役、会計監査人にも及ぶ（以下は、取締役に対する責任追及に関するものとする）。

〔655〕　６月前から継続して株式を保有している株主は、会社に対して（監査役会設置会社では取締役と会社の利益が対立するため、監査役が会社を代表する→639）、書面その他の法務省令で定める方法により取締役の責任を追及する訴訟の提起を請求することができる（847条１項）。定款で６月を下回る期間とすること、単元未満株主（→222）について権利行使を認めないことができる。公開会社以外の会社では、６月の継続保有の要件はない（同条２項）。その後、会社が請求の日から60日内に訴えを提起しなければ、請求を行った株主自らが会社のために訴えを提起することができる（同条３項）。もっとも、この期間の経過により会社に回復すべからざる損害が生じるおそれがある場合には、株主は直ちに訴えを提起することができる（同条５項）。会社は責任追及の訴えを提起しない場合、その請求を行った株主に対し、遅滞なく、責任追及の訴えを提起しない理由を書面その他の法務省令で定める方法により通知しなければならない（同条４項。不提訴理由書制度）。

〔656〕　代表訴訟によって追及することのできる取締役の責任の範囲については、判例（最判平21・3・10民集63・3・361〔百選67事件〕）・通説は取締役

〈代表訴訟の件数（地方裁判所への提訴件数）〉

年度	新規件数（既済件数）
平成31（令和元）年	52（48）
平成30年	38（33）
平成29年	37（46）
平成28年	36（54）
平成27年	59（75）
平成26年	58（75）
平成25年	98（82）
平成24年	106（102）
平成23年	83（52）
平成22年	80（74）
平成21年	69（43）
平成20年	64（47）

（最高裁調べ〔旬刊商事法務2235号（2020）68頁〕より）

が会社に対して負担する一切の債務に及ぶと解している。

〔657〕　代表訴訟制度は昭和25年の改正により、米国の制度にならい導入されたものである。しかし、日本における利用例は多くなかった。その理由として、たとえ判決で取締役の責任が認められても、その損害賠償額は訴えを起こした株主に対してではなく会社に対して支払われること、また訴訟のために高額の訴訟費用の支払いを要求されることから、代表訴訟を提起するインセンティブが株主に働きにくいことが指摘されていた。

〔658〕　もっとも、今日においては、状況は変化した。その理由の１つは、代表訴訟のために株主が原告として支払うべき訴訟費用は、訴訟による請求額にかかわらず、一律１万3,000円とされたことによる（代表訴訟は、「財産権上の請求でない請求に係る訴え」とみなされ〔847条の４第１項〕、訴訟の目的の価格は160万円と計算される〔民事訴訟費用等に関する法律４条２項。これにより、訴訟費用は上記の金額となる〕）。

原告適格の継続

〔659〕　代表訴訟を提起した株主（または、共同訴訟に参加した株主）は、その訴訟の係属中に株主でなくなった場合でも、①その者が株式交換・株式移転によりその会社の完全親会社の株式を取得したとき、②その者が会社が消滅会社となる合併により、設立会社・存続会社の株式を取得したときは、引き続き訴訟を追行することができる（851条１項）。①について、その者が完全親会社の株式交換・株式移転によりその会社の完全親会社の株式を取得した場合、②について、その者が設立会社・存続会社が消滅会社となる合

併により、その合併による設立会社・存続会社の株式を取得した場合でも、訴訟追行が認められる（同条２項・３項）。平成17年改正前商法では、会社（甲会社）の取締役（Y）に対して代表訴訟を提起した株主（X）は、株式移転等でその完全親会社（乙会社）の株主となった場合、責任追及を引き続き行うことが困難になるという問題が生じていた（Xは乙会社の株主になったため、甲会社の役員であるYの責任追及ができなくなるというのが判例の立場であった）。会社法では、上記のように立法でこの問題を解決した。

〔660〕　さらに、平成26年の改正で、株主が代表訴訟を提起しないうちに、株式交換等がなされた場合でも、このような株主（旧株主）に原告適格が認められた（847条の２）。上記の例では、甲会社の株主Xが、代表訴訟を提起しない間に、株式移転等により乙会社の株主となった場合でも、Xは甲会社の取締役の責任を追及する代表訴訟を提起できる。

⑵　濫訴と馴合い訴訟の防止

〔661〕　日本の代表訴訟制度は、単独株主権として認められている。そのため、いやがらせ訴訟など、濫訴のおそれがある。責任追及の訴えが提訴した株主または第三者の不正な利益を図りまたは会社に損害を加えることを目的とする場合には、代表訴訟は認められない（847条１項ただし書）。また、裁判所は、被告取締役が悪意による提訴であることを疎明すれば、原告株主に担保の提供を命じることができる（847条の４第２項・３項）。ここにいう「悪意」とは、原告の請求に理由がなく、原告がそのことを知って訴えを提起した場合、または原告が株主代表訴訟の制度の趣旨を逸脱し、不当な目的をもって被告を害することを知りながら訴えを提起した場合をいう（東京高決平７・２・20判タ895・252〔百選68事件〕。蛇の目ミシン担保提供事件において示されたもので、「蛇の目基準」とよばれている）。責任追及の訴えを提起した株主が勝訴した場合、株主は、訴訟に必要な費用（訴訟費用を除く）、弁護士報酬を会社に対して請求できる（852条１項）。一方で、敗訴株主が悪意であれば、会社は、その株主に対して損害賠償を請求することができる（同条２項。上記の担保提供制度は、この損害賠償請求権を担保する意図で設けられた）。

〔662〕　代表訴訟を提起された場合、会社は、訴額を低く抑えるなど、形式上の訴訟を提起して、実質上、取締役の責任を軽減することも考えられる。このように、馴合い訴訟を防止するために、訴訟参加と再審の訴えの制度がある。原告以外の株主または会社は、共同訴訟人として、係属中の訴訟に参加するこ

とが認められる（849条１項）。原告株主は、会社に対して代表訴訟を提起したことを告知しなければならない（同条４項）。加えて、会社が訴えを提起したときまたは上記の訴訟告知を受けたときは、遅滞なく、その旨を公告し、または株主に通知することを要する（同条５項）。公開会社以外の会社では、株主に通知しなければならない（同条９項）。

〔663〕　代表訴訟について和解をなす場合で、会社がその和解の当事者でないときは、裁判所は会社に対してその内容を通知し、かつ和解に異議がある場合には、２週間以内にこれを述べるように催告しなければならない（850条２項）。会社がこの期間内に書面で異議を述べないときは、株主が和解をすることを承認したものとみなされる（同条３項）。原告株主が故意に敗訴した場合、故意に少額の請求をして勝訴したような場合など、原告株主と被告取締役が共謀して不当な判決が出された場合には、その判決の確定後であっても、会社または株主は、再審の訴えで確定判決を争うことができる（853条１項）。なお、会社が和解をする場合、監査役設置会社では、監査役（監査役が２名以上いる場合には各監査役）の同意が必要である（監査等委員会設置会社では各監査等委員、指名委員会等設置会社では各監査委員の同意を要する）（849条の２）。

〔664〕　代表訴訟において、会社が被告取締役側に補助参加することができるかどうかについて学説の対立があった。最高裁は補助参加を認める立場をとっていた（最決平13・1・30民集55・1・30〔百選69事件〕）。会社法のもとでは、会社の補助参加が正面から認められている（849条１項）。会社が取締役等を補助するために代表訴訟に参加するには、監査役設置会社では監査役全員の同意（監査等委員会設置会社では監査等委員、指名委員会等設置会社では監査委員の同意）が必要である（同条３項）。

⑶　特定責任追及訴訟（多重代表訴訟）

〔665〕　日本では、親子会社による企業グループ経営が進んでいる（企業集団→37）。そこでは、業務の中心が子会社によって営まれることも少なくない。親会社は子会社の議決権の過半数を保有するなど、子会社の経営を支配している。そのため、子会社の経営について子会社の取締役等に任務懈怠があり、親会社に損害が発生したとき、親会社がその責任追及をすることができる。しか

し、親子会社間の取締役等の緊密な関係から、親会社による子会社取締役の責任追及がなされない危険性もある。そのため、平成26年の改正で、一定の場合に、親会社株主などに子会社の取締役の責任を直接に追及できる制度が創設された（特定責任追及訴訟制度）（847条の3）。

〔666〕 株主代表訴訟を提起できる権利は単独株主権とされている（→661）。これに対して、特定責任追及訴訟では最終完全親会社等の議決権または発行済株式の100分の1以上の数の株式を保有する株主に原告適格が限定される（少数株主権。847条の3第1項）。特定責任追及訴訟制度では、親会社等の株主と責任追及される子会社の取締役との間の関係が、子会社を通じた間接的なものとなる。そのため、親会社等の株主の要件は、責任追及をすることにより利害関係が強いものとすることが妥当と判断された。

〔667〕 特定責任追及訴訟を提起できる株主は最終親会社等の株主である。最終親会社等は、対象子会社の完全親会社等であって、その完全親会社等がないものをいう。これは、親子会社関係の頂点に位置する親会社を意味する。したがって、会社（A会社）が子会社（B会社）、そして、子会社がさらに子会社（C会社）を有している場合（A会社が孫会社としてC会社を保有している場合）、A

〈代表訴訟と特定責任追及訴訟〉

代表訴訟

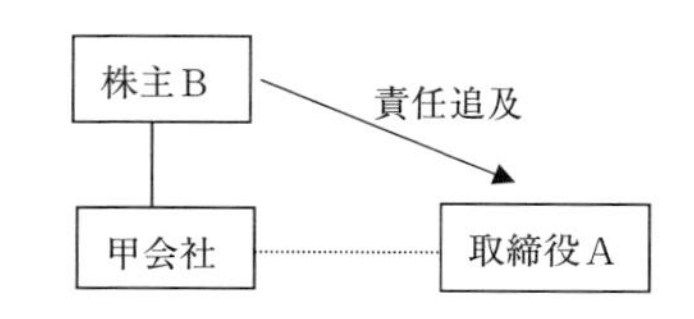

特定責任追及訴訟

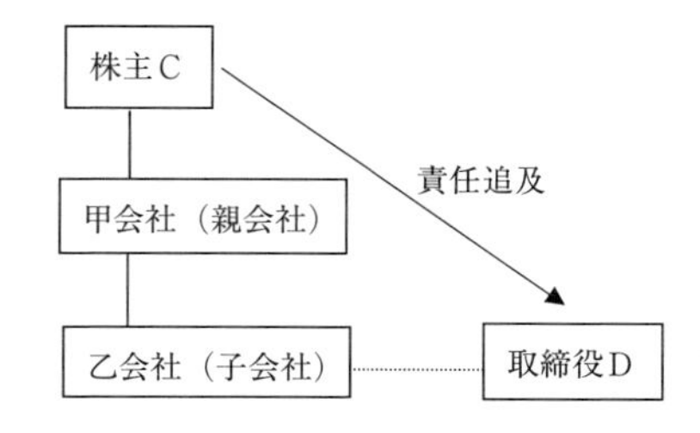

会社の株主がＣ会社の取締役の責任を追及することができることとなる。親子関係が多重になっている場合も責任追及が可能であるという点で、特定責任追及訴訟は、多重代表訴訟ともよばれている。完全親会社等は、他に子会社の株主が存在しないものをいう。他に株主が存在していれば、取締役の責任はその株主に委ねることが期待できるため、親会社等の株主には責任追及は認められない。最終完全親会社等が公開会社である場合は、株主は提訴請求の６月前から引き続き株式を保有していることが必要である（847条の３第１項）。

〔668〕　さらに、特定責任追及を行うためには、対象子会社株式の帳簿価額が最終完全親会社等の総資産額の５分の１を超えることが必要である（847条の３第４項）。５分の１という要件は、事業譲渡などにおいて、株主総会の決議が不要とされる要件（→863）を参考にしたものである。特定責任追及は、少数株主権として規定され、さらに、その対象が一定規模の重要な子会社の取締役の責任に限定されたことから、実際に、この制度により責任が追及される場面は限られたものになると考えられる。

9　取締役の第三者に対する責任

〔669〕　取締役は、その職務を行うについて悪意または重大な過失があったときは、第三者に対して連帯して損害賠償の責任を負わなければならない（429条１項）。会社は法人である（→163）。そのため、契約により取引先に対して責任を負うのは会社であり、取締役ではない。もっとも、会社法は、株式会社の業務が取締役の職務執行によって行われることを考慮して、第三者保護の立場から、取締役の責任を規定している。これまで、中小企業が倒産した場合に、最後の砦として、債権者が取締役の責任を追及する手段として多く利用されてきた。

〔670〕　この責任の性質については、①不法行為責任の一種であるとする説（特別不法行為説）と②会社法が特に定めたものであるとする説（特別法定責任説）とに分かれている。①の説によると、取締役の第三者に対する責任は特殊の不法行為責任であり、民法709条の不法行為責任の規定（第三者への加害について故意または過失があった場合に責任が生じる）は適用されず、したがって、

第三者への加害について取締役に悪意または重過失がある場合にのみ責任が発生するとしている。この説では、単なる軽過失のみでは取締役に責任は発生せず、その意味で民法の一般原則が緩和される。このような責任の緩和は、取締役が煩雑な職務を迅速に処理しなければならないことを根拠とする。

〔671〕　これに対して、②の説は、この責任は民法の不法行為責任とは別に会社法が特別に定めた責任であると解し、取締役は一般の不法行為責任とともに、会社法によっても責任を負うとしている。この説によると、取締役はその業務執行に悪意または重過失があれば、一般の不法行為責任が要求する第三者への加害についての故意または過失がなくとも責任を負うこととなる。また、故意または過失により第三者に損害を与えたならば、取締役は一般の不法行為責任による損害賠償の責任をも負うこととなる。それゆえに、この説は取締役の責任を加重するものといえる。判例は②の説をとっている（最大判昭44・11・26民集23・11・2150〔百選70事件〕）。このような責任の加重は、資力のない小規模会社における取引先を保護するという政策上の理由を根拠とする。

直接損害と間接損害

〔672〕　取締役が負う責任の範囲について、直接損害のみか間接損害も含むかについて争いがある。直接損害は、会社が損害を受けたか否かにかかわらず、取締役の行為によって第三者が直接に被った損害をいう。これに対して、間接損害は、会社に損害が発生し、その結果、二次的に第三者が損害を被ったものをいう。判例（上記昭和44年判決）・多数説は、会社の第三者に対する責任は、直接損害および間接損害の両方を含むと解している（両損害包含説）。

〔673〕　なお、第三者には会社の株主も含まれる。もっとも、取締役の行為により、会社が損害を受けて、保有株式の価値が下落したような場合（間接損害の場合）、株主は、その損害回復のために株主代表訴訟制度を利用できることから、取締役の第三者責任を追及することはできない（東京高判平17・1・18金判1209・10）。

〔674〕　このほか、①株式、新株予約権、社債もしくは新株予約権付社債を引き受ける者の募集をする際に通知しなければならない重要な事項についての虚偽の通知、またはその募集のための会社の事業その他の事項に関する説明に用いた資料についての虚偽の記載もしくは記録をしたとき、②計算書類および事業報告ならびにこれらの附属明細書ならびに臨時計算書類に記載し、または

記録すべき重要な事項についての虚偽の記載または記録をしたとき（会社が作成した計算書類ではなく、会社四季報を閲覧したものであるときは、保護の対象外とされた事例がある。名古屋高判昭58・7・1判時1096・134）、③虚偽の登記をしたとき、④虚偽の公告をしたときにも、取締役は注意を怠らなかったことを証明しない限り、第三者に対して損害賠償の責任を負う（429条2項）。

取締役の第三者に対する責任に関する判例

〔675〕 名目だけ代表取締役あるいは取締役に就任し、実際の業務執行を他の取締役に委ねる場合がある（名目取締役）。このような名目取締役に対しても、監視義務違反として第三者に対する損害賠償の責任があると判断した判例がある（最判昭55・3・18判時971・101）。また、判例は、取締役として選任されていないにも係らず、就任の登記がなされていた者（不実な登記簿上の取締役）について、不実登記の効力を定める規定（908条2項。故意または過失によって不実の事項を登記した者は、その事項が不実であることをもって善意の第三者に対抗できない）の類推適用により、取締役でないことを善意の第三者に対抗できないときは、第三者に対する責任を負うとした（最判昭47・6・15民集26・5・984）。取締役を辞任したものの、辞任登記がなされない場合に、第三者に対する責任を負うことはないが、不実の登記を残存させることに明示の承諾を与えた場合には、同様に責任を負う（最判昭62・4・16判時1248・127〔百選72事件〕）。なお、取締役でないものの、会社の業務執行を実質的に決定することのできる者（「事実上の取締役」とよばれる）についても、会社法429条1項は類推適用される（東京地判平2・9・3判時1376・110）。

10　違法行為の差止請求と検査役

(1)　株主の違法行為差止請求権

〔676〕 取締役が、会社の目的の範囲外の行為、その他法令または定款に違反する行為を行い、その結果、会社に著しい損害が生じるおそれがある場合には、6月前より引き続いて株式を有している株主は、会社のために、その行為を中止するように取締役に求めることができる（360条1項）。これを株主の違法行為差止請求権という。定款で6月の期間を短縮することができる。公開会社以外の会社では、6月の継続保有の要件はない（同条2項）。指名委員会等設

置会社では、執行役の行為の差止めが認められる（422条）。

〔677〕　代表訴訟が、取締役の違法行為に対する事後的な救済手段であるのに対して、株主の違法行為差止請求権は、その事前の防止手段となっている（優先株の引受けを行う決定がなされ、株主からその差止請求がなされた事例として、東京地決平16・6・23金判1213・61〔百選60事件〕がある〔請求棄却〕）。

〔678〕　取締役の違法行為の差止めは、会社に「著しい損害」が生じるおそれがある場合に認められる。もっとも、監査役設置会社、監査等委員会設置会社または指名委員会等設置会社では、「回復することができない損害」が生じるおそれがある場合に限定される（360条3項）。これらの会社では、「著しい損害」が生じるおそれがある場合は、監査役、監査等委員、監査委員が差止請求権を行使することができる（385条、399条の6、407条）。

⑵　検査役

〔679〕　総株主の議決権の100分の3以上の議決権を有する株主（または、発行済株式の100分の3以上の数の株式を有する株主）は、会社の業務執行に関し、不正の行為または法令もしくは定款に違反する重大な事実があることを疑うに足りる事由があるときは、会社の業務および財産の状況を調査させるため、裁判所に対して、検査役の選任の申立てをすることができる（358条1項・2項。検査役の選任が認められた事例として、大阪高決昭55・6・9判タ427・178〔百選A27事件〕）。上記の要件（持株要件）を欠くに至った場合には、選任の申請は却下される（最決平18・9・28民集60・7・2634〔百選59事件〕）。

〔680〕　選任された検査役は、調査結果を記載した書面（または記録した電磁的記録）を裁判所に提出して報告をする（358条5項）。また、会社および検査役の選任の申立てをした株主に対して、その書面の写しを交付する（または電磁的記録に記載された事項を提供する。同条7項）。裁判所は、報告があった場合必要があると認めるときは、取締役に対して、一定の期間内に株主総会の招集、調査結果の株主への通知を命じることができる（359条1項）。この場合、取締役は、報告の内容を株主総会に開示し（同条2項）、取締役（監査役設置会社では取締役と監査役）は、その報告内容を調査し、その結果を株主総会に報告しなければならない（同条3項）。

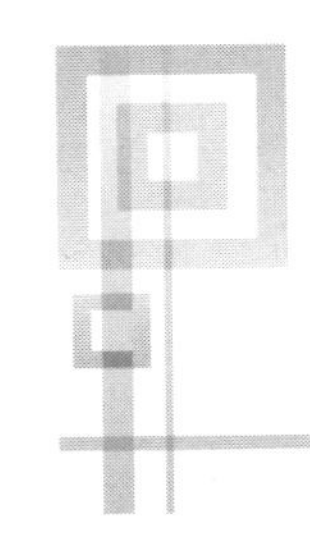

第４節　監査役・監査役会

１　日本の株式会社の監査の実態

〔681〕 株式会社では、会社の財産状況および事業成績を明らかにするために決算の手続が行われる（→777）。そこでは、計算書類等の妥当性を確保するために会計監査が行われる（→783）。会計監査制度に加えて、会社法は、取締役の業務執行を監査する業務監査制度を定めている。監査役設置会社における会計監査と業務監査は監査役によって行われる。ただし、公開会社以外の会社では、定款で、監査役の監査権限の範囲を会計監査に限定することが認められる（389条１項）。監査等委員会設置会社や指名委員会等設置会社では、監査役は置かれず、それぞれ、監査等委員会、監査委員会がその役割を担う。

〔682〕 大会社では、会計監査人による会計監査が強制されている（328条）。それ以外の会社でも、定款の定めにより、会計監査人を設置できる（326条２項）。会計監査人設置会社では、会計監査は第一次的には会計監査人が行う（→785）。

〔683〕 監査役による業務監査の範囲については、通説は、業務執行の適法性に限られ、その妥当性にまで及ばないと解している。しかしながら、取締役の行為が著しく不当である場合には、その取締役は、会社に対する善管注意義務（→609）に違反し、それは違法行為となる。そのため、この場合は、監査役は、業務執行の妥当性を監査することになる。

〔684〕 このように、株式会社の業務執行ならびに会計が適正に行われることを確保するために、会社法は監査制度を定めている。しかし、古今東西、会社をめぐる不正行為が絶えたことはない。日本の監査制度が機能していない理由の１つとして、監査役が社内から選任される慣行が挙げられることがある。

〈監査役の平均人数〉

（平均人数）

	全体	上場会社	非上場会社	大会社	大会社以外
常勤監査役	1.23 （41.3%）	1.41 （39.1%）	1.10 （43.7%）	1.33 （41.0%）	1.00 （42.9%）
社内監査役	0.91 （30.5%）	1.05 （29.1%）	0.81 （32.1%）	1.02 （31.5%）	0.65 （27.9%）
社外監査役	0.32 （10.7%）	0.36 （10.0%）	0.29 （11.5%）	0.31 （9.6%）	0.35 （15.0%）
非常勤監査役	1.74 （58.4%）	2.20 （60.9%）	1.41 （56.0%）	1.91 （59.0%）	1.33 （57.1%）
社内監査役	0.27 （9.1%）	0.11 （3.0%）	0.39 （15.5%）	0.27 （8.3%）	0.25 （10.7%）
社外監査役	1.47 （49.3%）	2.09 （57.9%）	1.03 （40.9%）	1.64 （50.6%）	1.07 （45.9%）
社外監査役合計	1.80 （60.4%）	2.45 （67.9%）	1.32 （52.4%）	1.95 （60.2%）	1.43 （61.4%）
社内監査役合計	1.18 （39.6%）	1.17 （32.4%）	1.19 （47.2%）	1.29 （39.8%）	0.90 （38.6%）
監査役合計	2.98 （100.0%）	3.61 （100.0%）	2.52 （100.0%）	3.24 （100.0%）	2.33 （100.0%）

（日本監査役協会「役員等の構成の変化などに関する第20回インターネット・アンケート集計結果—監査役（会）設置会社版」〔2020年5月18日〕10頁より）

〈監査役スタッフ（補助使用人）の社数〉

（社数）

	全体	上場会社	非上場会社	大会社	大会社以外
スタッフ設置あり	1,284 （40.6%）	666 （50.0%）	618 （33.7%）	1,074 （49.1%）	188 （19.9%）
専属スタッフのみ	351 （27.3%）	224 （33.6%）	127 （20.6%）	325 （30.3%）	13 （6.9%）
専属スタッフと兼任スタッフがいる	66 （5.1%）	46 （6.9%）	20 （3.2%）	65 （6.1%）	1 （0.5%）
兼任スタッフのみ	867 （67.5%）	396 （59.5%）	471 （76.2%）	684 （63.7%）	174 （92.6%）
スタッフ設置なし	1,881 （59.4%）	666 （50.0%）	1,215 （66.3%）	1,112 （50.9%）	758 （80.1%）
回答社数	3,165 （100.0%）	1,332 （100.0%）	1,833 （100.0%）	2,186 （100.0%）	946 （100.0%）

（日本監査役協会「役員等の構成の変化などに関する第20回インターネット・アンケート集計結果—監査役（会）設置会社版」〔2020年5月18日〕26頁より）

監査役は取締役と同じく株主総会において選任される。しかし、株主総会での議案を提出するのは代表取締役であり、この議案が否決されることはほとんど

〈監査役会設置会社の概要（取締役会設置会社）〉

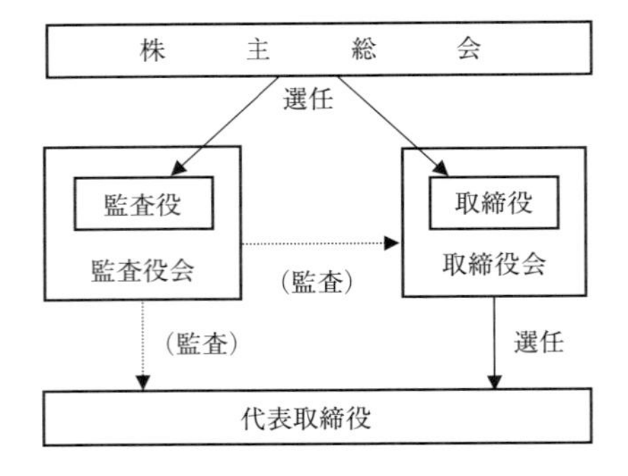

ない。また、選任される監査役は人数が少なく、必要な調査を十分に行うことができないという技術的な理由も存在する。このような状況のもと、監査制度を充実させる方法として、法改正によって監査役の任期の延長が行われ（現行法では４年→695)、社外監査役制度および監査役会制度（→689）の導入が行われてきた。

〔685〕　日本の監査役制度は、海外には類を見ないものである。そのため、海外の投資家から、日本のコーポレート・ガバナンスの仕組みが分かりくいという批判もある。また、度重なる監査役制度の改正によっても、企業不祥事が収まらない状況で、新たなガバナンスの仕組みが求められた。このような状況のもと、平成14年の改正で、米国の制度を参考に、委員会等設置会社が規定された（その後、名称は、委員会設置会社となり、平成26年の改正で指名委員会等設置会社となった)。さらに、平成26年の改正で、あらたに、監査等委員会設置会社が導入された（これらの事情について→743)。

〔685-2〕　指名委員会等設置会社では、指名委員会、監査委員会および報酬委員会の設置が義務づけられる（→726)。さらに、監査役設置会社（監査役会設置会社）においても、任意の指名委員会または報酬委員会を設置する会社が増えている。コーポレートガバナンス・コードは、「独立社外取締役が取締役会の過半数に達していない場合には、経営陣幹部・取締役の指名・報酬などに係る取締役会の機能の独立性・客観性と説明責任を強化するため、取締役会の下に独立社外取締役を主要な構成員とする任意の指名委員会・報酬委員会

〈指名委員会・報酬委員会等に相当する（諮問）機関の設置の有無〉

（社数）

	全体	上場会社	非上場会社	大会社	大会社以外
指名・報酬委員会に相当するものがそれぞれ設置されている	257 （8.1%）	235 （17.6%）	22 （1.2%）	241 （11.0%）	10 （1.1%）
指名・報酬委員会に相当する機能を併せ持つものが設置されている	338 （10.7%）	305 （22.9%）	33 （1.8%）	313 （14.3%）	18 （1.9%）
指名委員会に相当するもののみが設置されている	22 （0.7%）	13 （1.0%）	9 （0.5%）	18 （0.8%）	2 （0.2%）
報酬委員会に相当するもののみが設置されている	96 （3.0%）	66 （5.0%）	30 （1.6%）	78 （3.6%）	18 （1.9%）
設置されていない	2,452 （77.5%）	713 （53.5%）	1,739 （94.9%）	1,536 （70.3%）	898 （94.9%）
回答社数	3,165 （100.0%）	1,332 （100.0%）	1,833 （100.0%）	2,186 （100.0%）	946 （100.0%）

（日本監査役協会「役員等の構成の変化などに関する第20回インターネット・アンケート集計結果―監査役（会）設置会社版」〔2020年5月18日〕37頁より）

など、独立した諮問委員会を設置すること」を求めている（CGコード補充原則4-10①）。このことも委員会設置の動きを加速させている要因である。任意の指名・報酬委員会の多くは取締役の諮問機関として設置されているが、その決定を取締役会が覆すことは事実上難しい。

「監査役」の英語表記

〔686〕「監査」の英語表記としてauditがある。もっとも、欧米では、通常、これは「会計監査」を意味する。それゆえに、auditorは「会計士」（会社法上では、「会計監査人」）を指す用語となる。日本の監査役は欧米には存在しない制度であるため、その英語表記が問題となる。これまで、監査役については、corporate auditorまたはcompany auditorという用語が使われていた（法務省ウェブサイトで公開されている会社法の翻訳〔法令外国訳データーベース〕では、監査役はcompany auditor、会計監査人をfinancial auditorと訳されている）。これらの用語は、会社と独立した会計士と区別するという意味では有用であるものの、内部監査を担当する者との区別が明確ではなく、この点で、監査役が、海外から分かりにくいといわれる1つの理由であった。なお、日本監査役協会は、監査役をAudit & Supervisory Board Memberとして、推奨することを明らかにしている。同協会の調査によると、この呼称を採用している会社は、上場会社で70.5%となっている（回答会社1,445社（2015年11月5日））。

〔687〕　なお、日本においても粉飾決算の事例が少なくない。この点で、会

計監査人による会計監査の有効性も問題となる。会社法の分野では、会計監査を適正に行わせる仕組みとして、監査される側からの独立性の確保に関する改正が行われている。その中心的役割を担うのが監査役である（→460、756、764）。

2　監査役の選任と終任

(1)　監査役の選任

〔688〕　監査役は取締役と同じく株主総会の普通決議で選任される（329条1項）。監査役の選任決議に当たっては、定款の定めをもってしても、定足数を総株主の議決権の３分の１未満に引き下げることはできない（341条）〈→定款28条〉。なお、取締役選任の場合と異なり、累積投票の制度（→549）は認められない。

〔689〕　監査役は原則として非常勤の１名で足りる。しかし、大会社で公開会社である会社では、監査役は３名以上でなければならず、監査役のうち半数は社外の者でなければならない（335条3項）。社外監査役の「社外性」については、社外取締役と類似したものが規定されている（2条16号）（社外取締役の定義→553-555）。これらの会社では、監査役の全員でもって監査役会を組織する（390条1項）。監査役会は、監査役の中から常勤監査役を選定しなければならない（同条3項）。

〔690〕　監査役の選任に関する議案を株主総会に提出するには、監査役の同意を得なければならない（343条1項）。監査役が２名以上である場合は、その過半数、監査役会設置会社では監査役会の同意が必要である（同条3項）。これは、監査役の独立性を確保するためのものである。このことは、監査役は、取締役側が作成する監査役候補者につき拒否権を有することを意味する。また、監査役は、取締役に対して、監査役の選任に関する議案を株主総会に提出することを請求することもできる（同条2項）。

(2)　監査役の資格

〔691〕 監査役の欠格事由として取締役と同様のものが定められている（335条1項、331条1項）（→557）。会社は、監査役が株主でなければならない旨を定款で定めることはできない（335条1項、331条2項本文）。もっとも、公開会社以外の株式会社では、この限りではない（335条1項、331条2項ただし書）。監査役は、その会社もしくはその会社の子会社の取締役もしくは支配人その他の使用人またはその子会社の会計参与もしくは執行役を兼ねることができない（335条2項）。監査する側が監査される側と同一であれば、適正な監査を期待することはできないためである。

横滑り監査役

〔692〕 従業員や取締役を退任した後すぐに監査役に就任した者（いわゆる横滑り監査役）が、従業員や取締役在任中の期間に生じた事柄について監査を行うことができるかという問題がある。これについては、判例はその監査は違法でないとしている（最判昭62・4・21資料版商事法務38・98）

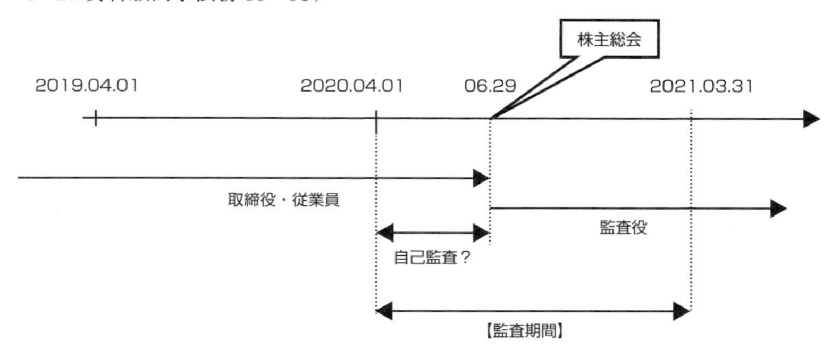

〔693〕 顧問弁護士による監査役就任が兼任規制の対象となるかも問題となる。判例は、弁護士の資格を有する監査役が特定の訴訟事件で会社から委任を受けて訴訟代理人になることまで禁止されないとする（最判昭61・2・18民集40・1・32〔百選74事件〕）。学説では、弁護士の職務の実体が取締役に対して継続的な従属性を有しているか否かによって実質的に判断すべきと解する見解が有力である。

社内監査役の前職

〔694〕 社内監査役の前職について、執行側の要職であった者の割合が約半数を占めること（下表の「会長・副会長」から「執行役員」まで）、さらに、前職が「監査関係以外の部長等」、監査業務の経験がない者の割合も高いことが注目される。

〈社内監査役の前職分類別人数〉

（人数）

	全体	上場会社	非上場会社	大会社	大会社以外
会長・副会長	8 （0.2%）	3 （0.2%）	5 （0.2%）	4 （0.1%）	4 （0.5%）
社長	117 （3.1%）	22 （1.4%）	95 （4.3%）	74 （2.6%）	43 （5.0%）
副社長	58 （1.6%）	27 （1.7%）	31 （1.4%）	45 （1.6%）	11 （1.3%）
専務・常務	451 （12.1%）	227 （14.6%）	224 （10.2%）	356 （12.6%）	91 （10.6%）
上記以外の取締役	499 （13.3%）	219 （14.1%）	280 （12.8%）	364 （12.9%）	127 （14.9%）
執行役員	543 （14.5%）	327 （21.1%）	216 （9.9%）	468 （16.6%）	65 （7.6%）
相談役・顧問・嘱託	84 （2.2%）	44 （2.8%）	40 （1.8%）	62 （2.2%）	21 （2.5%）
監査関係部長等	406 （10.9%）	180 （11.6%）	226 （10.3%）	306 （10.9%）	98 （11.5%）
監査関係以外の部長等	892 （23.9%）	354 （22.8%）	538 （24.6%）	707 （25.1%）	180 （21.1%）
その他	682 （18.2%）	149 （9.6%）	533 （24.4%）	434 （15.4%）	215 （25.1%）
合計人数	3,740 （100.0%）	1,552 （100.0%）	2,188 （100.0%）	2,820 （100.0%）	855 （100.0%）

（日本監査役協会「役員等の構成の変化などに関するアンケート第20回インターネット・アンケート集計結果―監査役（会）設置会社版」〔2020年5月18日〕15頁より）

(3)　監査役の任期

〔695〕　監査役の任期は、選任後4年以内に終了する事業年度のうち最終のものに関する定時総会の終結の時までである（336条1項）。この監査役の任期は、取締役のそれと異なり（→559）、定款の定めをもっても短縮することができない〈→定款29条〉。独立性を保障するためである。公開会社以外の会社では、定款により、監査役の任期を10年まで延長することができる（同条2項）。

⑷　監査役の終任

〔696〕　監査役の終任事由には、任期の満了、欠格事由の発生、辞任などがある。さらに、監査役は株主総会の特別決議によっていつでも解任される（339条１項、309条２項７号）。監査役の員数を欠くに至った場合に仮監査役を選任し得ることは取締役の場合と同様である（346条２項）（→568）。欠員が生じ

〈退任監査役等の有無と辞任理由〉

退任の有無　（社数）

	全体	上場会社	非上場会社	大会社	大会社以外
なかった	2,082（65.8%）	869（65.2%）	1,213（66.2%）	1,352（61.8%）	706（74.6%）
任期満了での退任があった	550（17.4%）	324（24.3%）	226（12.3%）	461（21.1%）	81（8.6%）
解任があった	7（0.2%）	2（0.2%）	5（0.3%）	4（0.2%）	3（0.3%）
逝去があった	16（0.5%）	7（0.5%）	9（0.5%）	12（0.5%）	3（0.3%）
任期途中での辞任があった	549（17.3%）	156（11.7%）	393（21.4%）	395（18.1%）	154（16.3%）
回答社数	3,165	1,332	1,833	2,186	946

（日本監査役協会「役員等の構成の変化などに関するアンケート第20回インターネット・アンケート集計結果―監査役（会）設置会社版」〔2020年５月18日〕40頁より）

辞任理由　（社数）

	全体	上場会社	非上場会社	大会社	大会社以外
役職定年等、社内規定によるもの	97（17.7%）	24（15.4%）	73（18.6%）	77（19.5%）	20（13.0%）
執行部門（子会社執行部門も含む）に戻る等、職掌の変更に伴うもの	165（30.1%）	24（15.4%）	141（35.9%）	116（29.4%）	49（31.8%）
合併等、会社の機関設計の変更に伴うもの	35（6.4%）	4（2.6%）	31（7.9%）	24（6.1%）	11（7.1%）
辞任監査役自身の健康上の理由によるもの	32（5.8%）	14（9.0%）	18（4.6%）	22（5.6%）	10（6.5%）
その他一身上の都合によるもの	235（42.8%）	97（62.2%）	138（35.1%）	168（42.5%）	67（43.5%）
回答社数	549	156	393	395	154

（日本監査役協会「役員等の構成の変化などに関するアンケート第20回インターネット・アンケート集計結果―監査役（会）設置会社版」〔2020年５月18日〕41頁より）

た場合に備えて、補欠監査役を株主総会で選任しておくこともできる（329条3項）。

〔697〕　監査役は株主総会において、監査役の選任および解任について意見を述べることができる（345条4項）。さらに、監査役を辞任した者も、その後の最初に招集される株主総会に出席し、その旨および理由を述べることができる（同条4項・2項）。

〔698〕　監査役の少なからぬ割合の者が任期途中で辞任をしているとのデータがある。一身上の都合によるもののほか、役職定年等の社内規定によるものもかなりの割合を占めていることが注目される。監査役の独立性の観点から任期が定められていることを考えると、社内規則等で任期を全うできない者を監査役に選任すること自体適切なものとはいえない。

3　監査役の報酬と監査費用

(1)　監査役の報酬

〔699〕　監査役の報酬は、定款でその額の定めがない場合には、株主総会の決議で定められる。取締役の報酬も株主総会で決定されるが（361条1項）（→617）、監査役の報酬は、その地位の独立性の観点から、取締役の報酬と別個に定めることを要する（387条1項）。

〔700〕　監査役が複数人いる場合には、各監査役の報酬は、株主総会で定めた報酬総額の範囲内で、監査役の協議で決定される（387条2項）。また、報酬についての議案が提出されたときに、監査役は株主総会で意見を述べることができる（同条3項）。

(2)　監査費用

〔701〕　監査役と会社との関係は委任の関係に従う（330条）。そのため、監査役は会社に対して、監査費用の前払いを請求することができるだけでなく、監査役が費用を支出したときには、会社に対してその費用および利息の償還を請求することができる（民649条、650条1項・2項）。ただし、この場合、監査

〈監査役年額報酬額（上場会社）〉

（人数）

	社内常勤	社外常勤	社内非常勤	社外非常勤	合計
200万円未満	2 （0.2%）	12 （2.6%）	48 （29.4%）	308 （12.8%）	370 （8.7%）
200万円以上 500万円未満	34 （2.7%）	54 （11.6%）	66 （40.5%）	1,168 （48.6%）	1,322 （30.9%）
500万円以上 1,000万円未満	247 （19.9%）	160 （34.3%）	42 （25.8%）	719 （29.9%）	1,168 （27.3%）
1,000万円以上 1,500万円未満	318 （25.6%）	106 （22.7%）	6 （3.7%）	175 （7.3%）	605 （14.2%）
1,500万円以上 2,000万円未満	304 （24.5%）	64 （13.7%）	0 （0.0%）	25 （1.0%）	393 （9.2%）
2,000万円以上 3,000万円未満	244 （19.6%）	62 （13.3%）	0 （0.0%）	7 （0.3%）	313 （7.3%）
3,000万円以上	94 （7.6%）	9 （1.9%）	1 （0.6%）	0 （0.0%）	104 （2.4%）
合計人数	1,243 （100.0%）	467 （100.0%）	163 （100.0%）	2,402 （100.0%）	4,275 （100.0%）

（日本監査役協会「役員等の構成の変化などに関するアンケート第20回インターネット・アンケート集計結果—監査役（会）設置会社版」〔2020年5月18日〕85頁より）

役はこれらの費用が監査に必要であることを立証する必要がある。会社法で、監査役の費用の請求を容易にするために、会社は監査役の職務執行に必要でないことを証明しない限り、①費用の前払いを請求したとき、②費用の支出をした場合において、その費用および支出の日以降における利息の償還を請求したとき、③債務を負担した場合において、その債務を自己に代わって弁済すべきことを請求したときは、監査役の請求を拒むことができないものとしている（388条）。

4　監査役の権限と義務

(1)　取締役会に関する権限

〔702〕　監査役は取締役会に出席して、必要なときは意見を述べなければならない（383条1項本文）。そのため、取締役会の招集通知（→575）は監査役

〈取締役会における監査役の発言状況〉

（社数）

	全体	上場会社	非上場会社	大会社	大会社以外
議長からの求めに応じて発言している	412（13.0%）	209（15.7%）	203（11.1%）	290（13.3%）	120（12.7%）
議長からの求めがなくても、必要があれば発言している	2,696（85.2%）	1,237（92.9%）	1,459（79.6%）	1,888（86.4%）	782（82.7%）
代表取締役・取締役と日常的に十分なコミュニケーションが取れているため、取締役会においてはあまり発言する必要がない	713（22.5%）	159（11.9%）	554（30.2%）	463（21.2%）	240（25.4%）
代表取締役・取締役と日常的に十分なコミュニケーションが取れているわけでもなく、取締役会においてもほとんど発言していない	34（1.1%）	9（0.7%）	25（1.4%）	21（1.0%）	13（1.4%）
その他	48（1.5%）	19（1.4%）	29（1.6%）	38（1.7%）	10（1.1%）
回答社数	3,165	1,332	1,833	2,186	946

（日本監査役協会「役員等の構成の変化などに関するアンケート第20回インターネット・アンケート集計結果―監査役（会）設置会社版」〔2020年5月18日〕58頁より）

に対してもなされなければならない（368条１項）〈→定款21条〉。監査役の取締役会への出席権は、取締役会において違法あるいは著しく不当な決議がなされることを防止するためのものである。会社が特別取締役による取締役会決議を行う旨を定めた場合（→593）、監査役の互選によって、監査役の中からその取締役会に出席する監査役を定めることができる（383条１項ただし書）。

〔703〕　監査役は取締役会の招集権者に対して取締役会の招集を請求することができる（383条２項）。さらに、その請求があった日から５日以内に、その請求の日から２週間以内を会日とする取締役会の招集通知が発せられないときは、請求を行った監査役が取締役会を招集することができる（同条３項）。

〔704〕　監査役は、取締役が不正の行為をなし、もしくはその行為を行うおそれがあると認めるとき、または、法令もしくは定款に違反する事実もしくは著しく不当な事実があると認めるときは、遅滞なく、その旨を取締役（取締役会設置会社では取締役会）に報告しなければならない（382条）。これは取締役の業務執行を監督する取締役会の権限（→591）の行使を促すためのものである。なお、監査役が取締役の違法行為を知りながら、それを取締役会に報告

しないときは、任務懈怠による責任（→710）を負う（423条1項）。

(2) 各種の調査権

〔705〕 監査役は、いつでも取締役および会計参与ならびに支配人その他の使用人に対して事業の報告を求め、または会社の業務および財産の状況を調査することができる（381条2項）。また、取締役は会社に著しい損害を及ぼすおそれのある事実を発見したときは、ただちに監査役（監査役会設置会社にあっては監査役会）にこの事実を報告しなければならない（357条1項・2項）。

〔706〕 監査役は、監査に必要なときは、その子会社（親会社・子会社の定義→181）に対して事業の報告を求めることができ、さらに子会社の業務および財産の状況を調査することができる（381条3項）。なお、子会社調査権が濫用され、子会社の利益が損なわれることがあってはならない。そのため、正当な理由があるときには、子会社は親会社の監査役による報告請求および業務・財産の状況の調査を拒否することができる（同条4項）。

〔707〕 監査役は取締役が株主総会に提出しようとする議案および書類を調査し、それに法令もしくは定款に違反する事項または著しく不当な事項があると認めるときは、株主総会にその調査の結果を報告しなければならない（384条）。これは、違法または定款に違反する議案あるいは著しく不当な議案が、株主総会で決議および承認されることを防止するために定められているものである。

(3) 違法行為等の是正権

〔708〕 取締役が会社の目的の範囲外の行為その他法令もしくは定款に違反する行為をなし、これによって会社に著しい損害が生じるおそれがある場合には、監査役は取締役に対してその行為を差し止めるよう請求することができる（385条1項）。仮処分により取締役にその行為の差止めを命じる場合、裁判所は担保を立てさせてはならない（同条2項）。なお、監査役は、監査役全員の同意を得て、会計監査人を解任することができる（340条1項・2項）。この場合、監査役（監査役が2名以上であるときは、監査役の互選によって定めた監査役）は、その旨および解任の理由を解任後最初に招集される株主総会に報告し

なければならない（同条3項）。監査役会設置会社では、監査役会が選定した監査役が報告を行う（同条4項）。

〔709〕 監査役は、株主総会決議取消しの訴え（831条1項）、新株発行無効の訴え、合併無効の訴えなどを提起することができる（828条2項）。特別清算開始後において、裁判所に対し業務・財産の調査命令の申立てもできる（522条1項）。なお、会社が取締役に対して訴えを提起する場合または取締役が会社に対して訴えを提起する場合には、その訴えについて監査役が会社を代表する（386条1項）。

5　監査役の責任

(1)　会社に対する責任

〔710〕 監査役と会社との関係には委任に関する規定が適用される（330条）。したがって、監査役は会社に対して善良なる管理者としての注意義務を負う（民644条）。さらに、監査役がその任務を懈怠し、会社に損害を与えたときには、会社に対して連帯して損害賠償の責任を負う（423条1項）。この場合、取締役等にも責任があるときには、監査役は取締役等と連帯して責任を負う（430条）。

〔711〕 また、監査役の会社に対する責任については、取締役の場合と同じく、株主代表訴訟（→654）が認められる（847条1項）。監査役の責任の一部免除や限定も取締役と同様に認められている（425条～427条）（→646-652）〈→定款32条〉。会社との間で責任限定契約を締結している社外監査役は91.4%であった。これに対して、社外監査役以外の監査役の割合は32.4%にとどまっている（→652）。

(2)　第三者に対する責任

〔712〕 監査役は、その職務を行うについて、悪意または重大な過失があるときには、第三者に対して損害賠償の責任を負う（429条1項）。この場合も、取締役に責任があるときは、監査役は取締役と連帯して責任を負う（430条）。

監査役は業務執行を行わないため、これに関する任務懈怠責任を負うことは通常はない。

〔713〕 監査役は、監査報告に記載・記録すべき重要な事項について、虚偽の記載・記録を行った場合には、第三者に対して連帯して損害賠償の責任を負う（429条2項3号、430条）。ただし、監査役が、虚偽の記載・記録を行ったことにつき、注意を怠らなかったことを証明した場合には、その責任を免れることができる（429条ただし書）。このほか、有価証券報告書等の虚偽記載があった場合には金融商品取引法上の責任も発生する（金商21条等）。

6　監査役会

(1)　監査役会の権限

〔714〕 監査等委員会設置会社、指名委員会等設置会社以外の大会社で公開会社である会社は監査役会を置かなければならない（328条1項）。それ以外の会社では、定款の規定により監査役会を任意に置くことができる。剰余金の配当等を取締役会の決議で行うためには監査役会設置会社でなければならないため（→818）、このような決議を望む会社は、定款変更を行い、監査役会を設置することが必要となる。

〔715〕 監査役会は、すべての監査役で組織される（390条1項）。監査役会は、①監査報告の作成（→784）、②常勤監査役（→689）の選定・解職、③監査の方針、監査役会設置会社の業務および財産の状況の調査の方法その他の監査役の職務の執行に関する事項の決定を行う（同条2項）。なお、③について、各監査役の権限の行使を妨げることはできない（同項ただし書）。このことを、監査役の「独任制」ということがある。監査役は、監査役会の求めがあるときは、いつでもその職務の執行の状況を監査役会に報告しなければならない（同条4項）。

(2)　監査役会の運営

〔716〕 監査役会は、必要に応じて開催される。監査役会は各監査役が招集

する（391条）。監査役会を招集するためには、監査役は、1週間前までに、各監査役に通知を発しなければならない（392条1項）。1週間という期間は定款で短縮できる〈→定款30条〉。監査役の全員の同意があるときは、招集の手続を経ることなく開催することが可能である（392条2項）。

〔717〕 監査役会の決議は、監査役の過半数をもって行う（393条1項）。監査役会の書面決議は認められない（取締役会について→582）。監査役会の議事については、議事録を作成し、出席した監査役は署名または記名押印を行う（同条2項。電磁的記録で作成される場合の電子署名等については、同条3項参照）。監査役会の決議に参加した監査役のうち、監査役会議事録に異議をとどめない者は、その決議に賛成したものと推定される（同条4項）。取締役等が監査役全員に対して監査役会に報告すべき事項を通知したときは、その事項を改めて監査役会へ報告することを要しない（395条）。

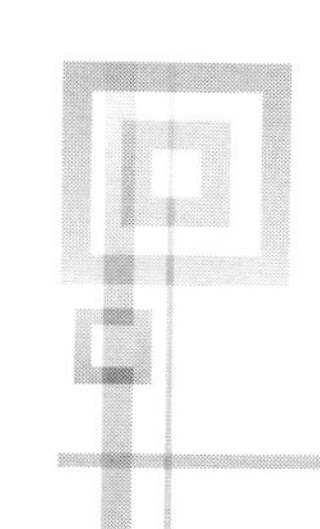

第5節　指名委員会等設置会社と監査等委員会設置会社

1　指名委員会等設置会社

(1)　指名委員会等設置会社の意義と概要

〔718〕　平成14年の改正で、委員会等設置会社の制度が創設された。委員会等設置会社の名称は、平成17年の改正で「委員会設置会社」、平成26年の改正で「指名委員会等設置会社」に改められている（平成26年の改正で、監査等委員会設置会社という、委員会を設置する会社が他に認められたため、このような改正が行われた）。

〔719〕　指名委員会等設置会社の特徴は、取締役会内部の委員会として、指名委員会、監査委員会および報酬委員会を持ち（2条12号）、さらに、執行役

〈指名委員会等設置会社の概要〉

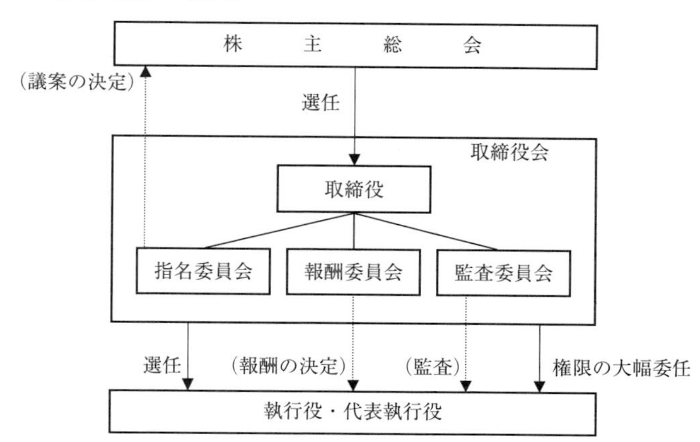

〈指名委員会等設置会社を選択した企業〉

（令和２年８月３日時点）

区分	社数
東証第１部	63
東証第２部	4
その他上場	
マザーズ	5
JASDAQ	4
セントレックス	1

（日本取締役協会ウェブサイトより）

採用会社（採用年）　イオン（2003）、オリックス（2003）、コニカミノルタ（2003）、ソニー（2003）、東芝（2003）、野村HD（2003）、日立製作所（2003）、HOYA（2003）、三菱電機（2003）、りそなHD（2003）、エーザイ（2004）、大和証券グループ本社（2004）、日本板硝子（2008）、クックパッド（2009）、東京電力（2012）、日本取引所グループ（2013）、みずほフィナンシャルグループ（2014）、日本郵政（2015）、三菱ケミカルHD（2015）、三菱UFJフィナンシャルグループ（2015）、ゆうちょ銀行（2015）、ブリヂストン（2016）、三菱地所（2016）、ヤマハ（2017）、三井住友フィナンシャルグループ（2017）、三菱自動車工業（2019）、オリンパス（2019）、日本証券金融（2019）など

と代表執行役が会社の経営を行うことにある（402条１項、420条１項、418条）。指名委員会等設置会社には監査役を置くことができない（327条４項）。取締役会は、業務執行の決定を大幅に執行役に委任できる（416条４項）。このため、取締役会は主として執行役を監督する役割を担うこととなる。取締役会が経営者による業務執行の監督を担うシステムを「モニタリング・モデル」という。指名委員会等設置会社では、上記の３委員会が重要な役割を果たすこととなる。これらの委員会制度の実効性を高める目的で社外取締役（→553）が委員会メンバーの過半数を占めることが要求される（400条３項）。

〔720〕　会社は定款の定めによって、指名委員会等設置会社となれる（326条２項）。平成14年の改正に当たり、企業統治（コーポレート・ガバナンス）の制度として、指名委員会等設置会社も監査役・監査役会設置会社も、ともに合理性があり、どの制度を採用するかは会社の自治に委ねることとした。もっとも、これまで、指名委員会等設置会社を選択した会社は多くない（その理由→743）。

⑵　取締役・取締役会

〔721〕　指名委員会等設置会社においても、取締役は株主総会において選任

される（329条1項）。もっとも、取締役の選任議案の内容は指名委員会（→730）が決定する（404条1項）。取締役は3名以上選任する必要がある（400条1項）。各委員会では、そのメンバーの過半数は社外取締役でなければならないことから（同条3項）、少なくとも2名以上の社外取締役を株主総会で選任しておく必要がある（委員の兼任は可能）。

〔722〕　指名委員会等設置会社の取締役の任期は、就任後1年以内の最終の決算期に関する定時株主総会の終結の時までである（332条1項・6項）（比較→559）。これにより、指名委員会等設置会社の取締役は、毎年株主総会で株主から信任を受けることとなる。指名委員会等設置会社では、剰余金の配当の決定につき株主総会の議決を要しない（459条1項）（比較→817）。したがって、この点でも、毎年株主総会を開催して株主の取締役に対する信任を問う機会を確保する必要がある。

〔723〕　指名委員会等設置会社では、会社の業務の執行は執行役（→736）に委ね、業務の監督と執行が分離されるため、取締役は、原則として、取締役の資格で会社の業務を執行することができない（415条）。もっとも、取締役と執行役の兼任は可能である（402条6項。東証上場会社では、23.7％の執行役が取締役を兼務している）。そのため、執行役の立場から業務執行に携わることができる。これは、両者の兼任により、取締役会に提供される情報の充実を期待したためである。取締役による執行役に対する監督機能の弱体化が懸念されるが、

〈執行役の兼任状況〉

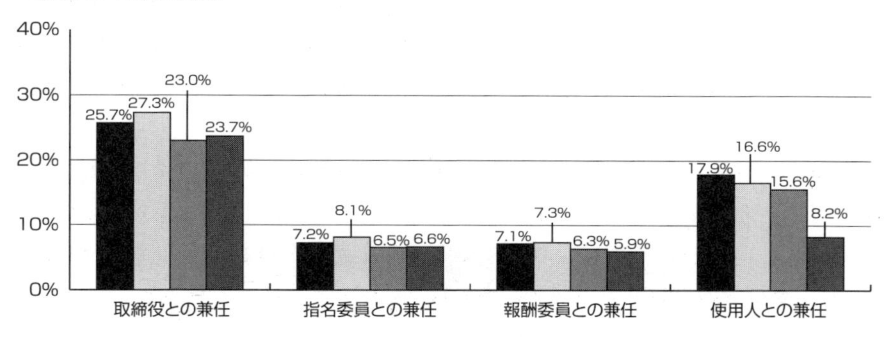

（東京証券取引所「東証上場会社コーポーレート・ガバナンス白書2019」130頁より）

この点は、社外取締役が過半数を占める各委員会の役割に期待されている。

〔724〕　指名委員会等設置会社の取締役は、会社の支配人その他の使用人を兼ねることが禁止される（331条4項）。したがって、指名委員会等設置会社では使用人兼務取締役は許容されない。これは、取締役の主たる職責は執行役の監督にあるところ、執行役の指揮・命令を受ける使用人を兼務することは妥当でないとの考えによる。

〔725〕　指名委員会等設置会社では取締役会を置かなければならない（327条1項4号）。取締役会は、経営の基本方針などの業務執行の決定を行い、取締役および執行役の職務の執行を監督する（416条1項）。取締役会は、①経営の基本方針、②「監査委員会の職務の執行のため必要なもの」として法務省令で定める事項、③執行役が２人以上いる場合における執行役の職務の分掌および指揮命令の関係その他の執行役相互の関係に関する事項、④執行役から取締役会の招集の請求を受ける取締役、⑤「執行役の職務の執行が法令及び定款に適合することを確保するための体制その他株式会社の業務、並びに当該株式会社及びその子会社から成る企業集団の業務の適正を確保するために必要なもの」として法務省令で定める体制（内部統制システムの大綱）の整備を決定しなければならない（同条2項）。これらの職務の執行を取締役に委任することはできない（同条3項）。

⑶　３委員会の運営

〔726〕　指名委員会等設置会社では、指名委員会、監査委員会および報酬委員会の３委員会を設置しなければならない（2条12号）。これらの委員会を兼務する社外取締役も少なくない。なかでも、指名委員会と報酬委員会の兼務の割合が高い。

〔727〕　３委員会は、委員である各取締役が招集できる（410条）。委員会を招集するには、委員会の日の１週間前までに（これを下回る期間を取締役会で定めることもできる）、各委員に対してその通知を発しなければならない（411条1項）。委員会の委員全員の同意があれば、招集の手続は不要である（同条2項）。取締役および執行役は、委員会の要求があったときは、要求を行った委員会に出席し、委員会の求めた事項について説明をすることを要する（同条3項）。

〈３委員会の取締役の員数と社外者の割合〉

（平均人数）

	全体	上場会社	非上場会社
指名委員会			
総数平均人数	4.15	4.20	3.75
社外人数	3.15	3.23	2.50
（社外構成比）	（75.9%）	（76.9%）	（66.7%）
報酬委員会			
総数平均人数	4.05	4.09	3.75
社外人数	3.05	3.14	2.25
（社外構成比）	（75.3%）	（76.8%）	（60.0%）
監査委員会			
総数平均人数	4.21	4.43	2.25
社外人数	3.15	3.31	1.75
（社外構成比）	（74.8%）	（74.7%）	（77.8%）
常勤人数	1.13	1.17	0.75
（常勤構成比）	（26.8%）	（26.4%）	（33.3%）
回答社数	39	35	4

（日本監査役協会「役員等の構成の変化などに関するアンケート第20回インターネット・アンケート集計結果―指名委員会等設置会社版」〔2020年5月18日〕9頁より）

〈３委員会の兼務状況（社外委員）〉

	全体	上場会社	非上場会社
監査委員会＋指名委員会＋報酬委員会（平均人数）	0.74	0.83	0.00
兼務がある会社数	12	12	0
	（30.8%）	（34.3%）	（0.0%）
兼務がある場合の平均人数	2.42	2.42	0
監査委員会＋指名委員会（平均人数）	1.23	1.34	0.25
兼務がある会社数	23	22	1
	（59.0%）	（62.9%）	（25.0%）
兼務がある場合の平均人数	2.09	2.14	1.00
監査委員会＋報酬委員会（平均人数）	1.28	1.40	0.25
兼務がある会社数	26	25	1
	（66.7%）	（71.4%）	（25.0%）
兼務がある場合の平均人数	1.92	1.96	1.00
指名委員会＋報酬委員会（平均人数）	2.00	2.11	1.00
兼務がある会社数	35	33	2
	（89.7%）	（94.3%）	（50.0%）
兼務がある場合の平均人数	2.23	2.24	2.00
回答社数	39	35	4

（日本監査役協会「役員等の構成の変化などに関するアンケート第20回インターネット・アンケート集計結果―指名委員会等設置会社版」〔2020年5月18日〕10頁より）

〔728〕　委員会の決議は、議決に加わることができる委員の過半数が出席し、その過半数をもって行う（412条1項）。定足数および決議要件につき、これを上回る割合を取締役会で定めることもできる。特別利害関係を有する委員は、議決に加わることができない（同条2項）。委員会の議事については、議事録を作成し、10年間、本店に備え置くことを要する（同条3項、413条1項）。

〔729〕　委員会を組織する取締役であって、その所属する委員会が指名する者は、委員会の職務の執行の状況を、取締役会に、遅滞なく報告しなければならない（417条3項）。委員会を組織する取締役がその職務の執行につき、会社に対して、①費用の前払い、②支出をした費用の償還および支出をした日以降における利息の償還、③負担した債務の債権者に対する弁済を請求したときは、会社は、当該請求にかかる費用または債務が当該取締役の職務の執行に必要でないことを証明した場合でなければ、これを拒むことはできない（404条4項）。

⑷　３委員会の権限

〔730〕　指名委員会は、株主総会に提出する取締役の選任・解任に関する議案の内容を決定する委員会である（404条1項）。社外取締役が過半数を占める指名委員会を設けることにより、執行機関から独立した観点からの取締役の人選が期待されている。

〔731〕　監査委員会は、取締役および執行役の職務の執行の監査および監査報告の作成を行う委員会である（404条2項）。指名委員会等設置会社には監査役を置くことができない（327条4項）。監査委員会を組織する取締役（監査委員）は、その会社もしくはその子会社の執行役もしくは業務執行取締役または子会社の会計参与もしくは支配人その他の使用人を兼ねることができない（400条4項）。いわゆる実査を行うことが予定されている監査役と異なり、監査委員会は、内部統制部門が適切に構成および運営されているかを監視することが主要な任務となる。常勤の監査委員を置くことも必要ではない（監査役設置会社では常勤監査役を置くことが必要である→689）。

〔732〕　監査委員で監査委員会が選定する者は、いつでも、他の取締役、執行役および使用人に対して、その職務の執行に関する事項の報告を求め、会社の業務・財産の状況を調査することができる（405条1項）。監査委員会の職務

を執行するために必要があるときは、子会社に対して事業の報告を求め、子会社の業務および財産の状況を調査することができる（同条２項）。監査委員は、執行役または取締役が不正の行為をし、もしくはその行為をするおそれがあると認めるとき、または法令・定款に違反する事実もしくは著しく不当な事実があると認めるときは、取締役会において、遅滞なく、その旨を報告しなければならない（406条）。さらに、執行役または取締役が会社の目的の範囲外の行為その他法令・定款に違反する行為をし、またはこれらの行為をするおそれがある場合において、その行為によって会社に著しい損害が生じるおそれがあるときは、その執行役または取締役に対して、その行為をやめることを請求できる（407条１項）。

〔733〕　指名委員会等設置会社では、会計監査人を設置しなければならない（327条５項）。監査委員会は、株主総会に提出する会計監査人の選任および解任ならびに会計監査人を再任しないことに関する議案の内容の決定の権限を有する（404条２項２号）。会計監査人の報酬は会社が決定するが、それには監査委員会の同意が必要である（399条１項・４項）。

〔734〕　報酬委員会は、取締役および執行役が受ける個人別の報酬の内容を決定する委員会である（404条３項）。報酬委員会は、取締役および執行役が受ける個人別の報酬の内容の決定に関する方針を定める（409条１項）。個人別の報酬を決定する際には、①確定金額の場合、個人別の額、②不確定金額の場合、個人別の具体的な算出方法、③当該会社の募集株式の場合、当該募集株式の数など、④当該会社の募集新株予約権の場合、当該募集新株予約権の数など、⑤当該会社の募集株式・募集新株予約権と引換えにする払込に充てるための金銭の場合、引き受ける募集株式・募集新株予約権の数など、⑥金銭以外のものの場合、個人別の具体的な内容を決定しなければならない（同条３項）。

〔735〕　執行役が支配人その他の使用人を兼ねている場合は、使用人の報酬の内容についても、報酬委員会が決定する（404条３項第２文）。

⑸　執行役・代表執行役

〔736〕　執行役の選任は取締役会決議で行う（402条２項）。任期は就任後１年以内の最終の決算期に関する定時総会が終結した後最初に招集される取締役

会の終結の時までと定められている（同条７項）。執行役は、いつでも、取締役会の決議により解任される（403条１項）。解任された執行役は、その解任につき、正当な理由がある場合を除き、会社に対してこれにより生じた損害賠償を請求することができる（同条２項）。

〔737〕　執行役の欠格事由は取締役のものと同様である（402条４項、331条１項、331条の２）（→557）。公開会社以外の会社では、定款によって、執行役が株主でなければならない旨を定めることもできる（402条５項ただし書）。

〔738〕　指名委員会等設置会社では、執行役が取締役会決議で委任された業務執行の決定および業務の執行を行う（418条）。執行役は、３月に１回以上、取締役会において、自己の職務の執行の状況を報告しなければならない（417条４項）。執行役は、取締役会の要求があったときは、取締役会に出席し、取締役会の求めた事項について説明をしなければならない（同条５項）。執行役には取締役会の招集権限がある（同条２項）。さらに、会社に著しい損害を及ぼすおそれのある事実を発見したときは、ただちに、監査委員にその事実を報告しなければならない（419条１項）。

〔739〕　執行役が複数選任されている場合、取締役会の決議によって、代表執行役を定めることを要する（420条１項第１文）。執行役が１人のときは、その者が代表執行役に選定されたものとされる（同項第２文）。代表執行役は、取締役会の決議で、いつでも解職される（同条２項）。代表執行役の氏名と住所は登記事項である（911条３項23号ハ）。代表執行役には、代表取締役と同様に表見代表執行役の定めがある（421条。表見代表取締役→603）、さらに、代表権の範囲などについては、代表取締役に関する規定（→598）が準用される（420条３項）。

(6)　取締役および執行役の責任

〔740〕　会社と取締役および執行役との関係は委任に関する規定に従う（330条、402条３項）。したがって、取締役と執行役は、会社に対して善管注意義務を負う（民644条）。取締役および執行役は、その任務を怠ったときは、会社に対して損害賠償の責任を負う（423条１項。会社に対する責任）。この責任は、総株主の同意がなければ免除できない（424条）。指名委員会等設置会社の取締

役または執行役についても、善意かつ無重過失の場合に、一定の責任軽減制度が設けられている（425条〜427条）（→646-653）。

〔741〕　違法配当の責任および利益相反取引に関する責任などについても同様の規定が適用される（423条２項・３項、462条１項）（→643、826）。なお、株主は、取締役のみならず執行役に対しても代表訴訟（→654）を提起できる（847条１項）。会社が執行役の責任を追及する訴えを提起する場合には、監査委員が訴訟の当事者であれば、取締役会が定める者、監査委員が訴訟の当事者でなければ、監査委員会が選定する監査委員が会社を代表する（408条１項）。

〔742〕　指名委員会等設置会社における取締役および執行役についても第三者に対する責任が規定されている（第三者に対する責任→669）。すなわち、取締役または執行役がその職務を行うについて、悪意または重過失があった場合には、第三者に対して損害賠償の義務を負う（429条）。第三者に対して損害賠償の義務を負う場合、取締役と執行役の連帯責任が定められている（430条）。

2　監査等委員会設置会社

(1)　監査等委員会設置会社の意義と概要

〔743〕　平成26年の改正で、監査等委員会設置会社の制度が創設された。平成14年の改正で導入された指名委員会等設置会社（当時は委員会等設置会社）は、社外取締役が過半数を占める３委員会を中心とした取締役会による執行役を監視するシステムであった。そこでは、経営の執行と監督を分離することで、いわゆるモニタリング・モデルの実現が図られた（→719）。もっとも、指名委員会等設置会社を採用する会社は少数にとどまった。その理由の１つとして、指名委員会と報酬委員会の設置が強制されていることで、実務界が移行に難色を示したことが挙げられる。そこで、社外取締役が過半数を占める委員会による監査等の役割を残しながら（監査等委員会）、指名委員会と報酬委員会の設置を不要とする制度設計が行われた。

〔744〕　監査等委員会設置会社では、指名委員会等設置会社と異なり、執行役・代表執行役は置かれない。監査等委員会では、監査役・監査役会設置会社

〈監査等委員会設置会社の概要〉

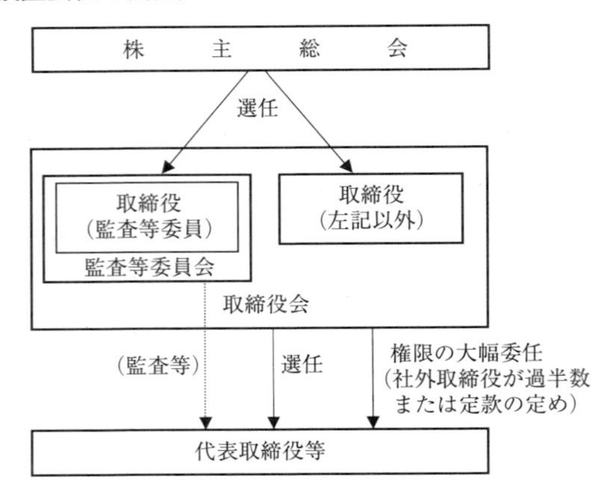

と同様に、代表取締役が会社を代表する。もっとも、取締役会の過半数が社外取締役であることまたは定款の定めがあれば、取締役会の権限を大幅に代表取締役等に委譲することができる（→749）。この点で、指名委員会等設置会社と同様に（→719）、迅速な意思決定が可能なものとされている。監査等委員会設置会社では、監査役は置くことができない。監査等委員会は、指名委員会等設置会社の監査委員と同様の権限を有する。取締役の選任・解任は株主総会で行われるが、監査等委員会は、そこでの意見陳述権を有している（報酬の決定についても、同様である〔→753〕）。これらの点で、権限が、監査にとどまらないことから、委員会の名称も、「監査等委員会」とされた。監査等委員会には、監査役の場合と同様の独立性の確保に関する権限が与えられている。以上のことから、監査等委員会設置会社は、監査役・監査役会設置会社と指名委員会等設置会社の中間に位置する形態といえる。

〔745〕　監査等委員会設置会社は、社外取締役を中心とした監査等委員会が経営の監視を行うものである。そのため、社外取締役の職務は重大で、当初、監査役設置会社が監査等委員会設置会社に移行する例は多くないという予測もあった。しかし、制度発足後、監査等委員会設置会社に移行する動きが目立っている。その理由の１つとして、会社法の改正（→550、551）や東京証券取引所の自主規制によって（→52、53、552）、監査役会設置会社が社外取

締役の選任を事実上義務づけられるようになったことが考えられる。監査役会設置会社では、２名以上の社外監査役が必要である（→689）。これに、２名以上の社外取締役の選任を行えば、合計で４名以上の「社外役員」が必要となる。これに対して、監査等委員会設置会社では、監査等委員として社外取締役２名の選任で足りる。社外役員の選任の負担が新制度移行の理由の１つとなっている。さらに、監査等委員会設置会社では、定款の規定で、取締役会の決議事項を大幅に代表取締役等に委任することが可能である（→744、749）。監査等委員会設置会社に移行することで、迅速に意思決定が可能となる。

監査等委員会設置会社への移行

〔746〕 監査等委員会設置会社は平成26年の改正で導入された。同法の施行は平成27年5月1日である。サントリー食品インターナショナルおよびユニ・チャーム（いずれも12月決算会社）は、同年3月に開催された定時総会で必要な承認決議を経て、監査等委員会設置会社となった。その後も、監査役会設置会社で監査等委員会設置会社に移行する会社が増加し、その数は1,000社以上に及ぶ。これには、三菱重工業、コスモエネルギーホールディングス、ジャフコ、野村不動産ホールディングス、岡三証券グループなどが含まれている。監査役会設置会社から監査等委員会設置会社に移行した会社の多くで、従来の社外監査役を社外取締役に横滑りさせている。社外者の人数を増加させないことが、移行のインセンティブの1つになっていることから、このような事態は容易に想像できるところである。もっとも、社外監査役と社外取締役の職責には異なるものもあり、安易な横滑りはコーポレート・ガバナンスの支障になる危険性もある。

⑵　取締役・取締役会

〔747〕 監査等委員会設置会社の取締役は株主総会で選任される（329条1項）。監査等委員である取締役は、それ以外の取締役とは区別して選任しなければならない（同条2項）。監査等委員以外の取締役の任期は1年であるが（定款や株主総会の決議で任期の短縮は可能）、監査等委員である取締役の任期は2年である（選任後2年以内の最終の事業年度に関する定時株主総会の終結の時まで。332条1項・3項）。前者の任期は定款や株主総会の決議で短縮が可能であるが、後者の任期は短縮できない。監査等委員以外の取締役の解任は株主総会の普通決議で行うことができるが、監査等委員である取締役の解任には、株主総会の特別決議が必要である（309条2項7号）。取締役の報酬等は、定款に定めがな

ければ、株主総会の決議によって決定される（361条1項）。もっとも、監査等委員である取締役の報酬等は、それ以外の取締役と区別して定めなければならない（同条2項）。監査等委員である取締役は、株主総会でその報酬等について意見を述べることができる（同条5項）。このような規制は、監査等委員である取締役の独立性を確保するためのものである。

〔748〕 監査等委員となる取締役は、会社またはその子会社の業務執行取締役、支配人その他の使用人または会計参与、執行役を兼ねることができない（331条3項）。監査等委員となる取締役は３名以上で、その過半数は社外取締役でなければならない（同条6項）。

〔749〕 監査等委員会設置会社では、取締役会を設置しなければならない（327条1項3号）。執行役は置くことはできない。そのため、会社の業務執行は、取締役会と代表取締役（業務執行取締役等）によって行われる。この点で、監査役・監査役会設置会社と同様である。もっとも、取締役の過半数が社外取締役である場合または定款の定めがある場合には、取締役会の決議によって、取締役会が決定すべき事項を大幅に取締役に委任することができる（399条の13第5項・6項）。取締役に委任することが可能な事項の範囲は、指名委員会等設置会社において執行役に委任が可能な範囲と実質的に同じである。この点で、この制度を採用する場合、指名委員会等設置会社に類似した業務執行が可能となる。

(3) 監査等委員会の運営

〔750〕 監査等委員会は、監査等委員となる取締役として株主総会で選任された者全員で組織する（399条の2第1項・2項）。各監査等委員が監査等委員会の招集権を有する（399条の8）。監査等委員会の招集通知は、会日の１週間前までに行わなければならない（399条の9第1項）。指名委員会等設置会社の３委員会の場合、取締役会で定めた場合には期間の短縮が可能であるが（411条1項等参照）、監査等委員会では、期間を短縮するには定款の規定が必要とされている（399条の9）。

〔751〕 監査等委員会の決議は、議決に加わることのできる監査等委員の過半数が出席し、出席者の過半数の賛成をもって成立する（399条の10第1項）。

決議要件の変更はできない。また、特別利害関係を有する監査等委員は、決議に参加することができない（同条２項）。議事録の作成が義務づけられ（同条３項・４項）、決議に参加した監査等委員で議事録に異議をとどめなかった者は、その決議に賛成したものを推定される（同条５項）。

(4)　監査等委員会の権限

〔752〕　監査等委員会は、取締役の職務の執行の監査および監査報告の作成を行う（399条の２第３項１号）。監査等委員会設置会社では、会計監査人を置かなければならない（327条５項）。監査等委員会は、株主総会に提出する会計監査人の選任・解任ならびに会計監査人を再任しないことに関する議案の内容の決定を行う（399条の２第３項２号）。

〔753〕　監査等委員会の権限は、指名委員会等設置会社の監査委員の権限と同様である。さらに、監査等委員会が選定する監査等委員は、株主総会において、監査等委員以外の取締役の選任・解任・辞任、それらの報酬等に関して、監査等委員会の意見を述べることができる（342条の２第４項、361条６項）。指名委員会等設置会社の指名委員会や報酬委員会と異なり、選任・解任議案や報酬の決定を行うことはできないものの、意見陳述という形で、類似の効果を発揮させるものとしている。

〔754〕　監査等委員会設置会社では、監査等委員以外の取締役が自己取引（→636）を行う場合、その取引について監査等委員会の承認を受けたときには、任務懈怠の推定（→643）は行われない（423条４項）。しかし、監査等委員である取締役についてはこのよう特別の規制は適用されない。

〔755〕　監査等委員会には、常勤の監査等委員を置くことは求められていない（監査役会設置会社では常勤監査役が必要である→689）。これは、指名委員会等設置会社の監査委員と同様に、監査の方法が内部統制システムを通じたものであることが理由である。それゆえに、監査等委員会設置会社の取締役会は、大会社でなくても（→588）、内部統制システムの整備に関する決定を行うことが義務づけられる（399条の13第１項１号ハ）。もっとも、実務上は、多くの会社で常勤の監査等委員を選定している（全国株懇連合会「2019年度全株懇調査報告書」（2019年10月）65頁によれば、89.3％の会社で選任されている）。

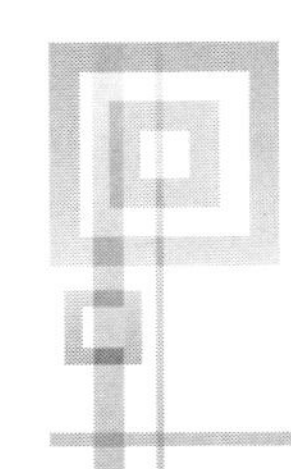

第６節　会計監査人と会計参与

1　会計監査人

(1)　会計監査人の選任

〔756〕　大会社、監査等委員会設置会社および指名委員会等設置会社では、会計監査人の設置が強制される（327条5項、328条）。その他の会社は、定款の定めで、会計監査人を置くことができる（326条2項）。会計監査人は株主総会の普通決議で選任される（329条1項）。監査役設置会社では、株主総会に提出する会計監査人の選任に関する議案の内容は監査役が決定する（344条1項）。監査役が２名以上の場合では、その過半数で決定する（同条2項）。監査役会設置会社ではその決定は監査役会が行う（同条3項）。平成26年の改正前まで、会計監査人の選任議案については、監査役（監査役会）の同意を要するものとなっていた（拒否権のみが付与されていた）。同年の改正で、会計監査人の独立性をより高めるため、監査役（監査役会）に決定権を持たせるものとした（下記の「再任しないことに関する議案の決定」〔→759〕、解任に関する議案の決定〔→760〕も同様）。会計監査人の選任議案等の決定は、監査等委員会設置会社では監査等委員会、指名委員会等設置会社では監査委員会が行う（399条の2第3項2号、404条2項2号）。

(2)　会計監査人の資格

〔757〕　会計監査人は公認会計士または監査法人でなければならない（337条1項）。これは会計監査の実効性を期するために、会計監査人の資格を、会計に関する専門能力を有する者に限定した。

〔758〕　会計監査人の欠格事由には次のものがある（337条３項）。

①　公認会計士法の規定により欠格者とされる者

②　その会社の子会社もしくはその取締役等から、公認会計士もしくは監査法人の業務以外の業務により継続的に報酬を受けている者またはその配偶者

③　監査法人でその社員の半数以上が②に掲げた者であるもの

⑶　会計監査人の任期

〔759〕　会計監査人の任期は選任後１年以内の最終決算期に関する定時総会の終結の時までである（338条１項）。この株主総会で別段の決議をしない限り、自動的に任期が延長される（同条２項）。監査役設置会社では、会計監査人を再任しないことに関する議案の内容は監査役（監査役が２名以上である場合にあっては、その過半数）が決定する。監査役会設置会社では、監査役会が決定する（344条）。これらは、会計監査人の地位を強固なものとすると同時に会計監査人と取締役の癒着を防ぐためのものである。日本の会社では、多くの会社が同じ会計監査人を再任している。

⑷　会計監査人の終任

〔760〕　会計監査人は任期中でも株主総会の普通決議で解任される（339条

〈会計監査人の選任・再任〉

（社数）

	全体	上場会社	非上場会社	大会社	大会社以外の会社
今期新たに選任した	110 （4.3%）	48 （3.6%）	62 （5.0%）	69 （3.2%）	39 （9.9%）
前期から引き続き同じ会計監査人を再任した	2,452 （95.2%）	1,280 （96.3%）	1,172 （94.0%）	2,090 （96.6%）	344 （87.8%）
その他	14 （0.5%）	1 （0.1%）	13 （1.0%）	5 （0.2%）	9 （2.3%）
回答社数	2,576 （100.0%）	1,329 （100.0%）	1,247 （100.0%）	2,164 （100.0%）	392 （100.0%）

（日本監査役協会「役員等の構成の変化などに関するアンケート第20回インターネット・アンケート集計結果―監査役（会）設置会社版」〔2020年５月18日〕77頁より）

1項)。会計監査人を解任することの議案は、監査役設置会社では監査役（監査役が2名以上の場合は、その過半数の同意が必要)、監査役会設置会社では監査役会が決定する（会社344条)。その場合、会計監査人は株主総会に出席して意見を述べることができる（345条1項・5項)。なお、解任された会計監査人は、その解任に正当な理由がある場合を除いて、会社に損害賠償を請求できる（339条2項)。

〔761〕　会計監査人に解任事由があった場合には、監査役（監査役が2名以上である場合にあっては、その全員の同意）が解任することができる（340条1項・2項)。監査役会設置会社では監査役会か監査役全員の同意によって解任することができる（同条4項)。監査等委員会設置会社では監査等委員会の監査等委員、指名委員会等設置会社では監査委員会の監査委員の同意をもって解任できる（同条5項・6項)。この解任事由には次のものがある。

① 職務上の義務に違反し、または職務を怠ったこと
② 会計監査人としてふさわしくない非行があったこと
③ 心身の故障のため職務の執行に支障があり、またはこれに堪えられないこと

〔762〕　会計監査人の解任を行った場合には、監査役等は解任後最初の株主総会で解任につきその事実と理由を報告しなければならない（340条3項)。解任された会計監査人は、この株主総会において意見を述べることができる（345条1項・5項)。

〔763〕　会計監査人の辞任、死亡、解任、欠格事由の発生などで、会計監査人が不在となった場合あるいは定款で定める員数が欠けた場合には、株主総会を開催して会計監査人の選任をしなければならない。もっとも、これが困難な場合には、監査役（監査役会）は、一時会計監査人の職務を行うべき仮会計監査人の選任を行わなければならない（346条4項・6項)。

(5) 会計監査人の報酬

〔764〕　会計監査人の報酬は会社が決定する。もっとも、報酬の決定については、監査役設置会社では監査役（監査役が2名以上の場合はその過半数)、監査役会設置会社では監査役会の同意を得なければならない（399条1項・2項)。

監査等委員会設置会社では監査等委員会、指名委員会等設置会社では監査委員会の同意を得なければならない（同条３項・４項）。

〔765〕　監査役の同意制度は、会計監査人の独立性を強化するために、平成17年の会社法制定の際に新設された。平成26年の改正の際に、会計監査人の選任・解任権とともに、報酬の決定権を監査役等に付与することが検討されたが、立法化は見送られた。

(6)　会計監査人の権限

〔766〕　会計監査人は会計監査を行う（→785）。会計監査人は、いつでも、会社の会計帳簿等の閲覧または謄写を行うことができ、取締役（指名委員会等設置会社では、執行役と取締役）、会計参与および支配人その他の使用人に対して、会計に関する報告を求める権限（396条２項・６項）、子会社調査権をも有している（同条３項）。当該子会社は、正当な理由があるときは、この報告・調査を拒否できる（同条４項）。

〔767〕　会計監査人は、その職務を行うに際して、取締役の職務の執行に関し不正の行為または法令もしくは定款に違反する重大な事実があることを発見したときは、遅滞なく、これを監査役に報告しなければならない（397条１項）。監査役会設置会社では監査役会、監査等委員会設置会社では監査等委員会が選定した監査等委員、指名委員会等設置会社では、監査委員会が選定した監査委員会の委員に報告を行う（同条３項〜５項）。

〔768〕　監査対象の計算書類等が法令または定款に適合するかどうかについて、会計監査人が監査役（監査役会設置会社では、「監査役会または監査役」、監査等委員会設置会社では「監査等委員会または監査等委員」、指名委員会等設置会社では「監査委員会またはその委員」）と意見を異にするときは、会計監査人（監査法人の場合は、その職務を行うべき社員）は、定時株主総会に出席して意見を述べることができる（398条１項・３項〜５項）。定時株主総会において会計監査人の出席を求める決議があったときは、会計監査人は、定時株主総会に出席をして意見を述べなければならない（同条２項）。

(7)　会計監査人の責任

〔769〕　会計監査人は、その任務を怠ったときは、会社に対して、これによって生じた損害を賠償する責任を負う（423条1項）。他の役員等にも損害賠償責任がある場合には、これと連帯して責任を負う（430条）。この責任は、株主代表訴訟の対象となる（847条1項）（→654）。取締役等と同様に、責任軽減の制度が適用される（425条〜427条）（→646-651）。会計監査人の責任について、監査の対象である代表取締役にも過失があった場合、会社の過失と評価した上で、それとの過失相殺（民418条）を認めた事例がある（大阪地判平20・4・18判時2007・104〔百選75事件〕）。

〔770〕　重要な事項につき会計監査報告に虚偽の記載・記録をしたことにより、第三者に損害を与えたときは、会計監査人は、その職務を行うにつき注意を怠らなかったことを証明しない限り、その第三者に対して連帯して損害賠償の責任を負う（429条2項4号・430条）。

2　会計参与

〔771〕　株式会社は、定款の定めにより、会計参与を置くことができる（326条2項）。会計参与は、公認会計士（監査法人）または税理士（税理士法人）でなければならない（333条1項）。会計参与は、取締役と共同して計算書類を作成する権限を有する機関である（374条1項。会社法では「役員」となる。329条1項参照）。会計参与という専門家が計算書類の作成に関与することで、特に、中小企業の計算書類の適正化が期待される。

〔772〕　会計参与は、いつでも、会計帳簿またはこれに関する資料の閲覧および謄写をすることができる。取締役（指名委員会等設置会社では取締役・執行役）および支配人その他の使用人に対して会計に関する報告を求めることができる（374条2項・6項）。子会社調査権も有している（同条3項・4項）。

〔773〕　会計参与は、その職務を行うに際して、取締役の職務の執行に関する不正の行為または法令・定款に違反する重大な事実があることを発見したときは、遅滞なく、これを株主（監査役設置会社では監査役、監査役会設置会社で

は監査役会）に報告しなければならない（375 条１項・２項）。監査等委員会設置会社や指名委員会等設置会社では、報告の相手方は監査等委員会、監査委員会となる（同条３項・４項）。取締役会設置会社の会計参与は、計算書類等を承認する取締役会に出席する義務を負い、必要があると認めるときは、意見を述べなければならない（376 条１項）。そのため会計参与設置会社では、取締役会の招集通知は会計参与にも発しなければならない（同条２項）。会計参与全員の同意があれば、招集手続を省略することができる（同条３項）。

〔774〕　会計参与の報酬等は、定款または株主総会の決議で決定する（379 条１項）。会計参与が２名以上で、各会計参与の報酬等について定款の定めまたは株主総会決議がないときは、定款または株主総会決議で決めた範囲内で、会計参与の協議によって報酬等を決定する（同条２項）。会計参与は、その職務の執行について会社に対して、費用の前払い等を請求できる。この請求があった場合、会社は会計参与の職務の執行に必要がないことを証明しない限り、支払いを拒むことはできない（380 条）。

〔775〕　会計参与は、会社との関係は委任に関する規定に従う。そのため、会計参与は会社に対して職務を行うに当たり、善管な管理者としての注意義務を負う（330 条、民 644 条）。任務懈怠があった場合には、会社に対して民事責任を負う（423 条１項）。この責任は、株主代表訴訟の対象ともなる（847 条１項）（→ 654）。

〔776〕　平成 17 年の改正で会計参与制度が創設された。もっとも、会計参与の設置は任意である（取締役会設置会社であって監査役を置かない会社は、会計参与の設置が必要となる。327 条２項）。銀行等が融資に際して会計参与の関与した計算書類の提出を求めることは（貸出金利を優遇することが考えられる）、会計参与を選任するインセンティブになり得る。

第 4 章
企業会計

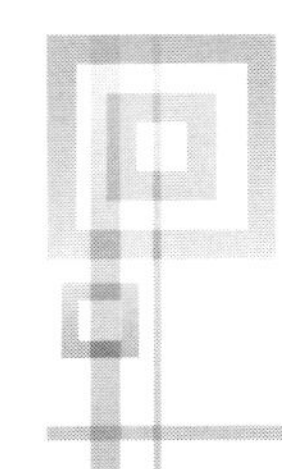

第１節　決　　算

1　計算書類

(1)　計算書類等の作成

〔777〕　株式会社は、事業を行うことにより利益を上げ、これを株主に分配することを目的としている（株式会社の営利性→158）。また、株式会社では、株主は、株式の引受価額を限度としてしか責任を負わない（株主の有限責任→20）。そのため、会社の財産が会社債権者のための唯一の担保となっている。以上のことから、株主および会社債権者の保護を目的として、会社の財産状況および事業成績を明らかにするための手続が行われる。これを一般に「決算」という。

〔778〕　会社は、事業年度を定めなければならない。事業年度は１年以内でなければならない（計59条２項参照）。日本の上場会社では、４月１日から３月31日までを事業年度とするものが多い（「３月決算会社」とよばれている。東京証券取引所市場第１部の上場会社では、全体の70.5％が３月決算であった〔東京証券取引所「東証上場会社コーポレート・ガバナンス白書2019」３頁〕）。会社は、事業年度の末日（決算期）ごとに、その事業年度に関する計算書類、事業報告およびこれらの附属明細書を作成しなければならない（435条２項）。計算書類には、貸借対照表、損益計算書、株主資本等変動計算書および個別注記表が含まれる（同条２項、計59条１項）。これらの書類は、電磁的記録で作成することができる（435条３項）。

〔779〕　貸借対照表は、一定時（たとえば、３月決算会社であれば、決算日である３月31日）における資産、負債および資本を記載した一覧表である。左側

（借方）にⒶ「資産の部」、右側（貸方）にⒷ「負債の部」とⒸ「純資産の部」が表示される（計73条1項）。貸借対照表では、会社の総資産の内容とともに、会社がその資産をどのように調達したかが明らかとなる。右側が資産の調達の源泉であるので、左右が均衡する（Ⓐ＝Ⓑ＋Ⓒ。そのため、貸借対照表は、Balance Sheet〔BS〕とよばれる）。

〔780〕 損益計算書は一定の事業期間（たとえば、3月決算会社であれば、事業年度である4月1日から3月31日の間）における利益または損失の発生原因を記載した一覧表である。損益計算書では、〈利益＝収益－費用〉で表される（損益計算書は、Profit and Loss Statement〔PL〕とよばれる）。会社の本来の事業活動によって生じた収益が①売上高である。この収益を生み出すための費用が②売上原価である。さらに、③販売費・一般管理費（広告宣伝費など）も必要である。したがって、事業による収益（営業利益）は〈ⓧ＝①－②－③〉で計算される（計89条、90条1項）。さらに、本来の事業活動以外の利益（営業外利益）を計算する必要がある。これも、④営業外収益（受取利息、有価証券売買益など）から⑤営業外費用（支払利息、有価証券売却損など）を差し引いて計算される（④－⑤）。「営業利益」＋「営業外利益」は「経常利益」となる（計91条1項。Ⓨ

〈貸借対照表と損益計算書〉

貸借対照表

Ⓐ資産	Ⓑ負債
	Ⓒ純資産

Ⓐ ＝ Ⓑ＋Ⓒ

純資産Ⓒは〈Ⓐ－Ⓑ〉
で計算される

損益計算書

①売上高	×××
②売上原価	×××
③販売費・一般管理費	×××
営業利益〈ⓧ＝①－②－③〉	×××
④営業外収益	×××
⑤営業外費用	×××
経常利益〈Ⓨ＝ⓧ＋（④－⑤）〉	×××
⑥特別利益	×××
⑦特別損失	×××
税引前当期純利益〈ⓩ＝Ⓨ＋（⑥－⑦）〉	×××
⑧法人税等	×××
当期純利益〈ⓩ－⑧〉	×××

＝ⓧ＋〈④－⑤〉)。さらに、臨時に発生した事項（特別損益）を加味する必要がある。これには、⑥特別利益（土地などの固定資産の売却益など）と⑦特別損失（同様の売却損など）がある。以上のことから、「経常利益」に「特別損益」（⑥－⑦）を加えたものが「税引前当期純利益」となる（ⓩ＝Ⓨ＋〈⑥－⑦〉)。これから⑧納税額を引いたものが「当期純利益」となる（ⓩ－⑧。以上の計算は、損失が出ている場合も同様である）。

〔781〕　株主資本等変動計算書は、事業年度における純資産の部の変動を示す計算書である（計96条）。貸借対照表では、決算期における株主資本等の金額が記載されるにすぎない。株主資本等変動計算書では、それらが、どのような原因でどれだけ増減したかを見ることができる。これらの情報は、平成17年の会社法制定前まで、損益計算書の末尾に記載されていた。もっとも、会社

〈株主資本等変動計算書〉

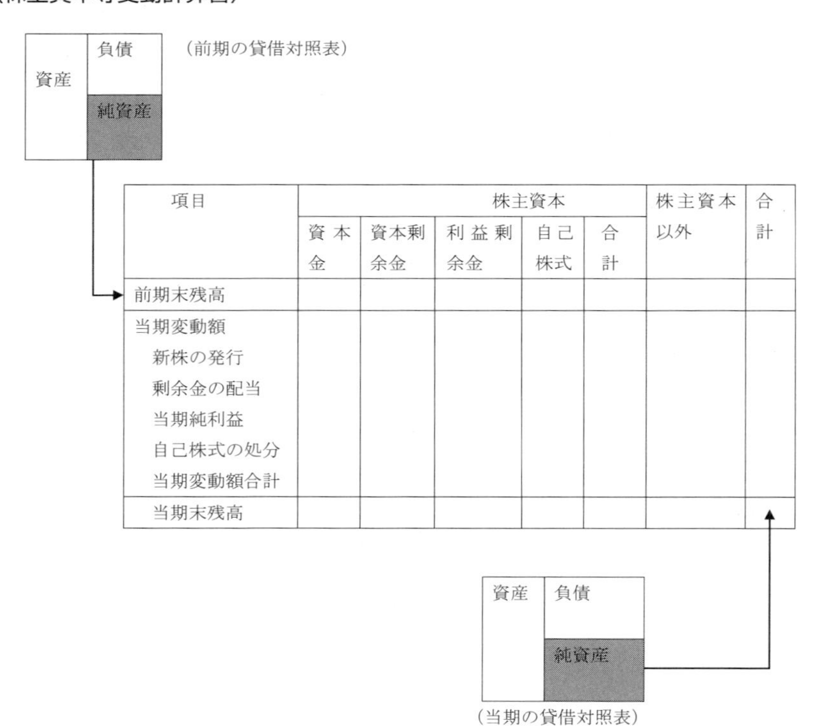

項目	株主資本					株主資本以外	合計
	資本金	資本剰余金	利益剰余金	自己株式	合計		
前期末残高							
当期変動額							
新株の発行							
剰余金の配当							
当期純利益							
自己株式の処分							
当期変動額合計							
当期末残高							

法では、剰余金の配当を、決算期のみならず、自由に行うことができることとなったため（→816）、事業年度中の純資産の部の項目の変動を表示するために株主資本等変動計算書が導入された。株主資本等変動計算書は、株主資本の項目とそれ以外の項目があり、それぞれ、前期末残高、当期の変動額および当期末残高が記載される。

〔782〕 注記表は、貸借対照表その他の注記事項をまとめて記載した計算書類である（計97条以下）。なお、事業報告は会社の業務状況に関する重要事項を記載したものである。附属明細書は計算書類の内容を補足する事項を記載した書類のことをいう。

(2) 計算書類等の監査

〔783〕 取締役や執行役などが作成した計算書類等の適法性や公正性を担保するため、監査（会計監査）が行われる。計算書類等の記載内容については、会社法および会社計算規則が詳細を定めている。これらに規定のない事項については、一般に公正妥当と認められる企業会計の慣行に従う（431条。「公正な会計慣行」の意義が争われたものとして最判平20・7・18刑集62・7・2101〔百選76事件〕がある。）。

〔784〕 監査役設置会社では、計算書類、事業報告およびこれらの附属明細書につき監査役の監査を受ける（436条1項）。監査役は、これらの書類を受領したときは、監査報告を作成しなければならない（計122条1項）。監査役会設置会社では、監査役会は、監査役が作成した監査報告に基づき、監査役会の監査報告を作成する（計123条1項）。

〔785〕 会計監査人設置会社では、計算書類とその附属明細書について監査役と会計監査人による監査がなされる（436条2項1号）。指名委員会等設置会社または監査等委員会設置会社では、それぞれ監査委員会、監査等委員会の監査を受ける。これらの監査（会計監査）は会計の専門家である会計監査人が主として行う（監査役等は、監査の方法・監査の結果が不相当と認めた場合に、独自の監査を行う。会計監査報告）。監査役設置会社では、監査役は、事業報告およびその附属明細書の監査を行う（同項2号）。監査役会設置会社では、監査役の作成した監査役監査報告に基づき、監査役会が監査役会監査報告を作成する

（施130条１項）。指名委員会等設置会社では監査委員会、監査等委員会設置会社では監査等委員会が監査報告を作成する（施131条１項・130条の２第１項）。

〈監査役会の監査報告〉

監　査　報　告　書

当監査役会は、令和○年４月１日から令和○年３月31日までの第35期事業年度の取締役の職務の執行に関して、各監査役が作成した監査報告書に基づき、審議の上、本監査報告書を作成し、以下のとおり報告いたします。

1. 監査役及び監査役会の監査の方法及びその内容
監査役会は、監査の方針、職務の分担等を定め、各監査役から監査の実施状況及び結果について報告を受けるほか、取締役等及び会計監査人からその職務の執行状況について報告を受け、必要に応じて説明を求めました。

（略）

2. 監査の結果
(1) 事業報告等の監査結果
一　事業報告及びその附属明細書は、法令及び定款に従い、会社の状況を正しく示しているものと認めます。
二　取締役の職務の執行に関する不正の行為又は法令もしくは定款に違反する重大な事実は認められません。
三　内部統制システムに関する取締役会決議の内容は相当であると認めます。また、当該内部統制システムに関する事業報告の記載内容及び取締役の職務の執行についても、指摘すべき事項は認められません。
四　事業報告に記載されている会社の財務及び事業の方針の決定を支配する者の在り方に関する基本方針については、指摘すべき事項は認められません。事業報告に記載されている会社法施行規則第118条第３号ロの各取組みは、当該基本方針に沿ったものであり、当社の株主共同の利益を損なうものではなく、かつ、当社の会社役員の地位の維持を目的とするものではないと認めます。
(2) 計算書類及びその附属明細書の監査結果
会計監査人・丸太町会計事務所の監査の方法及び結果は相当であると認めます。
(3) 連結計算書類の監査結果
会計監査人・丸太町会計事務所の監査の方法及び結果は相当であると認めます。

令和○年５月９日

同志社物産株式会社　監査役会
常勤監査役　　御池三郎㊞
監査役　　高倉紫明㊞
社外監査役　　白川　通㊞
社外監査役　　北山玄以㊞

(3) 計算書類等の承認

〔786〕 取締役会設置会社においては、計算書類および事業報告ならびにこ

れらの附属明細書は、上記の監査を受けた後、取締役会の承認を受けなければならない（436条3項）。

〔787〕 計算書類および事業報告は、定時株主総会に提出・提供される（438条1項）。事業報告については、定時株主総会において報告される（同条3項）。計算書類については、定時株主総会の承認を受けなければならない（同条2項）。もっとも、会計監査人設置会社では、取締役会の承認を受けた計算書類について、法令・定款に従い会社の財産および損益の状況を正しく表示しているものとして法務省令で定める要件に該当する場合は、株主総会の承認を要せず、報告事項で足りる（439条）。法務省令では、①会計監査報告において、無限定適正意見が書かれていること、②①の会計監査報告についての監査役（監査役会）・監査等委員会・監査委員会の監査報告に会計監査人の監査の方法または結果を相当でないと認める意見がないこと、③取締役会を設置していることのいずれにも該当することなどが要求されている（計135条）。

(4) 計算書類等の開示

〔788〕 取締役会設置会社では、取締役は、定時株主総会の招集通知に際して、株主に対して、取締役会で承認を受けた計算書類および事業報告を提供しなければならない（437条）。監査報告または会計監査報告についても同様に提供義務がある。取締役会非設置会社では、かかる義務は定められていない。

〔789〕 会社は、定時株主総会の会日の1週間前から、計算書類および事業報告およびこれらの附属明細書（監査報告および会計監査報告を含む）を5年間本店に備え置かなければならない（442条1項）。取締役会設置会社では、定時株主総会の2週間前から開示を要する。これらの書類は、支店においても3年間開示義務がある（同条2項。計算書類等を電磁的記録で作成し開示することもできる）。

〔790〕 株主および債権者は、会社の営業時間中にいつでも、上記の書類の閲覧を求め、または謄本・抄本の交付を請求できる（電磁的方法による提供も可能。442条3項）。親会社の社員は、権利行使のため必要があるときは、裁判所の許可を得て、これらの権利を行使できる（同条4項）。

〔791〕 会社は、株主総会の承認後、遅滞なく、貸借対照表を公告しなけれ

ばならない（440条１項）。大会社では、貸借対照表および損益計算書を公告しなければならない。公告方法として官報または時事に関する事項を掲載する日刊新聞紙での公告を定めている会社では、貸借対照表の要旨（大会社では、貸借対照表および損益計算書の要旨）の公告で足りる（同条２項）。

〈公告の方法〉

（社数）

	株式上場	株式非上場	計	構成比
電子公告	1,613	18	1,631	92.7%
日刊新聞紙に掲載	61	26	87	4.9%
官報に掲載	16	25	41	2.3%
合計	1,690	69	1,759	100.0%

（全国株懇連合会「2019年度全株懇調査報告書」〔2019年10月〕40頁より）

〔792〕　定款で公告の方法を電子公告と定めている会社は（939条１項３号）、計算書類の公告も電子公告で行う〈→定款５条〉。この場合、定時株主総会の終結の日後５年を経過する日まで継続して行う必要がある（940条１項２号）。また、公告の方法を官報または時事に関する事項を掲載する日刊新聞紙で行うと定めている会社でも、株主総会終結後５年を経過する日まで、開示書類の内容である情報を、電磁的方法により不特定多数の者がその提供を受けることができる状態に置く措置をとることができる（440条３項）。以上の場合は、要旨の公告は認められない。

〔793〕　金融商品取引法に定める有価証券報告書を提出している会社では、上記の公告は不要である（440条４項）。計算書類についての情報がすでに詳細に開示されていることを理由とする。

〈計算書類等の監査等の流れ（会計監査人・監査役会設置会社）〉

作成→会計監査人・監査役会（特定監査役）への提出→会計監査人の監査報告の作成・提出→監査役会の監査報告の作成・提出→取締役会の承認→株主等への開示（計算書類等＋監査報告）・招集通知・本店等での閲覧→株主総会での報告（承認）→公告・電磁的公開等

臨時計算書類と連結計算書類

〔794〕　会社は、事業年度中、一定の日を臨時決算日と定めて、決算をすることができ

る。臨時決算をすることで、臨時決算日までの損益を剰余金配当の分配可能額（→821）に含めることができる。臨時決算日における会社の財産の状況を把握するため、臨時計算書類が作成される（441条1項）。臨時計算書類には、①臨時決算日における貸借対照表、②臨時決算日の属する事業年度の初日から臨時決算日までの期間にかかる損益計算書がある。臨時計算書類についても監査が必要である（同条2項）。取締役会設置会社では、監査を受けた臨時計算書類については、取締役会の承認を受けなければならない（同条3項）。臨時計算書類についても、原則として、株主総会の承認が必要である（同条4項本文）。計算書類と同様に、その内容が法令・定款に従い会社の財産および損益の状況を正しく表示していると評価されるものについては、株主総会の報告事項で足りる（同項ただし書（→787））。

〔795〕 連結財務諸表は、企業集団（グループ）を単一の企業とみなして、その財産状態および経営成績を報告するために作成される。日本では、個別の企業が作成する個別財務諸表が主たる開示手段とされてきた。しかし、日本の企業が、事業内容を多角化させるために、あるいは海外での事業を展開するために、支店、事業部の分社化（子会社化）を進めた結果、個々の会社が作成する個別財務諸表だけでは企業集団の実態を把握することが困難となり、企業集団全体としての開示が要求されるようになった。親会社が売り上げを水増しするために子会社に押し込み販売をするといった利益操作のために子会社を利用することを防止する上においても連結財務諸表は有益な手段である。

〔796〕 会計監査人設置会社は、法務省令で定めるところにより、各事業年度に関する連結計算書類を作成することができる（444条1項）。電磁的記録をもって作成することも許される（同条2項）。事業年度の末日において大会社であって、かつ、金融商品取引法上の有価証券報告書を提出する会社については、作成が義務づけられる（同条3項）。連結計算書類についても監査が必要である（同条4項）。取締役会設置会社であれば、監査を受けた連結計算書類は取締役会の承認を要する（同条5項）。その後、定時株主総会のために株主に提供される（同条6項）。取締役は、定時株主総会で、連結計算書類の内容およびその監査の結果を報告する（同条7項）。

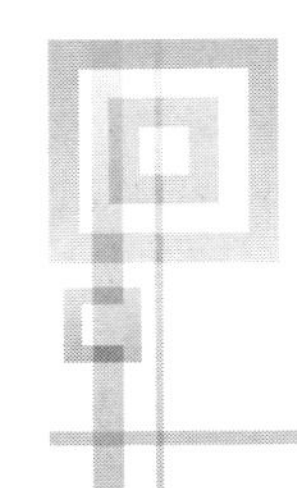

第２節　資本金と準備金

1　資本の意義

(1)　資本金の額の算定

〔797〕 株式会社では、株主は引受価額を限度とする有限責任のみを負うことから（104条）（→20）、会社債権者にとっては会社財産だけが自己の債権の支払いの担保となる。ところが、会社の財産は事業によって変動するものである。それゆえ、会社債権者を保護するために、株式会社は、一定の金額に相当する財産を会社に保持することが要求されている。この一定金額を資本という。会社は資本金の額を登記しなければならない（911条3項5号）。

〔798〕 資本金の額に相当する財産を会社に保持させるために、会社法は、現物出資および財産引受についての厳格な規制（→279、947以下）、出資についての株主からの相殺の禁止（208条3項）などを定めている。また、資本金の保持を確実にするため準備金制度（→803）も定められている（準備金は資本金のクッションの役割を果たしている）。

〔799〕 株式会社の資本金の額は、原則として、株式の発行などに際して、株主となる者が会社に対して払込みまたは給付をした財産の額である（445条1項。たとえば、1株1,000円で2万株の発行を行った場合、資本金の額として増加する額は2,000万円となる）。もっとも、払込み・給付額の2分の1を超えない部分は、資本金の額に組み入れなくてもよい（445条2項。資本の額≧払込額の総額×1/2。上記の例では、1,000万円のみを資本金の額とすることができる）。

最低資本金制度の廃止

〔800〕 平成２年の改正により、株式会社の資本金の額は1,000万円以上であることが要求された（改正前商168条ノ4）。資本制度が、会社債権者を保護するためのものであるという趣旨からすれば、資本金の額は、事業のリスクに見合った金額であるべきである。もっとも、適正な価格を法定することは難しく、株式会社につき1,000万円という一定の額が定められた。最低資本金は、当初、大規模会社にのみ株式会社制度を認めることを目的としても定められたが、資本金1,000万円という額は、かかる目的を達成するためには全く意味をなさないものであった。

〔801〕 その後、日本において、ベンチャー企業が起業を行う際に、かかる最低資本金制度が障害になると言われた。そこで、創業、新事業などの新たな事業活動に「挑戦」する中小企業者等を積極的に支援する制度として、新事業創出促進法により、新たに創業する者について、1,000万円（有限会社の場合は300万円）という最低資本金規制の適用を受けない会社の設立が認められた（→127）。

〔802〕 最低資本金制度は、会社設立時の出資額の下限額を定めるものである。もっとも、設立時に出資すべき額よりも、その後に会社に適切な財産が留保されていること、それらの額が適切に開示されていることが重要と考えられた。また、海外の状況も、米国のデラウェア州、ニューヨーク州などの会社法では採用されておらず、欧州でもそれを廃止する国がある。さらに、起業の促進のための障害を取り除く必要性も指摘された。以上のことを背景に、会社法では最低資本金規制が廃止された。これに代わって、適時に、正確な会計帳簿の作成を義務づけ（432条1項）、会計参与制度（→771）の創設など計算書類の適正確保のための制度を充実させた。また、純資産額が300万円を下回る場合の剰余金の配当を禁止する（458条→825）など、債権者保護のため、会社財産の流出を防止するための措置を講じている。

(2) 準備金の額の算定

〔803〕 資本金の額に相当するものが会社に留保されることを確実にするために、法定準備金の制度がある。法定準備金は、法律の規定によって積み立てることが要求される準備金で、利益準備金と資本準備金とがある。利益準備金は会社の利益を財源として積み立てる準備金である。利益準備金は、利益が生じた場合に、その利益の一部を留保することにより将来の損失に備えるために積立てが要求される。これに対し、資本準備金は会社の利益以外のものを財源として積み立てる準備金である。株式の発行などで株主となる者が払込み・給付した額で、資本金の額として計上しない額（払込剰余金→799）は資本準備金としなければならない（445条3項）。

〔804〕 会社は、剰余金の配当により減少する剰余金の額の10%を資本準備金または利益準備金として積み立てなければならない（445条４項）。株主総会の決議で、剰余金の額を減少して、準備金の額を増加することができる（451条）。

〔805〕 法定準備金は、資本の欠損を填補するためまたは資本への組入れのためなどに使用できる。資本の欠損は会社の純資産（資産－負債）が資本金の額と法定準備金の額の合計額よりも少ないことをいう。この場合、不足額に相当する額につき法定準備金の額を減少することによって欠損が填補される。欠損の填補には、資本準備金を先に取り崩しても、利益準備金を先に取り崩しても、どちらでも構わない。一方で、会社は株主総会の普通決議をもって、法定準備金の一部または全部を資本に組み入れることができる（448条１項２号）。法定準備金の額は株主総会の普通決議で減少することもできる（448条１項１号）。準備金の額を減少するには債権者保護の手続が必要である（449条）（→810）。

〈「資本の欠損」と準備金による填補〉

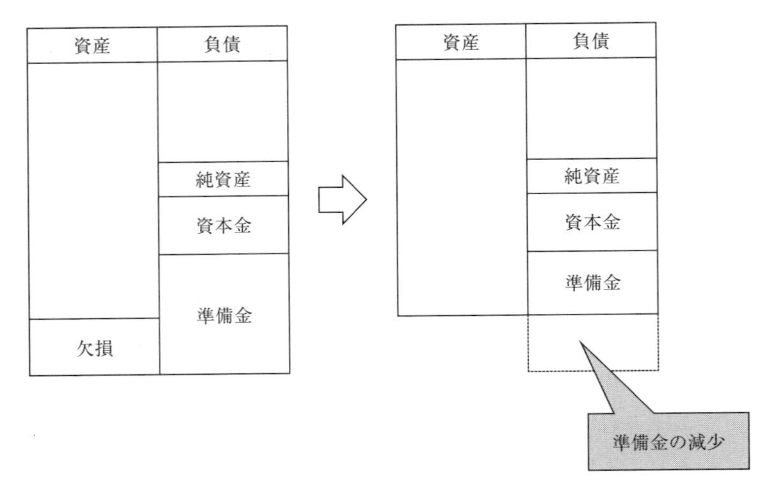

2　資本の減少

(1)　資本金・準備金の額の減少の意義

〔806〕　資本の減少とは、会社の資本金の額を減少することである（減資）。資本金の額は、会社債権者のために留保されるべきものである（→797）。また、会社の基礎的変更であることから、株主への影響が大きい。そのために、資本金の額の減少は、厳格な手続のもとにおいてのみ認められている（447条以下）。法定準備金の額の減少についても、資本金の額と同様の観点から規制が存在する（448条）。

〔807〕　資本として拘束されていた会社財産を株主に返還する場合には、会社の財産が実際に減少する。これを「実質上の減資」という。これに対して、会社に欠損があるときに、すでに減少している会社財産に資本の額を一致させ、これにより、利益配当を可能とする操作が行われる。この場合には、資本金の額の減少を行っても会社財産の減少を伴わない。これを「名目上の減資」という。日本では、後者の減資が行われることが多い。

〔808〕　資本金の額を減少させるには、株式数はそのままで資本金の額のみを減少する方法と減少する資本の額に相当する金額を株主に払い戻す方法がある。また、株式の消却（→382）または株式の併合（→376）によって株式数を減少させることもできる。

(2)　資本金・準備金の額の減少の手続

〔809〕　資本金の額の減少は株主の利害関係に大きな影響を与える。そのため、資本金の額の減少は株主総会の特別決議によって行われる（447条1項、309条2項9号）。これに対して、準備金の額の減少は普通決議で足りる（448条1項）。減少する資本金・準備金の額に制限はない。もっとも、減少する資本金・準備金の額は、資本金・準備金の額の減少の効力発生日における資本金・準備金の額を超えることはできない（447条2項、448条2項。マイナスの資本金・準備金の額の減少は認められない。株主の利益を害さない場面では、株主総会の決議は不要である。447条3項、448条3項）。

〔810〕　資本金の額を減少するには、会社債権者の保護のための手続が要求される。この場合、会社の債権者は資本金・準備金の額の減少について異議を述べることができる（449条１項本文。なお、同項１号・２号参照）。会社は債権者に対して、資本金・準備金の額の減少に異議があれば一定の期間（１月以上）内にこれを述べるように公告を行い、かつ会社がその債権の存在を知っている債権者（知れている債権者）には各別にこれを催告しなければならない（同条２項）。「知れている債権者」には、会社と係争中の債権者も含まれる（大判昭７・４・30民集11・706〔百選79事件〕）。会社がその公告を官報のほか定款に定めた時事に関する事項を掲載する日刊新聞紙または電子公告によって行うときは、各別の催告は不要である（同条３項）。

〔811〕　債権者がこの期間内に異議を述べない場合には、資本金・準備金の額の減少を承認したものとみなされる（449条４項）。債権者が異議を述べたときは、会社はその者に弁済するか、もしくは相当の担保を供し、または債権者に弁済を受けさせることを目的として信託会社等に相当の財産を信託することを要する（同条５項本文）。ただし、資本金の額の減少をしてもその債権者を害するおそれがないとき（その債権について担保が設定されている場合など）は、その必要はない（同項ただし書）。なお、資本金の額の減少の手続または内容に瑕疵がある場合に備えて、資本減少の無効の訴えの制度がある（828条１項５号・２項５号）。

シャープが中小企業に？

〔812〕　平成27年５月、大手家電メーカーのシャープ株式会社（大阪府堺市本社）が、経営再建の一環として、1,218億円の資本金の額を１億円に減らすという、大幅な減資を検討していると報道された。このような減資は、資本金を剰余金に振り替え、累積損失の解消や新たに生じる赤字に備える目的がある。資本金の額を１億円以下にすることで、法律上「中小企業」とみなされ、法人税の軽減税率の適用など税制上の優遇措置も受けることもできる。資本金の額をゼロとした上で（100％減資）、新たな株主による出資によって経営再建を図ることはこれまでも行われてきた（たとえば、日本航空（JAL）やスカイマークの事例）。この場合、既存の株主が保有する株式は無価値となる。これに対して、今回の減資でも、シャープの株主の地位は維持され、株式の上場も継続される。

〔813〕　しかし、中小企業を想定した優遇税制を大企業が意図的に活用することについて政界等から異論が出たため、シャープは、資本金の額を１億円に減らす計画を断念した。

結局、シャープは、平成 27 年 6 月に開催された株主総会で、第三者割当による増資（取引銀行に優先株式の発行）で欠損を塡補した後、資本金の額を 5 億円にする（減資した金額は剰余金に振り替える）ことを決定した。

第3節　剰余金の分配

1　剰余金の配当の意義

〔814〕　会社が獲得した利益は配当として株主に分配される。会社債権者の債権の拠り所は、会社財産のみとなる。そこで、会社債権者と株主の利益調整として、剰余金の分配限度額を決めておく必要がある。

〔815〕　株主に対する金銭等の分配方法には、利益配当・中間配当のみならず、自己株式の取得（→ 348）などがある。これらは、平成 17 年の改正前まで、それぞれ別の規制がなされてきた。もっとも、両者は、株主に対して会社債権者に先立って財産を流出させているという点で共通点がある。そこで、同年の改正ではこれらの行為については、「剰余金の配当等」として統一的な財源規制を定めることにした（461 条）。

〔816〕　会社は、事業年度期間中、いつでも剰余金の分配を行うことができる。配当可能額は、分配時までの剰余金の増減を考慮する（461 条 2 項）。臨時計算書類の作成により臨時決算制度も定められている（→ 794）。

2　剰余金の配当規制

(1)　手続規制

〔817〕　剰余金の配当を行うためには、株主総会の普通決議が必要である（454 条 1 項）（指名委員会等設置会社の場合→ 722）。株主総会では、①配当財産の種類および帳簿価額の総額、②株主に対する配当財産の割当に関する事項、③剰余金配当の効力発生日を決議する。②の配当財産の割当は、原則として、

株主の有する株式数に応じたものであることを要する（同条３項）。配当財産が金銭以外の財産であるときは（現物配当のときは）、株主総会の特別決議が必要である（同条４項、309条２項10号）。

〔818〕 ①監査役会設置会社であること、②会計監査人設置会社であること、③取締役の任期が１年であることといった要件を満たす会社は、④定款の定めにより、⑤最終事業年度にかかる計算書類が法令・定款に従い会社の財産および損益の状況を正しく表示しているものとして法務省令で定める要件（計155条）に該当すれば、剰余金の分配を取締役会の決議で決定することができる（459条１項・２項）。③の要件が定められているのは、配当政策に関し、株主の意向に沿わない取締役を排除することができるようにするためである。この点で、剰余金の分配について、株主総会の決議に代わって、株主の意思を反映させようとしている。

〔819〕 以上の要件を定めていない会社であっても、取締役会設置会社であれば、定款の定めで、取締役会決議をもって、一事業年度の途中で１回に限り中間配当をすることができる（454条５項）。中間配当は、金銭配当に限られる。

⑵　分配可能額

〔820〕 会社は無制限に剰余金の分配をすることができない。株主に交付する金銭等の帳簿価額の総額は、その行為が効力を生じる日における分配可能額を超えてはならない（461条１項８号）。そこでは、剰余金の配当のみならず、自己株式の有償取得、資本金・準備金の額の減少に伴う払戻しを含めて、財源規制が定められている。

〔821〕 分配可能額は、剰余金の額を基礎として（臨時決算があればその期間損益を加減し）、自己株式取得に要した財源などを控除して算定される（461条２項）。

剰余金の額と分配可能額

〔822〕 分配可能額の算定は、事業年度末日（決算日）における剰余金の額を基礎とする。その上で、分配時点までの剰余金の増減を反映させ、分配時点の剰余金の額を算定する。以下の計算では、決算日以降分配時点までの変動（自己株式の処分、資本・準備金の

減少、自己株式の消却、剰余金の配当など）がなかった場合とする。

〔823〕　剰余金の額は、〈①資産の総額＋②自己株式の帳簿価格〉－〈③負債の総額＋④資本金の額＋資本準備金・利益準備金の額＋⑤法務省令で定める控除額〉となる。⑤法務省令で定める控除額は〈①資産の総額＋②自己株式の帳簿価格〉－〈③負債の総額＋④資本金の額＋資本準備金・利益準備金の額＋⑤その他資本剰余金＋⑥その他利益剰余金〉で計算される（計149条）。その結果として、剰余金の額は、⑤その他資本剰余金＋⑥その他利益剰余金で計算される。

〔824〕　その上で、剰余金の分配可能額は、〈剰余金の額－②自己株式の帳簿価額〉となる。自己株式は、貸借対照表の純資産の部に「▲」で表示されるが、期末では、いったん「剰余金」に含めた上で、分配可能額の算定に当たり、その額を減算する。これは、期末から分配までの間に変動があった場合に、その変動を考慮するためである。

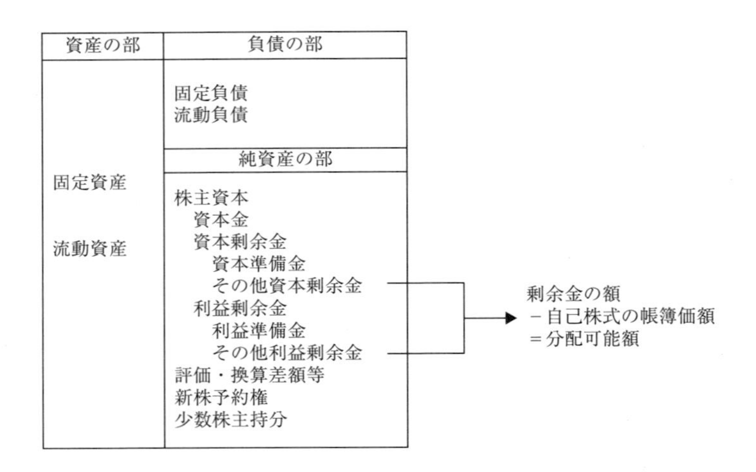

〔825〕　なお、上記の計算上分配可能額が存在していても、純資産額が300万円を下回る場合には、剰余金の配当をすることができない（458条）。会社法では最低資本金制度が廃止されたものの（→802）、この点において、株主と債権者との利益調整が維持されている。

(3)　違法配当

〔826〕　剰余金の分配規制に違反した配当がなされた場合、①株主（金銭等の交付を受けた者）、②当該行為に関する職務を行った業務執行者（業務執行取締役〔指名委員会等設置会社では執行役〕その他当該業務執行取締役が行う業務の

執行に職務上関与した者〔法務省令で規定〕)、③株主総会や取締役会に違法配当議案を提出した取締役（総会議案提案取締役・取締役会議案提案取締役）等は、連帯して、会社に対して、違法配当した金銭等の帳簿価額に相当する金銭を支払うべき義務を負う（462条１項)。

〔827〕　この場合の支払額は、分配可能額を超える部分のみならず、交付を受けたすべての金額に及ぶ。会社法の立案担当者は、分配可能額を超えて剰余金の配当をした場合でも、その行為は有効とした上で、上記の特別な支払義務を定めたと説明している（相澤哲編著『立案担当者による新・会社法の解説』別冊商事法務295号〔2006〕135頁)。もっとも、従来から、配当可能利益を超えて配当をした場合は無効と考えられており、上記の見解には学界からの批判が強い。

〔828〕　このような責任を負う者のうち、①株主以外の者は（すなわち、②③の者は)、その職務を行うについて注意を怠らなかったことを証明したときは、責任を回避できる（462条２項)。しかし、この規制が債権者保護の機能を有することから、かかる義務について、分配可能額を超える部分については、総株主の同意があっても免除されない（同条３項。換言すると、分配可能額を超えない部分については、総株主の同意があれば免除される)。

〔829〕　②③の取締役等が違法配当額を弁済したときは、①株主が違法配当であることについて悪意であれば求償できるものの、善意であれば求償できない（463条１項)。

〔830〕　会社の債権者は、①株主に対して、直接に違法配当額に相当する金銭を支払うように請求できる（463条２項)。債権者は、会社の権利を代位行使するのではなく、債権者の固有の権利としてこのような請求をすることが認められている。この場合、株主の善意・悪意を問わない。他方で、返還請求できる額は、その債権者の会社に対する債権額の範囲内に限定される。

〔831〕　違法配当がなされた場合、会計参与、監査役、会計監査人も、任務懈怠責任として、会社に対して損害賠償責任を負う（423条１項)。

〔832〕　期末に欠損が生じた場合には、業務執行者は、会社に対して、連帯して、その欠損の額を支払う義務を負う（465条１項本文)。この責任は、剰余金の分配可能額に関する規制を遵守している場合にも発生する。支払額は分配額が上限となる。職務を行うについて注意を怠らなかったことを証明した場合

は、義務を免れる（同項ただし書）。

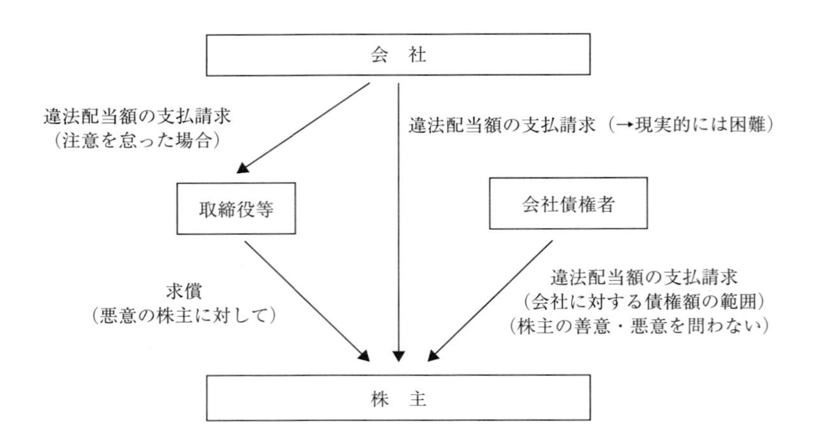

第 5 章
企業再編と企業の変動

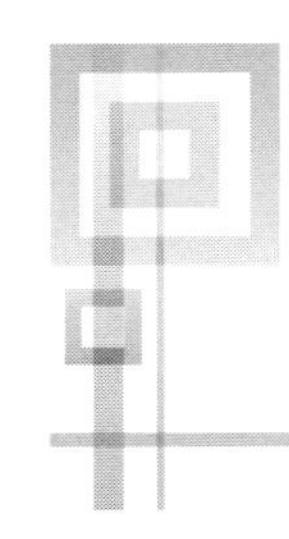

第１節　合　　併

１　合併の意義

〔833〕　会社が新規事業への進出もしくは既存事業の拡張などを目指して企業規模の拡大を行う場合には、まず設備投資など内部的な事業拡張が図られる。さらに、より効果的に企業規模を拡大する手段として、既存会社と合併することが考えられる。

〔834〕　合併には、吸収合併と新設合併がある。吸収合併は当事会社の１つが存続し、他の会社が解散するもので、新設合併は当事会社がすべて解散して同時に新会社が設立されるものである。日本では、登録免許税が節減できることなどから、通常、吸収合併が利用される。吸収合併において、消滅会社の財産は存続会社に包括的に承継され、消滅会社の株主は存続会社の株主となる（もっとも、合併対価の柔軟化〔→842〕によって、金銭等で対価を受けることもある）。新設合併において、消滅会社の財産は新設会社に包括的に承継され、消滅会社の株主は新設会社の株主となる（同上）。合併は消滅会社にとって解散事由の１つである。しかし、上記のように消滅会社の株主は合併手続のなか

〈新設合併と吸収合併〉

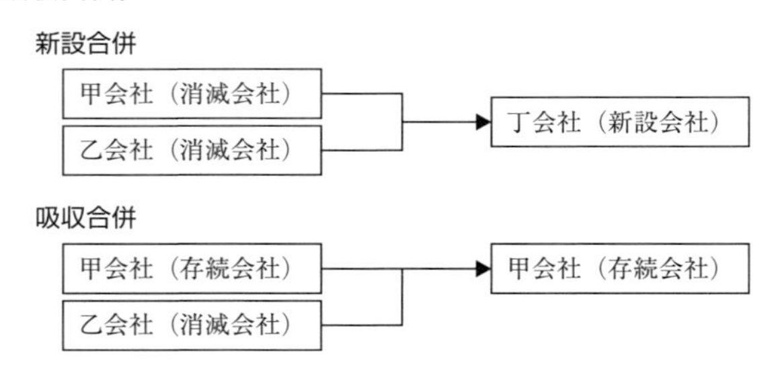

で対価を受けるため、清算手続は必要ない。

〔835〕　会社法のもとでは、すべての種類の会社の間で合併が認められる（748条）（会社の種類→15）。株式会社は、他の株式会社のみならず、持分会社（合名会社、合資会社、合同会社）と合併することができる。新設合併においては、株式会社と持分会社のいずれかを新設会社とすることができる。吸収合併においても、株式会社と持分会社のいずれかを存続会社とすることができる。本節では、株式会社間の吸収合併について、述べることとする。

〔836〕　合併については、会社法が株主保護や会社債権者保護の観点から規制を行っている。さらに、独占禁止法が、国内の会社が合併により一定の取引分野における競争を実質的に制限することとなる場合または合併が不公正な取引方法による場合には、合併を禁止している（独禁15条1項）。国内の会社が合併をしようとするときには、あらかじめ公正取引委員会に届出を行わなければならない（同条2項）。また、銀行など特殊の事業を営む会社の合併については、主務大臣の認可を必要とするものがある（銀行30条1項等）。

2　合併の手続

(1)　合併契約の締結

〔837〕　合併をする会社は、合併契約を締結しなければならない（748条）。合併契約では法律が定める必要的事項を規定する必要がある。この事項の1つでも欠けるときは、合併は無効となる。合併契約には、合併の本質や法令に違反しない事項を任意に定めることができる。

吸収合併における合併契約の内容

〔838〕　吸収合併（株式会社が存続する）の場合の合併契約の内容は次のとおりである（749条1項）。

①　存続会社および消滅会社の商号および住所

②　存続会社が吸収合併に際して株式会社である消滅会社の株主または社員に対してその株式または持分に代わる金銭等を交付するときは、その金銭等についての事項（株式、社債、新株予約権、新株予約権付社債、株式等以外の財産に分けて詳細が規定さ

れている）

③　②の場合に、消滅会社の株主に対する②の金銭等の割当てに関する事項

④　消滅会社が新株予約権を発行しているときは、存続会社が吸収合併に際してその新株予約権者に対して交付するその新株予約権に代わる存続会社の新株予約権または金銭についての事項

⑤　④の場合に、消滅会社の新株予約権者に対する④の存続会社の新株予約権または金銭の割当てに関する事項

⑥　吸収合併がその効力を生ずる日（効力発生日）

〔839〕　合併契約に定められた「効力発生日」（上記⑥）に合併の効力が発生する（750条1項。平成17年の改正前までは、合併登記がなされてはじめて効力が生じるものとされていた）。もっとも、消滅会社および存続会社における債権者保護の手続（→853）が終了していないときは、合併の効力は、債権者保護の手続が終了した日の翌日となる（750条6項）。

〔840〕　吸収合併の存続会社は、株主総会における合併契約の承認に先立ち、2週間前から合併効力発生日後6月を経過するまで、合併契約等の内容を本店に備え置かなければならない（794条1項・2項1号）。消滅会社では、効力発生日まで開示義務がある（782条1項）。これは、株主および会社債権者が、合併についての適切な判断を行うための情報開示である。

〔841〕　株主が株主総会において議決権を行使する場合、合併の相手方のほか、合併対価の妥当性も重要な考慮要素となる。合併対価として、存続会社の株式が交付される。この場合、消滅会社の株式をどのような割合で存続会社の株式と交換するかを示す条件を合併比率という。合併比率は、合併契約で定められる（上記②）。合併比率は、当事会社の損益、資産、財務状況、株価、将来の発展性などを総合的に判断して決定される。

〔842〕　吸収合併において、消滅会社の株主に存続会社の株式を交付せず、金銭その他の財産を交付することができる。組織再編行為を効率的に行うことができるように経済界からの要望があり、会社法においてこのような合併対価の柔軟化が実現した。

〔843〕　合併対価の柔軟化に伴い、次のような組織再編が可能となる。まず、消滅会社の株主に対して、存続会社の株式に代えて、金銭を交付することで、

〈締出し合併と三角合併の概要〉

存続会社の株式を対価とする合併

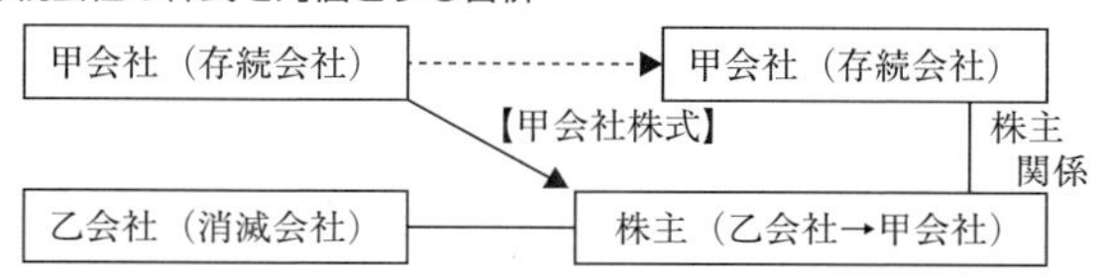

金銭を対価とする合併（締出し合併）

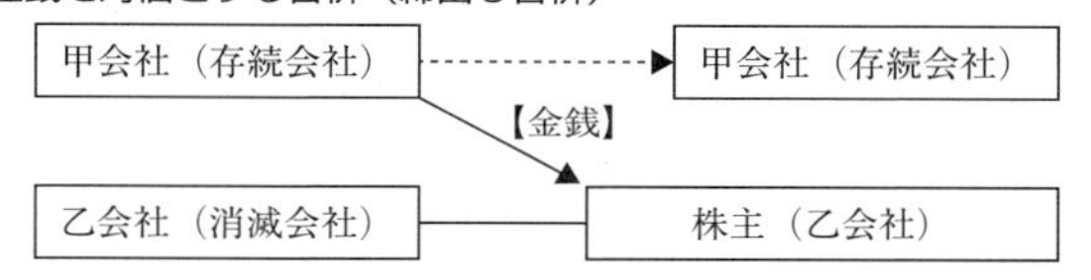

親会社株式を対価とする合併（三角合併）

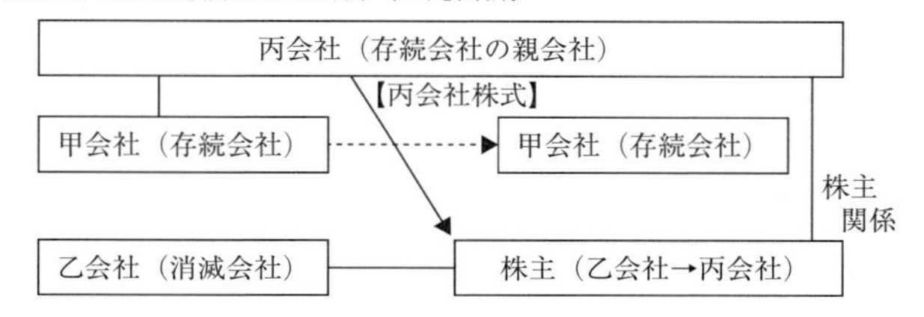

消滅会社の株主を存続会社の株主にすることなく合併を実現することができる（いわゆる「締出し合併」）。また、消滅会社の株主に対して、存続会社の親会社の株式を交付することもできる（いわゆる「三角合併」）。この場合、消滅会社の株主は、存続会社の親会社の株主となる。これにより、たとえば、外国会社が日本に子会社を保有している状況で、その子会社が日本の企業を吸収合併する際に、対価として外国（親）会社の株式を交付することで、現金を支払うことなく、日本の企業を子会社とすることができる。

(2)　株主総会の決議

〔844〕　吸収合併の消滅会社では、合併契約の効力発生日の前日までに、株主総会の特別決議により、吸収合併契約の承認を行う必要がある（783条1項、309条2項12号）。消滅会社が種類株式発行会社であれば、合併対価に譲渡制限株式が与えられるときは、種類株主総会の特殊決議が要求される（783条3

項、324条3項2号）。

〔845〕　吸収合併の存続会社でも、合併契約の効力発生日の前日までに、株主総会の特別決議によって、吸収合併契約の承認を行う必要がある（795条1項、309条2項12号）。取締役は、株主総会において、①存続会社が承継する消滅会社の債務の額が承継する資産の額を超える場合、②消滅会社の株主に交付する金銭等の帳簿価額が承継資産額から承継債務額を控除して得た額を超える場合には、その旨を説明しなければならない（795条2項1号・2号）。

〔846〕　合併に反対の株主には株式買取請求権が与えられる。すなわち、株主総会に先立ち、吸収合併に反対する旨を消滅会社・存続会社に通知し、かつ、株主総会において合併に反対した株主は、会社に対して、自己の有する株式を「公正な価格」で買い取ることを請求できる（785条、797条）。この場合、議決権制限株式（→235）の株主など、株主総会において議決権を行使できない株主にも買取請求権が与えられる（785条2項1号ロ、797条2項1号ロ）。なお、消滅会社の新株予約権者にも新株予約権の買取請求権が認められる（787条）。

〔847〕　株主からの事前の通知によって、会社は株式買取請求権が行使される可能性を事前に予測することができる（場合によっては、合併を中止するという判断を行う）。反対株主が買取請求権を行使した場合、会社の承諾がなければその撤回はできない（785条7項、797条7項）。これにより、とりあえず買取請求権を行使しておき、株価が上昇したときに撤回をするといった行動が抑止される。

買取請求があった場合の買取価格

〔848〕　合併に反対の株主は、自己の有する株式を「公正な価格」で買い取ることを請求できる。会社との協議が調わない場合は、裁判所が価格を決定することとなる（786条、798条）。

〔849〕「公正な価格」は、合併の効力発生日を基準として、①合併がなければ株式が有していたであろう客観的価値、または、②合併によるシナジーを適切に反映した株式の客観的価値を基礎として算定される（最決平23・4・19民集65・3・1311〔百選86事件〕）。合併は、組織の合理化、弱点の補強などを目的に行われることがある。このような場合、合併によって当事会社の企業価値が増大することが期待される。このような効果を「シナジー効果」という。合併により企業価値が増加するときは、合併に反対の株主にもそれを

反映した価格で買取りが認められる（増加した企業価値を反映した価格が「公正な価格」となる〔②〕）。他方で、業績悪化の企業を救済するための合併などでは、企業価値の減少が予想されることもある。合併によって株価が下落した場合に、株主を救済する必要がある。そこで、このような合併（企業価値が増加しない合併）では、当該合併がなかったならば、その株式が有していたであろう価格で買取りが認められる（「公正な価格」は「ナカリセバ価格」といわれることもある〔①〕）。価格の決定の基準日は、株式買取請求権が行使された日となる（前掲・最決平成23年事件）。

〔849-2〕　裁判所が公正な価格を決定する能力を有しているか疑問がある。さらに、企業価値が増加する場合で、そのシナジーをどのように分配するかは、当事者の決定に委ねられるべきである。そのため、特別の資本関係がない会社の間（独立当事者間）の組織再編において、特段の事情がない限り、当事者間で決定された組織再編条件は公正なものとみなされる。さらに、独立当事者間のものでない場合でも、一般に公正と認められる手続きが行われていれば（社外者による特別委員会などが条件を決定することなどが考えられる）、同様に、当事者間の決定した条件が尊重される（最決平28・7・1金判1497・8〔百選88事件〕）。これに対して、公正な手続を経て行われたと認められない場合、裁判所が独自に公正な価格を決定するしかない（最決平21・5・29金判1326・35、最決平23・4・26判時2120・126参照）。

(3)　略式合併と簡易合併

〔850〕　存続会社が消滅会社の特別支配会社の場合は、消滅会社の株主総会の決議は不要である（784条1項本文。略式手続が認められない場合について同項ただし書参照）。特別支配会社とは、その会社の総議決権の90％以上を所有する親会社等をいう（468条1項参照）。このような場合、消滅会社において合併契約が承認されることが当然予想されるため、消滅会社の株主総会を開催する意義が乏しい。同様の理由から、消滅会社が存続会社の特別支配会社である場合にも、存続会社における株主総会の決議は不要である（796条1項本文。略式手続が認められない場合について同項ただし書参照）。このような略式手続により株主総会決議を不要とすることに反対の株主には買取請求権が与えられる（785条、797条）。特別支配株主は買取請求権を有しない（785条2項2号、797条2項2号）。特別支配株主が合併に反対するということは通常は考えられないためである。

〔851〕　さらに、存続会社の規模に比して消滅会社の規模が小さい場合、存続会社への影響が軽微であると考えられる。このような場合にまで、株主総会開催のコストをかけることは合理的ではない。そこで、吸収合併の存続会社では、合併対価の額が存続会社の純資産額の20％以下の場合には、株主総会の決議を要しないものとされている（796条2項本文。合併差損〔存続会社が承継する消滅会社の「承継債務額」が、存続会社が承継する消滅会社の「承継資産額」を超過する場合〕が生じる場合などには、簡易合併は認められない。同項ただし書）。

〔852〕　存続会社は、簡易合併を行うためには、合併の効力発生日の20日前までに、株主に通知することを要する（797条3項）。存続会社が公開会社の場合には公告で足りる（同条4項）。簡易合併に反対の株主が、一定数以上に及んだ場合には簡易合併はできない。すなわち、存続会社において、合併承認決議について議決権を行使することができる株式総数の6分の1超を有する株主等が簡易合併に反対する意思を会社に通知したときは、簡易合併をすることができない（796条3項、施197条）。簡易合併により株主総会の決議が不要となる場合、これに不満の株主には株式の買取請求権が与えられる（785条、797条）。もっとも存続会社の株主には買取請求権は与えられない（797条1項ただし書）。簡易合併が存続会社の株主に及ぼす影響が軽微であることを理由とする。消滅会社においては、その合併は株主等に大きな影響を有するものであることから、株主総会の特別決議など通常の諸手続が必要となる。

(4)　債権者保護の手続

〔853〕　合併は会社と取引を行う債権者に重大な影響を与えるため、会社法は債権者保護の規定を定めている。各当事会社は、合併の承認決議の日から2週間以内に、会社債権者に対して、合併に異議があれば1月を下らない一定期間内に申し出るべき旨を官報によって公告し、かつ知れている債権者には各別にこれを催告しなければならない（789条1項・2項、799条1項・2項）。「知れている債権者」は、主張する者および原因ならびに内容の大体を会社が知る者をいう（大判昭7・4・30民集11・706〔百選79事件〕。減資に関する事例で、係争中の債権者が知れたる債権者に含まれるとした）。もっとも、債権者に対する公告を、官報のほか、公告をなす方法として定款に定めた時事に関する事項を掲載

する日刊新聞紙に掲載するときまたは電子公告によって行うときは、知れている債権者に対する催告は不要となる（789条3項、799条3項）。

〔854〕　債権者が期間内に異議の申立てをしないときは、合併を承認したものとみなされる（789条4項、799条4項）。また異議を述べた債権者に対しては、会社は弁済をするか、相当の担保を提供するかまたは相当の財産を信託会社に信託しなければならない（789条5項、799条5項）。社債権者が異議の申立てをするには社債権者集会の決議によらなければならない（716条）。

〈合併公告（簡易合併）〉

合併公告

令和○年2月16日

株主及び債権者　各位

京都市上京区今出川通烏丸東入
同志社物産株式会社
代表取締役社長　新島　襄次郎

当社（以下「甲会社」といいます）は、令和○年1月30日開催の取締役会において、令和○年4月1日を効力発生日として、甲を吸収合併存続会社とし、京田辺物流サービス株式会社（以下「乙会社」といいます）を吸収合併消滅会社とする吸収合併を行うことを決議しましたので、ここに公告いたします。これにより、効力発生日をもって、甲は乙の権利義務を全部承継し、乙は解散することとなります。なお、この合併は、甲は会社法第796条第2項、乙は会社法第784条第1項に基づき、株主総会の承認決議を経ずに行うものです。

記

1　会社法第796条第3項に規定に基づき、この合併に反対の株主は、本公告掲載の日から2週間以内に書面によりその旨をお申し出ください。
2　会社法第797条第1項の規定に基づき、この合併に反対で、株式買取請求権を行使される株主は、効力発生日の20日前の日から効力発生日の前日までに、書面によりその旨及び株式買取請求に係る株式の数をお申し出ください。
3　この合併に対し異議のある債権者は、本公告掲載の翌日から1月以内にお申し出ください。
4　甲及び乙の最終の貸借対照表の開示状況は以下のとおりです。
（甲）金融商品取引法による有価証券報告書提出済
（乙）官報の掲載（令和○年2月16日）掲載頁○頁

以上

(5)　事後開示と登記

〔855〕　吸収合併における存続会社は、合併効力発生日後、遅滞なく、吸収合併により承継した消滅会社の権利義務その他法務省令で定める事項（効力発生日、消滅会社・存続会社における買取請求・債権者異議の手続の経過、存続会社が承継した重要な権利義務など。施200条）を記載・記録した書面または電磁的

記録を作成し、6月間、本店に備え置かなければならない（801条1項・3項1号)。存続会社の株主・債権者は、会社の営業時間内、いつでも、その閲覧・謄写を求めることができる（同条4項)。このような開示は、合併の無効の訴え（→858）を提起するかどうかの判断材料となる。

〔856〕 会社が吸収合併を行ったときは、その効力が生じた日から2週間以内に、その本店所在地において、吸収合併の消滅会社については解散の登記、存続会社については変更の登記をしなければならない（921条)。

3　合併の差止めと無効

(1)　合併の差止め

〔857〕 吸収合併が法令または定款に違反する場合で、存続会社および消滅会社の株主が不利益を受けるおそれがあるときは、会社に対して、合併をやめることを請求することができる（784条の2第1号、796条の2第1号)。また、略式手続による合併（→850）が行われるときは、その対価が消滅会社または存続会社の財産の状況その他の事情に照らして著しく不当である場合に、存続会社または消滅会社の株主は、合併をやめることを請求できる（784条の2第2号、796条の2第2号)。略式手続による合併では、株主総会の決議で対価の承認がないため、対価が著しく不当な場合も差止請求の対象とされている。

(2)　合併の無効

〔858〕 合併手続に瑕疵があるときは、その合併は本来は無効のはずである。もっとも、取引の安全を保護するため、合併の無効は訴えをもってのみ主張することができる（828条1項7号・8号)。合併の無効原因は法定されていない。錯誤・詐欺・強迫などにより合併契約が無効となるときまたは取り消されたとき（合併契約が錯誤無効で、合併が無効とされた事例として、名古屋地判平19・11・21金判1294・60〔百選92事件〕参照)、株主総会による合併承認決議が存在しないとき（簡易合併や略式合併を除く)、債権者保護手続がとられなかったときなどが無効原因となると解される。判例は、合併比率が不当または不公

正であっても無効原因とはならないとしている（東京高判平2・1・31資料版商事法務77・193〔百選91事件〕）。

〔859〕 さらに、合併の無効の訴えを提起できる者が限定されている。合併の無効は、当事会社の株主、取締役、執行役、監査役、清算人、破産管財人、合併を承認しなかった債権者（828条2項7号・8号）が、登記の日から6月以内に存続会社に対して主張する。合併無効の判決が確定したときは、存続会社については変更の登記、消滅会社（解散会社）については回復の登記がなされる（937条3項2号・3号）。確定した合併無効の判決は、第三者に対しても効力（対世的効力）を有するが（838条）、遡及的効力は有しない（839条）。このため、合併無効の判決が確定すれば、消滅会社は復活し、合併によって存続会社が取得した財産は、復活した消滅会社に復帰する。他方で、合併後に存続会社が取得した財産について、債務については、両当事会社が連帯して弁済する責任を負い、積極財産については、両当事会社が共有することとなる（843条1項・2項）。

第２節　事業譲渡と会社分割

1　事業譲渡

〔860〕 事業譲渡は、当事会社に重大な影響を与える。そのため、会社法は、株主保護のために、株式会社が事業の全部もしくは重要な一部を譲渡する場合には、株主総会の特別決議を要求している（467条1項1号・2号、309条2項11号）。子会社の株式等の譲渡も実質的に事業の一部譲渡といえる。そこで、会社が子会社の株式または持分の全部または一部の譲渡をする場合、株主総会の特別決議が必要である（467条1項2号の2、309条2項11号）。

〔861〕 株式会社が他の会社の事業全部を譲り受ける場合も株主総会の特別決議が必要である（467条1項3号、309条2項11号）。このほか、事業の全部の賃貸、事業の全部の経営の委任、他人と事業上の損益の全部を共通にする契約その他これらに準ずる契約の締結、変更または解約についても、同様の規制がある（467条1項4号、309条2項11号）。事業譲渡に反対の株主は、合併の場合と同様に（→848）、公正な価格で自己の株式を買い取るべきことを会社に請求することができる（469条）。

〔862〕 上記の規制の対象となる事業譲渡は、一定の事業目的のために組織化され、有機的一体として機能する財産の譲渡である。判例（最大判昭40・9・22民集19・6・1600〔百選85事件〕）は、この事業譲渡（当時は営業譲渡）は、会社法21（当時は商法24）条以下（譲渡会社の競業に関する規制）にいう事業（当時は営業）と同一義であって、譲渡会社が競業避止義務を負う結果を伴うものとする。法解釈の統一性や、競業避止義務の負担の有無を基準とすることで法律関係が明確になるという趣旨で、このような立場に賛成する学説もある。他方で、株主総会の決議を要するかどうかは株主の利益の視点から（たとえば、

譲渡会社の事業継続が困難になるかどうかで）判断すべきで、競業避止義務の有無を考慮することに反対する見解も有力である。

〔863〕　事業譲渡を受ける会社が特別支配会社（→850）である場合には、株主総会の決議は不要となる（468条1項）。さらに、事業全部の譲受けであっても、その対価が純資産の20％を超えないときも、株主総会の決議を経る必要がない（同条2項）。

〔864〕　合併と異なり、事業譲渡では、権利義務関係が一括して承継されることはなく、債務は、債権者が債務引受に同意しない限り当然には移転しない。この点で、債権者保護の必要性は高くないと判断され、事業譲渡において債権者保護手続は法定されていない（合併における債権者保護手続→853、854）。

〔865〕　なお、独占禁止法は、事業譲渡について、合併と同様の立場から規制を行っている。すなわち、国内の会社が他の会社から国内における事業の全部または重要な部分を譲り受けることによって一定の取引分野における競争を実質的に制限する場合、または不公正な取引方法によってこれを行う場合には事業譲渡が禁止される（独禁16条1項1号）。また、事業譲渡の場合、一定規模以上のものについては、あらかじめ公正取引委員会に届出をするのでなければこれを行うことができない（同条2項）。

2　会社分割

〔866〕　会社が、その事業の一部を包括的に他の会社に移すことを容易にするために、平成12年の改正で、会社分割の制度が創設された。会社分割には、分割する会社の事業を新しく設立する会社に承継させる新設分割（2条30号）と、既存の他の会社に承継させる吸収分割（同条29号）とがある。会社分割では、分割対象となる事業の全部または一部が包括的に承継会社または新設会社に移転する点で合併に類似する。もっとも、分割後も分割会社は存続する点で合併とは異なる。

〔867〕　会社分割では、分割会社の分割対象となる事業についての権利義務が承継会社・新設会社に移転されるとともに、その対価として、分割会社が承継会社・新設会社から株式等を取得する。

〔868〕 会社分割には、分割に際して事業を承継する会社により発行される株式が、分割する会社自身に割り当てられる物的分割と、それが分割をする会社の株主に割り当てられる人的分割とがある。C部門とD部門を有するA社が会社分割によってB社にC部門を承継させる場合、物的分割では、B社の発行する株式はA社に割り当てられる。また、人的分割では、B社の株式はA社の株主に割り当てられる。したがって、たとえば、A社がE会社という持株会社によって保有されている場合、E会社にB社の株式が割り当てられることで、A社とB社の間に、E会社を親会社とする兄弟会社関係を創設することが容易となる。

〈会社分割の概要（物的分割と人的分割）〉

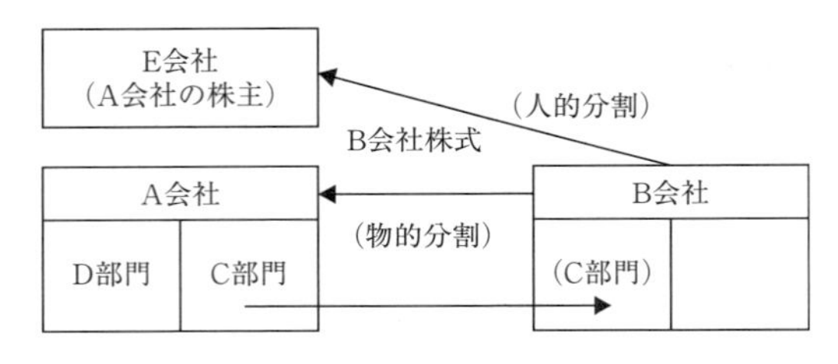

〔869〕 会社法では、人的分割の場合、対価は、いったんA社に交付され、A社からその株主に剰余金の配当（金銭以外の場合は現物配当）がなされるものと構成されている。したがって、会社法で会社分割という場合、物的分割を意味することとなる。

〔870〕 会社分割をするためには、分割計画（新設分割の場合）または分割契約（吸収分割の場合）を作成・締結しなければならない（757条、762条）。分割を行う場合には、これらの契約・計画について、株主総会の特別決議による承認を得なければならない（783条、795条、309条2項12号）。合併の場合と同様に、略式手続・簡易手続が認められる（784条、796条、805条）。反対の株主には買取請求権が認められる（785条、797条、806条）。さらに、会社分割によって会社の債権者が不測の損害を被ることを防止する必要がある。そこで、会社は債権者に公告などの開示をした上で、これらの者に異議を述べる機会を与えなければならない。異議がある債権者には、会社は弁済や担保の提供をし

なければならない（789条、799条、810条）。

会社分割と労働契約

〔871〕 会社分割においては、労働契約も、分割契約・分割計画に記載されれば、包括承継により対象となる労働者の個別の同意なく承継会社に承継される。しかし、労働者保護の見地から、特別の規制が存在する。すなわち、承継の対象となる事業に主として従事する労働者の労働契約が移転の対象から外された場合は、その労働者が異議を申し出れば、承継の対象に含められる（承継法4条）。承継対象の事業に主として従事している労働者以外の労働者の労働契約が承継の対象に加えられた場合、その労働者が異議を申し出れば、承継の対象から外される（承継法5条）。これらに対して、承継対象の事業に主として従事している労働者の労働契約が承継の対象となっている場合には、異議申出の余地はない（当然承継の対象となった労働者が、労働契約の承継の効力を争った事例として、最判平22・7・12民集64・5・1333〔百選94事件〕がある）。

〔872〕 吸収分割の分割会社が、承継会社に承継されない債務の債権者（残存債権者）を害することを知って吸収分割を行った場合、承継会社が吸収分割の効力が生じたときにおいて残存債権者を害すべき事実を知らなかったときを除いて、残存債権者は、承継会社に対して、承継した財産の価額を限度として、その債務の履行を請求できる（759条4項）。承継会社の責任は、分割会社が残存債権者を害することを知って吸収分割をしたことを知ったときから2年以内に請求または請求の予告をしない残存債権者に対しては、その期間経過時に消滅する（同条6項）、効力発生日から10年を経過したときも同様である（同項後段）。

詐欺的な会社分割と債権者の保護

〔873〕 新設分割では、分割会社の事業に関する権利義務の一部を新設分割で設立した会社（設立会社）に承継させることができる。そこで、経営不振に陥った分割会社が、不採算事業部門や債務を分割会社に残し、優良事業部門に関する資産や債務のみを設立会社に承継させることが行われる。

〔874〕 新設分割において、設立会社に承継された債務に関する債権者は、債権者保護の手続が適用される。しかし、分割会社に残された債権者（残存債権者）は、債権者異議手続の対象とはならず（人的分割の場合を除く。810条1項2号）、会社分割無効の訴えの原告適格もない。これは、承継させた権利義務の対価として設立会社の株式が分割会社

に交付されることから、計算上、残存債権者に不利益が発生しないと考えられたためである。もっとも、債務超過の分割会社は破綻させ、新設分割による設立会社で事業を継続するといった濫用的な目的で、上記のスキームが利用されるようになった。

〔875〕 このような事態に対して、詐害行為取消権（民424条）によって残存債権者の救済を図った事例がある（最判平24・10・12民集66・10・3311〔百選93事件〕）。このほか、法人格否認の法理（→164）、会社法22条1項（商号続用者の責任）によって残存債権者を保護した事例もある（東京高判平24・6・20判タ1388・366、最判平20・6・10判時2014・150）。平成26年の改正では、このような残存債権者の救済は会社法の規定で図るべきとの立場から、本文のような規定を新設した。

〔876〕 合併と同様に、法令または定款に違反する場合、株主は会社分割をやめるように請求することができる（784条の2、796条の2、805条の2）。会社分割の無効の主張も認められる（828条2項9号・10号など）。

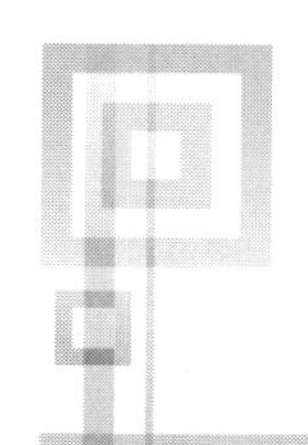

第3節　株式取得・保有の規制

1　公開買付け

⑴　公開買付けの意義

〔877〕　企業結合は、合併や事業の譲受けのほか、会社の株式取得によっても行われる。会社の総株主の議決権の過半数を取得できれば、取締役等の選任・解任を行うことができる（→547、563）。特別決議に必要な議決権を取得できれば、合併や事業の譲受けも株主総会で決議できる（→844、861）。合併や事業の譲受けは、会社の契約によって行われる。相手方の会社の経営陣が反対の場合、これらの手段によって企業結合を実現することはできない。この点、株式取得であれば、相手方の会社の経営陣が反対であっても、企業結合を実現することが可能である。もっとも、市場でこれらの割合に達するまで株式を買い集めることは事実上難しい。株式取得が進むにつれて、株価が上昇し、取得コストが増加する。もし、必要な割合の株式取得ができない場合、市場で売却をする必要がある。この場合、株価は暴落し、取得に要した資金を十分に回収できない可能性もある。

〔878〕　公開買付け（テンダー・オファー〔Tender Offer〕、テイク・オーバー・ビッド〔Take Over Bid：TOB〕）は、会社の支配権の獲得を目的として、あらかじめ買付者が買付期間、買付数量、買付価格などを開示した上で金融商品取引市場外において株券等の買付けを行うものである。公開買付けは、株式の取得コストを定めた上で、会社の株式を取得できる制度として、企業買収において利用されている。

〔879〕　日本では、昭和46年の証券取引法（現在の金融商品取引法）の改正

〈最近の公開買付け件数と買付金額（自己株式を除く）〉

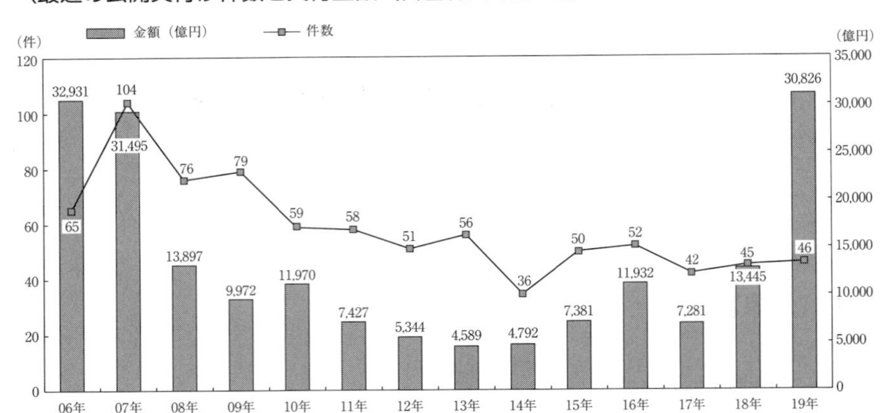

（MARR 2020 年 6 月号 26 頁より）

により、公開買付制度が導入された。公開買付制度は、企業買収の手段として欧米では盛んに利用されていたにもかかわらず、日本においては、会社の乗っ取りは罪悪であるとの感情が世間および従業員に存在し、国内で利用されることはほとんどなかった。しかし、現在では、敵対的企業買収（相手方の会社の経営陣が反対する買収）のみならず、MBO などの友好的企業買収（相手方の会社の経営陣が賛成する買収）においても公開買付けが盛んに利用されている。

〔880〕　公開買付けは、公告を通じて、株主すべてに持株の売却を行う機会を与えるものである。そのため、会社が、株主から自己株式を、一定の財務制限のもと、平等に買い付ける手段としても公開買付けが利用される（→ 355）。金融商品取引法では、自己株式の取得手段としての公開買付けを、「発行者による上場株券等の公開買付け」（第２章の２第２節）として規制している。

⑵　公開買付けの規制

〔881〕　公開買付けは、不特定かつ多数の者に対して、公告により株券その他の有価証券（以下「株券等」という）の買付け等の申込みまたは売付け等の申込みの勧誘を行い、取引所金融商品市場外で株券等の買付け等を行うことと定義される（金商 27 条の２第６項）。有価証券報告書を提出しなければならな

い会社の発行する株券等が対象となる（同条１項）。市場外の取引で、買付けの結果、発行済株式の5%超を所有することとなる場合には、公開買付けによらなければならない（同項１号。これを、「強制的公開買付け」という）。ただし、60日間に10名以下の者からの買付行為は規制の対象外とされる（金商令６条の２第３項）。もっとも、その場合でも、買付けにより株券等の保有割合が３分の１を超えるときは公開買付けが必要となる。議決権の３分の１超という割合は、株主総会における特別決議を阻止することのできるものである。支配権の移転が生じ得る買付けについて、株主に退出権を保障するため、公開買付けが義務づけられる。

〔882〕　公開買付けを行うには、公開買付公告を行わなければならない（金商27条の３第１項）。公開買付者は、買付条件、買付目的などを記載した書類および内閣府令で定める添付書類（これらを公開買付届出書という）を内閣総理大臣に提出しなければならない（同条２項）。公開買付者は、公開買付届出書を提出した後、ただちに当該届出書の写しを公開買付けされる株券等の発行者

〈公開買付開始公告〉

公開買付開始公告についてのお知らせ

令和○年11月11日
京都市上京区……
同志社物産株式会社
代表取締役　新島襄次郎

各　位

当社は、令和○年11月10日開催の取締役会において、金融商品取引法による公開買付けを行うことを下記の通り決議しました。

記

1　対象者の名称	安中商事株式会社
2　買付け等を行う株券等の種類	普通株式
3　買付け等の期間	令和○年11月11日（金曜日）から 令和○年12月26日（金曜日）まで
4　買付け等の価格	普通株式１株につき、金1,300円
5　買付予定の株券等の数	買付予定数　100,000株 買付予定数の下限　90,000株 買付予定数の上限　100,000株
6　買付け等を決済する金融商品取引業者の名称	○○証券会社

なお、公告の内容が記載されている電子公告アドレスは次の通りです。
http://disclosure.edinet-fsa.go.jp/

以上

(公開買付対象者）に送付しなければならないとともに、その写しを上場会社の場合には金融商品取引所に送付しなければならない（同条4項)。

〔883〕 公開買付期間は原則として、公告がなされた日から20日以上60日以内となる（金商27条の2第2項、金商令8条)。公開買付けは、市場外での取引であり、市場における価格形成に影響を与えることから、買付期間が限定される。株主から買付けを行うためには、公開買付届出書と同じ内容を記載した説明書（公開買付説明書）を交付しなければならない（金商27条の9)。これは、公開買付けに応じるかどうかの判断を直接に株主が行うことができるように十分な資料の提供を義務づけるものである。

公開買付けに関する取引規制

〔884〕 金融商品取引法は、公開買付けに関する取引規制として次のものを定めている。まず、公開買付けに応じる株主を平等に扱うため、公開買付けの条件は均一でなければならない（金商27条の2第3項)。さらに、買付予定数を超える応募があった場合、公開買付者はあん分比例で買付けを行わなければならない（金商27条の13第5項。たとえば、100万株の買付けに対して120万株の応募があった場合、12万株の提供者Aからは、10万株の買付けを行うこととなる〔12万株×100/120〕)。この場合、株主は、売却できなかった少数の株式（手残り株）を保有することとなる（上記の例では、Aは2万株の手残り株を保有する)。公開買付者の買付割合が大きい場合、その株式は、将来、上場廃止になる危険性がある。このような状況は、株主保護の観点から問題がある（株主は売却機会を失うこととなる)。そのため、公開買付け後の保有割合が全体の3分の2を超える場合には、買付者は応募株式の全部を買い付ける必要がある（全部買付義務。金商27条の13第4項、金商令14条の2の2)。

〔885〕 さらに、公開買付者は公開買付けの公告をした日から公開買付期間の終了する日までの間、対象の株券等を公開買付けによらないで買い付けてはならない（別途買付けの禁止。金商27条の5)。保有割合が3分の1超の株主がさらに5%を超えて株式を買い増す場合、公開買付けが必要である（金商27条の2第1項5号、金商令7条6項)。保有割合が3分の1超となる買付けには公開買付けが義務づけられる。他方で、3分の1超をすでに保有している者は、公開買付けによらずに株券等の取得が可能であった（たとえば、相対交渉で、大口株式の買付けができた)。買収者が複数存在する場合、このような取扱いの差は公平性を欠くことから、上記のように、保有割合が3分の1超の株主がさらに買い集める場合にも公開買付けを強制するものとした。

〔886〕 公開買付者は、買付期間終了後遅滞なく、買付状況などを記載した

公開買付通知書を公開買付けに応じた者に送付しなければならない（金商令８条５項）。

2　親子会社法制

(1)　持株会社

〔887〕 大規模事業を展開する企業で、持株会社を頂点とした企業集団が構築されることも少なくない。持株会社には、他会社の支配を専一の事業目的とする純粋持株会社と、他会社の支配とならんで自らも固有の事業を営む事業持株会社とがある。

〔888〕 持株会社は他の会社の株式（議決権）を保有することによりその会社を支配下におき、その被支配会社がさらにその下の会社の株式を保有する。このような株式所有の繰返しによりピラミッド型の支配関係が可能となる。これにより持株会社の少額資本による巨大資本と生産に対する独占支配が実現される。

〔889〕 第二次世界大戦前には、財閥組織が有する経済力および政治力には絶大なものがあった。戦後、連合軍は、財閥組織を日本帝国軍の経済的支柱と位置づけ、その解体を行った（財閥解体）。財閥解体の主要な手段の１つが、独占禁止法による持株会社の禁止であった。持株会社の禁止は、このように、軍事力と結合した独占企業の経済力の破壊を目的とするものであった。もっとも、同時に、市場における競争秩序の確立を図ることにより、経済の民主化を実現させることを目的とするものでもあった。持株会社の禁止は、経済の民主化から私的独占を予防するための規制として位置づけられてきた。

〔890〕 しかし、日本の企業の国際競争力を確保し、経済の構造改革を進めることで事業者の活動を活発にする等の観点から、独占禁止法の目的に反しない範囲で持株会社を解禁することになった。すなわち、平成９年の改正で、持株会社の全面禁止でなく、事業支配力が過度に集中することとなる持株会社の設立、持株会社への転換が禁止されることになった（独禁９条１項・２項）。ここにいう「持株会社」は、子会社の株式の取得価額の合計の会社の総資産に対

する割合が50%を超える会社をいう（間接保有も含む。同条４項）。

〔891〕　事業支配力が過度に集中していないかどうかを監視するために、持株会社およびその子会社の総資産の額の合計が6,000億円を超える場合には、毎事業年度終了後にこれらの会社の事業に関する報告を求め、また、この場合に該当する持株会社の新設について届出を求めている（独禁９条４項・７項）。

事業支配力の過度の集中

〔892〕　事業支配力の過度の集中とは、次のことをいう（独禁９条３項）（公正取引委員会「事業支配力が過度に集中することとなる会社の考え方」（平成14年11月12日、最終改正平成22年１月１日））。

① 会社グループの総合的事業規模が相当数の事業分野にわたって著しく大きいこと（持株会社のグループの総資産が15兆円程度を超え、かつ、おおむね５以上の主要な事業分野（売上高6,000億円超）のそれぞれにおいて別々の総資産3,000億円超の会社を有する場合）

② 資金に係る取引に起因する他の事業者に対する影響力が著しく大きいこと（総資産が15兆円を超える金融会社と、金融または金融と密接に関連する業務〔債務保証業務、ベンチャー・キャピタル業務、リース業務等〕以外の業務分野の単体総資産3,000億円超の会社を有する場合）

③ 相互に関連性のある相当数の事業分野においてそれぞれ有力な地位を占めていることにより、国民経済に大きな影響を及ぼし、公正かつ自由な競争の促進の妨げとなること（相互に関連を有するおおむね５以上〔産業の規模が極めて大きい場合は、会社の有力性の程度等により３以上〕の主要な事業分野のそれぞれにおいて売上高6,000億円超の業種において、別々の有力な会社〔売上高のシェアが10%以上の会社〕を有する場合）

(2)　株式交換と株式移転

〔893〕　金融業を営む会社のみならず、一般の事業会社においても、企業グループの効率的な運用のために持株会社が活用されている。持株会社の利用を促進するためには、持株会社を設立するための円滑な手続が必要である。このことは、持株会社の設立に限らず、持株会社以外においても、完全親子会社関係の創設を簡易かつ円滑に行うために有用である。平成11年の改正で、これらのために、株式交換および株式移転の制度が新設された。

〔894〕　株式交換は、株式会社がその発行済株式の全部を他の株式会社に取得させる制度である（2条31号）。株式移転は、1または2以上の株式会社がその発行済株式の全部を新たに設立する株式会社に取得させる制度である（同条32号）。

〔895〕　株式交換では、A社の株主が有するA社株式がすべてB社に移転し、A社の株主はB社株式を取得する。その結果、A社の株主はB社の株主となり、B社がA社の100％親会社となる。この制度は、完全親会社となるB社がすでに存在している場合に利用できる。完全親会社となるD社を新たに新設する場合には株式移転が使われる。そこでは、子会社となるC社の株主が有するC社株式が新たに設立されるD社に移転し、D社の設立に際して発行する株式がC社の株主に割り当てられる。これにより、株式交換と同様に、D社はC社の完全親会社となり、C社の株主は、D社の株主となる。

〔896〕　株式交換は、完全子会社となる会社（A社）の株主、完全親会社となる会社（B社）の株主の地位に重大な影響を与えるものである。株式交換を行うには、B社が株式交換に際して発行する新株に関するものなど法定事項（768条）を定めた株式交換契約を締結しなければならない（767条）。株式交換契約は事前に本店に備え置いて開示される（782条、794条）。A社およびB社において、株主総会の特別決議による承認を受けなければならない（783条、795条、309条2項12号）。株式交換に反対の株主および新株予約権者は、株式

〈株式交換・株式移転の概要〉

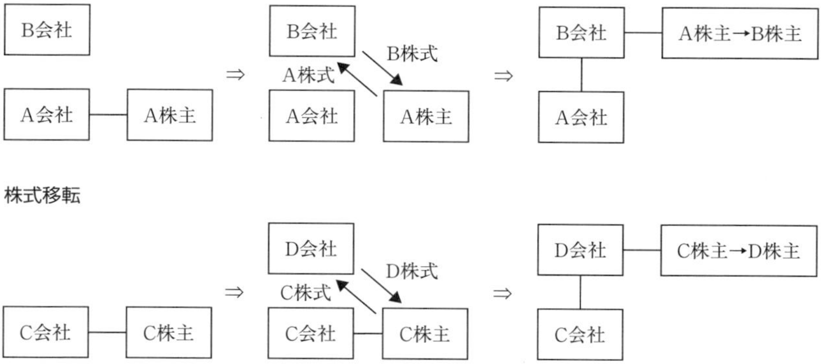

株式交換

B会社

A会社　A株主

⇒

B会社　B株式

A株式

A会社　A株主

⇒

B会社　A株主→B株主

A会社

株式移転

C会社　C株主

⇒

D会社　D株式

C株式

C会社　C株主

⇒

D会社　C株主→D株主

C会社

買取請求権を行使できる（785条、787条1項3号、797条）。株式移転による完全親会社（D社）の設立でも、完全子会社（C社）となる会社の株主の地位に重大な影響を与える。そこで、これらの株主の権利保護のためにも、株式交換の場合と同様の手続を経ることが要求されている。

〔897〕　株式交換では、完全子会社となる会社（A社）が新株予約権（→385）を発行している場合、それに関する義務を完全親会社となる会社（B社）が承継することが認められている（769条4項）。株式交換後も、A社の新株予約権者がそのまま権利行使をA社に対して行うと、本来の目的である完全親子会社関係の構築ができなくなる（B社のほかに、新たにA社の株主が誕生してしまう）。そこで、A社の新株予約権に関する義務を完全親会社となる会社（B社）が継承するものとされている（A社の新株予約権に代わり、B社の新株予約権を交付する。768条1項4号・5号参照）。

〔898〕　完全親会社となる会社（B社）の規模が大きく、完全子会社となる会社（A社）の規模が小さい場合、株式交換を行っても、前者の株主に与える影響は軽微である。そのため、株式交換手続の合理化が図られている。すなわち、B社が株式交換に際して交付する株式に1株当たりの純資産額を乗じて得た額等がB社の純資産額の20%を超えないときには、B社においては、株主総会の特別決議を経ることなく、株式交換をすることができる（796条2項）。

〔899〕　株式交換・株式移転によって子会社となる株主（A社株主、C社株主）は、完全親会社の株主（B社株主、D社株主）となる。この場合、それまで、A社またはC社において株主総会で直接に議決権を行使して、経営に参加できた株主は、親会社であるB社またはD社の取締役を通して、A社やC社の経営に関与することとなる。そこで、会社法は、親会社の株主に対する開示制度を通じて、親会社の株主による子会社の取締役の監督を可能にしている。すなわち、親会社の株主は、その権利を行使するために、必要があるときは、裁判所の許可を得て、子会社の株主総会議事録、取締役会議事録、定款、株主名簿、会計帳簿などの閲覧を求めることができる（318条5項、371条5項、31条3項、125条4項、433条3項）。もっとも、会計帳簿の閲覧等については、親会社の発行済株式総数の3%以上に当たる株式を有する株主に限られる。

〔900〕　株式交換・株式移転では、合併と異なり、会社（A社、C社）の債

務が他の会社（B社、D社）に移転することはない。対価として交付される財産も親会社となる会社（B社、D社）の株式であるため、親会社となる会社からの実質的な財産の流出はない。このため、原則として、債権者保護の必要はないと考えられる。もっとも、株式交換・株式移転では、たとえば、A社が発行した新株予約権付社債をB社に承継することが認められる。この場合、新株予約権付社債についての債務がA社からB社に移転する。さらに、株式交換では、A社の株主にB社の株式以外の財産を交付することもできる（対価の柔軟化）。これらの場合に、債権者保護手続の必要が定められている（789条1項3号、799条1項3号）。

(3)　株式交付

〔900-2〕　令和元年の改正で株式交付の制度が創設された。株式交換は、A会社がB会社を完全子会社化するためのものである（A会社はA会社の株式を対価として、B会社の株式のすべてを取得する）。これに対して、株式交付は、E会社がF会社を子会社とするために、F会社の株式をF会社の株主から譲り受け、F会社の株主に対してE会社の株式を交付するものである（2条32号の2）。株式交付は、他の会社を子会社化するための制度であり、部分的株式交換とも呼べるものである。そのため、株式交換と同様に、株主および債権者保護の手続が必要となる。

〔900-3〕　株式交付を行うためには株式交付計画を作成しなければならない（774条の2）。E会社（株式交付親会社）は、効力発生日の前日までに、株主総会の決議によって、株式交付計画の承認を受けなければならない（816条の3第1項）。この場合、E会社が交付する株式に1株当たりの純資産額を乗じて得た額等がF会社の純資産額の20%を超えないときは、株主総会の決議は不要となる（816条の4第1項）。株式交付に反対のE会社の株主には株式買取請求権が与えられる（816条の6第1項）。株式交付が法令・定款に違反する場合で、E会社の株主が不利益を受けるおそれがあるときは、E会社の株主は株式交付の差止めを請求できる（816条の5）。さらに、E会社の債権者の保護のために債権者保護制度が規定されている（816条の8）。

〔900-4〕 株式交付においては、株式交換と異なり、Ｅ会社とＦ会社の間に契約関係があることを要せず、Ｅ会社はＦ会社の株主との間の合意に基づき、Ｆ会社の株式を譲り受ける。この場合、Ｅ会社はＦ会社の株主に対して、株式交付計画の内容などを通知しなければならない（774条の4第1項）。Ｆ会社の株主からの譲渡の申込みを受けて（同条2項）、Ｅ会社は、株式を譲り受ける者と譲り受ける株式の数を定めなければならない（774条の5第1項）。Ｅ会社は効力発生日に、給付を受けたＦ会社の株式を譲り受ける（774条の11第1項）。Ｅ会社からＦ会社の株主に対する株式取得については、金融商品取引法上の公開買付け規制（→ 881-886）の適用がある。

〈株式交付の概要〉

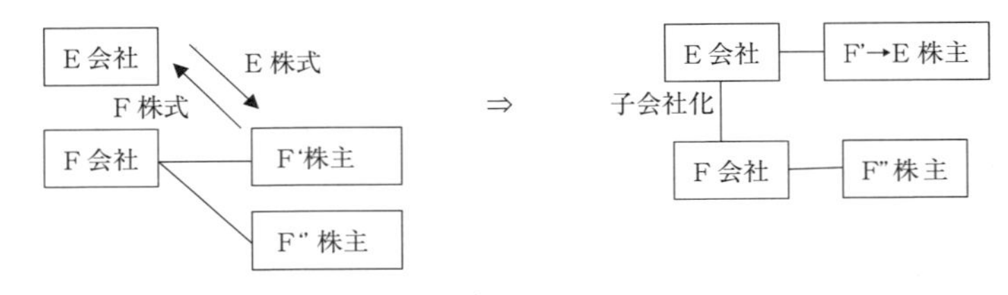

自社株 TOB

〔900-5〕 Ｅ会社がＦ会社の株主に公開買付けを実施する場合、Ｆ会社の株式取得の対価としてＥ会社の株式を交付することができる（これを自社株TOBという）。もっとも、会社法上、Ｆ会社の株主はＥ会社株式を取得するにあたり、Ｆ会社株式を現物出資したこととなり、現物出資規制として検査役の調査などが必要となる（→ 279）。さらに、公開買付けに際しては、買付価格にプレミアムが付されることが通常である（たとえば、市場価格が1,000円の株式について1,300円で買付けがなされる）。そこで、自社株TOBにおいても、Ｅ会社の株式にプレミアムが付されている場合、Ｆ会社の株主は安い対価でＥ会社の株式を取得することとなる。この場合、有利発行規制により、株主総会の特別決議が必要となる（→ 261）。さらに、Ｆ会社の株主にはＦ会社の株式を譲渡したことに対する課税がなされる（金銭を対価する場合、当該金銭から税金を支払うことが可能であるものの、自社株TOBでは、Ｅ会社の株式が交付されるため、納税のために金銭を調達する必要がある）。以上のことから、実務上、自社株TOBを行うことが困難との指摘がなされてきた。

〔900-6〕 平成25年、経済産業省が主管する産業競争力強化法が制定され、事業再編

計画の承認を条件として、上記の会社法の特例が設けられた（現物出資規制、有利発行規制を適用除外とする。税法に関しては、取得した株式を売却するまで納税の繰り延べが認められた）。上記のように、令和元年の会社法改正で、株式交付の制度が創設され、この場合に、募集株式の発行に関する手続が適用されないものとなった。もっとも、株式交付は他の会社を子会社化する場面においてのみ適用されるため、その他の株式取得については、依然として、産業競争力強化法の意義が認められる。

3　株式保有に関する規制

(1)　独占禁止法上の規制

〔901〕　株式の保有には独占禁止法上の規制がある。まず、他の国内の会社の株式を所有することにより事業支配力が過度に集中することとなる会社は設立することができない（独禁９条１項）。会社は、他の国内の会社の株式を取得し、または所有することにより、国内において事業支配力が過度に集中することとなる会社となってはならない（同条２項）。事業支配力が過度に集中することとなる会社に該当するかどうかは、その会社だけでなく、子会社等を含めた会社グループ（会社および子会社その他当該会社が株式の所有により事業活動を支配している他の国内の会社。同条３項）で判断される。

〔902〕　さらに、会社は、他の会社の株式を取得しまたは所有することにより、一定の取引分野における競争を実質的に制限することとなる場合には、当該株式の取得または所有が禁止され、また不公正な取引方法による国内の株式の取得または所有が禁止される（独禁10条１項）。会社による株式保有の規制の実効性を確保するために、一定規模以上の会社については公正取引委員会への株式所有に関する報告提出が義務づけられている（同条２項）。

銀行・保険会社の株式保有制限

〔903〕　銀行と保険会社は、他の会社の株式を発行済株式総数の5%（保険業を営む会社にあっては10%）を超えて取得または保有してはならない（独禁11条１項）。これは、日本において、金融機関がその資金量を背景に事業会社を支配していたという歴史的経緯

を重要視し、これらの機関による経済の集中を予防するために特に設けられているものである。

〔904〕 昭和52年の改正前は、持株比率の制限は10%であった。しかし、金融機関の株式所有が増加し、支配力の拡大の可能性が生じてきた。そのため、保険会社を除き、これは5%に引き下げられた。保険会社については、融資において銀行等と異なった性格が認められ他の会社を支配する危険性が低いこと、機関投資家として株式への投資が資産運用の上で重要であることなどから、株式保有の制限が緩和されている。

(2) 相互保有株式に関する議決権の制限

〔905〕 株式会社間で、お互いの株式を持ち合うこともある（株式の相互保有）。敵対的企業買収から身を守るため、株式の相互保有が行われてきた。株式の相互保有の弊害としては、会社の資本の充実を害することが指摘されている。すなわち、Ａ社とＢ社が同時に増資を行い、その株式をお互いに引き受けた場合、資本金の額は増大するものの、お互いの払込金が相殺されることから、結果として、両会社ともその資本金の増加に相当する新たな資金を取得していないこととなる。また、相互保有している株式について、お互いの会社の株主総会において馴合いの議決権行使が行われ、現経営者の地位を不当に維持することに利用される危険性がある。このほか、相互保有されている株式は売却されることが少ないことから、相互保有株式が増加すれば、流通市場で取り引きされる株式の量が減少し、公正な株価形成が歪められるという弊害もある。

〔906〕 会社法は、子会社が親会社の株式を取得することを禁止している（135条１項）。この規制に反しない限り、株式を相互に保有することは可能である。もっとも、相互保有株式についての議決権の行使が制限される。Ｃ社がＤ社の総株主の議決権の25%を超えて所有している場合（50%未満の持株比率である場合）には、Ｄ社はＣ社の子会社ではないために、Ｄ社にはＣ社株式の保有が認められる。ただし、その株式について議決権を有さない（308条１項）。また、Ｅ社がＦ社の株式を８%しか有していなくても、Ｅ社の子会社であるＧ社がＦ社の株式を20%所有している場合には、Ｆ社はＥ社の株式にかかる議決権を行使することができない。

〔907〕 このような相互保有株式に関する規制は、株式の保有そのものを禁止するものではないが、議決権の排除という方法により、間接的に支配の形成

〈親子間の株式保有の規制と株式相互保有における議決権の規制〉

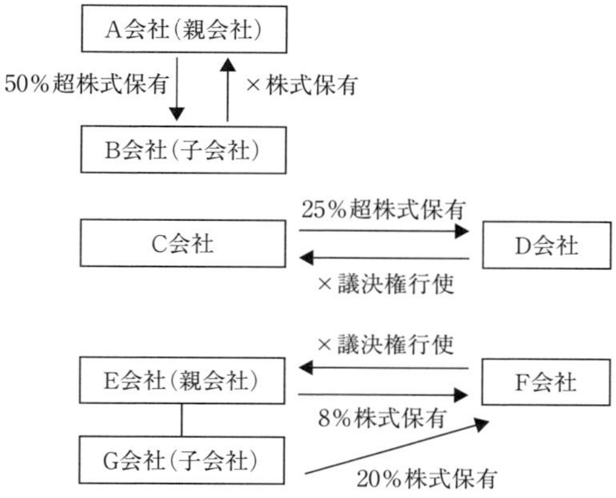

A会社（親会社）
50％超株式保有
×株式保有
B会社（子会社）

C会社
25％超株式保有
×議決権行使
D会社

E会社（親会社）
×議決権行使
8％株式保有
F会社
G会社（子会社）
20％株式保有

を防止しようとするものである。ただし、日本では、企業のグループに属する多数の会社が少数の株式を持ち合うという慣行がある。そのため、規制の効果は十分であるとはいえない。

政策保有株式

〔907-2〕　コーポレートガバナンス・コードは、純投資以外の目的をもって保有する株式（政策保有株式）についての開示を要求している（CGコード原則1-4）。そこでは、「政策保有株式の縮減に関する方針・考え方」の開示が求められ、会社が政策保有株式を縮減することが前提とされている。さらに、「保有目的が適切か、保有に伴う便益やリスクが資本コストに見合っているか等」についての具体的な精査と保有の適否の検証を要求し、その検証の内容についての開示を求めている。このほか、有価証券報告書においても、銘柄、株式数、貸借対照表上の計上額および保有銘柄ごとの「保有目的」の具体的な記載が要求されている（「コーポレート・ガバナンスの状況等」）。

〔907-3〕　東京証券取引所市場第一部上場会社では政策保有株式の売却が進んでいる。東京証券取引所が公表している「東証上場会社コーポレート・ガバナンス白書2019」（27頁）によれば、多くの会社で、総資産・時価総額に占める政策保有株式の割合は5％未満となっている。政策保有株式の縮減に向けた動きは、上記の開示の要請、さらに、機関投資家などによる削減要請の圧力の高まりを背景として、今後も加速すると考えられる。

⑶　大量保有報告制度

〔908〕　株式の買集めは、経営への参画を目的とするほか、高値による売却

などを目的としても行われる。株式の買集めは、買占めを行う者やその目的が明らかでない場合、株価の乱高下をもたらし、一般投資者に不測の損害を与える危険性がある。そのため、市場の公正性、透明性を高めるために、株式等の大量の取得、保有、売却に関する情報の開示制度（大量保有報告制度）が金融商品取引法に定められている。この制度は、平成２年の改正で導入された。

〔909〕 上場会社等の株券等の保有者で、その保有割合が5％を超える者（大量保有者）は、株券等の保有状況を記載した報告書（大量保有報告書）を、大量保有者となった日から５日以内に内閣総理大臣に提出しなければならない（金商27条の23第１項）。

〔910〕 大量保有報告書には、保有者の情報、保有目的、取得資金など、大量保有者の株券等の取引の性格や今後の行動を判断することができるような情報の記載が要求されている（大量保有府令２条）。共同して株券等を取得することに合意している他の保有者（共同保有者）が存在している場合には、その者の保有分を合算して株券等の保有割合が算出される（金商27条の23第３項・４項）。さらに、大量保有者は、同報告書提出後、その保有割合が1％以上増加または減少した場合には、変更があった日から５日以内に変更報告書を提出しなければならない（金商27条の25第１項）。

〔911〕 株式を一度に大量に譲渡した場合には特別の規制が存在する。すなわち、60日間に持株割合が50％未満となり、かつそれが5％を超えて減少した場合には、譲渡の相手方と譲渡価格を開示しなければならない（金商令14条の8。たとえば、発行済株式総数10万株の会社の株式を３万株取得した者が、一度に２万株を譲渡した場合、持株割合が３分の１となり〔50％未満〕、減少分が発行済株式の20％〔5％超〕であるため、譲渡の相手方と譲渡価格を開示する必要がある）。この規制により、高値肩代りの実態が明らかとなるため、このような取引を減少させる効果がある。

〔912〕 大量保有者が、大量保有報告または変更報告を内閣総理大臣（各財務局）に提出した場合には、これらの写しを、遅滞なく、発行会社および上場金融商品取引所または金融商品取引業協会に送付しなければならない（金商27条の27）。これらの報告書は各財務局にて、またその写しは上場金融商品取引所または金融商品取引業協会にて５年間公衆縦覧に供される（金商27条の28）。

現在では、電磁的方法（金融庁のEDINET）で開示されている。

〔913〕 大量保有報告書および変更報告書を提出しなかった場合もしくは、それらに虚偽の記載があった場合には、懲役５年以下または500万円以下の罰金または併科が科せられる（金商197の２第６号。法人の場合、罰金は５億円以下。金商207条１項２号）。

〔914〕 大量保有報告制度は、大量保有や大量処分の状況を開示させることで、市場の透明性を高め、投資者の保護を図るためのものである。他方で、このような開示によって、会社側も大量保有者の状況を迅速に知ることができるといった効果もある。

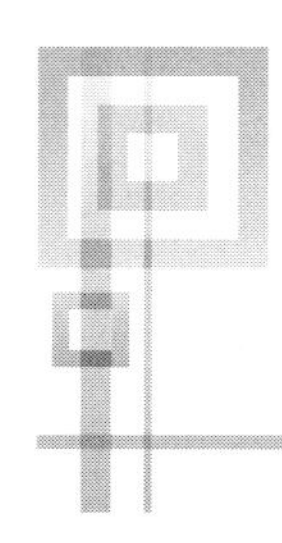

第4節　設　　立

1　準則主義

〔915〕 新設合併（→834）、新設分割（→866）、株式移転（→895）などでは、新たな会社の設立が行われる。これらに加えて、会社法は、会社の設立に関する一般的な規定を定めている。

〔916〕 日本の会社法は、会社の設立について「準則主義」を採用している。すなわち、定款の作成、社員の確定および機関の設置という行為が法定の手続によってなされた後、設立登記によって法人格が付与される（49条）。会社の設立には、会社ごとに君主の命令または国家の立法が必要な「特許主義」、設立手続については一般法の規定に従うが会社ごとに行政官庁による免許を必要とする「免許主義」などがある。日本電信電話株式会社（日本電信電話株式会社等に関する法律）、日本たばこ産業株式会社（日本たばこ産業株式会社法）などの特殊な会社については、会社ごとの特別法により設立を認める特許主義が採用されている。なお、準則主義にあって、登記官による審査がなされるが、これは設立手続が法定の要件に従っているかどうかの形式的審査を行うのみである。

〔917〕 公益に重大な関連を有する業務を営む会社については、特別法による営業の免許が必要とされている（銀行、保険、信託、鉄道、電気、ガス事業など）。これら営業免許の実際的効果は、設立免許に限りなく近い。

〈株式会社の設立手続の概要（現物出資等がない場合）〉

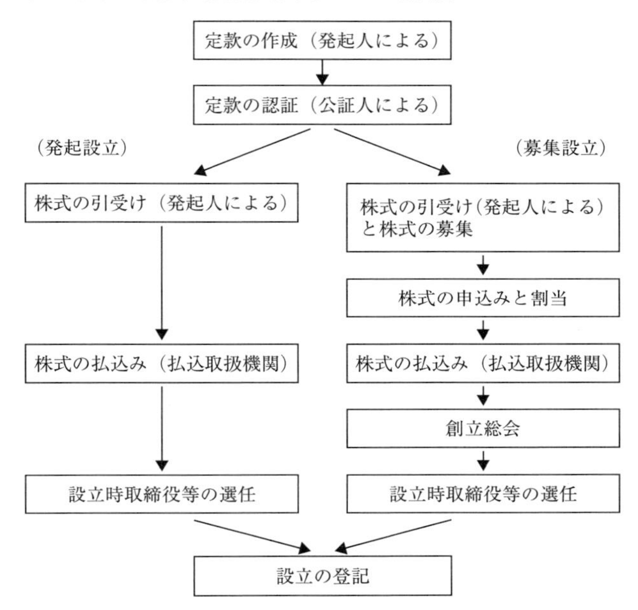

2　発 起 人

(1)　発起人の意義

〔918〕　株式会社の設立は発起人によってなされる。発起人とは定款に発起人として署名または記名押印した者をいう（26条1項、大判昭7・6・29民集11・1257）。このように発起人の概念を形式的な基準により判断する理由は、設立に関する責任の負担者を明らかにするためである（設立に関する発起人の責任→953、966）。なお、定款に発起人として署名しない場合でも、発起人であるかのような外観を有する者は、擬似発起人として、発起人と同一の責任を負う（103条4項）。

〔919〕　通説は、発起人の資格には別段の制限はなく、自然人のみならず、法人も発起人となることができるとしている。そのため、会社が自ら発起人となって子会社を設立することもできる。また、平成2年の改正により、株式会

社の発起人は７名以上必要であるとしていた規定（旧商法165条）が改められ、発起人は１名で足りることとなった（一人会社→ 161）。

〔920〕 発起人は、設立に際し、少なくとも１株の株式を引き受けることを要する（25条２項)。会社の設立手続は、株式の引受方法により２種類に分けられる。すなわち、株式会社の設立方法には、会社が設立に際して発行する株式の総数を発起人のみが引き受ける「発起設立」（同時設立、単純設立という場合がある。同条１項１号）と、発起人がその一部を引き受け、残りの株式については株主を他から募集する「募集設立」（漸次設立、複雑設立という場合がある。同項２号）とがある。発起設立と募集設立とは、発起人による株式の引受方法だけでなく、社員の確定および機関の設置手続において相違点が存在する。

〔921〕 このように会社法上、会社の設立には２種類の方法がある。もっとも、実際には、発起設立の利用が多い。会社設立の際に、発起人やその縁故者以外が出資を行う例は多くない。明治時代などには、鉄道や綿紡績などの大規模事業を行う会社を設立する際に、株式引受人を募集する例があった。しかし、現在では、発起人による株式が引き受けられ、事業が成功した後に、株式の公開（IPO）が行われている。

設立中の会社と発起人組合

〔922〕 株式会社は設立の登記によって法人格を取得する（49条)。この手続により会社は成立する。しかしながら、登記前のため、法人格は有さないものの、株式会社の実態は設立の手続の段階において漸次形成されていく。これを「設立中の会社」という。設立中の会社は法人格を有さないために、権利能力なき社団と解されている。会社の成立とともに、発起人（少なくとも１株を引き受ける）と他の株式引受人は株主となる。

〔923〕 設立中の会社と設立後の会社とは、法人格の有無を別とすれば、法律上は実質的に同一の主体であると考えられている。このような考え方を「同一性説」という。したがって、設立中の会社に帰属していた権利義務は、特別の移転行為や承継行為を必要とせず、当然に設立中の会社に移転することとなる。多数説は、定款が作成され（これにより設立中の会社の社団としての根本規則が定められる)、各発起人が１株以上引き受けたとき（これにより社団の原始構成員が定まる)、設立中の会社が成立するとしている。設立中の会社は、会社が成立した時すなわち登記がなされたときまで存続する。

〔924〕 定款の作成や株式の引受けなどの設立手続は、設立企画者間の会社設立を目的とする契約に基づき行われる。このような関係を「発起人組合」という。発起人組合の性

質は民法上の組合（民667条以下）である。設立中の会社と発起人組合は、株式会社の設立過程において並存する。

(2) 定款の作成

〔925〕 株式会社を設立するには、発起人が定款の作成を行わなければならない（26条1項）。定款の作成とは、株式会社の根本規則を定め（実質的意義の定款)、それを書面として作成することをいう。ここにいう定款は形式的意義における定款を意味する。

〔926〕 定款には発起人全員の署名または記名押印を要する（26条1項)。定款は電磁的記録によって作成することができる（同条2項前段)。電磁的記録に記録された情報については、法務省令で定める署名または記名押印に代わる措置（電子署名）をとらなければならない（同項後段)。

〔927〕 定款は、公証人の認証を受けなければその効力が生じない（30条1項)。公証人の認証は、定款の内容を明確にし、後日の紛争と不正行為を防止するために要求されているものである。会社の設立に際して作成される定款は「原始定款」とよばれる。公証人の認証は原始定款についてのみ要求される。会社設立後に行われる定款変更には認証は不要である（株主総会の特別決議を要する。466条、309条2項11号)。

〔928〕 定款の記載事項には、①絶対的記載事項、②相対的記載事項、③任意的記載事項がある。

〔929〕 ①絶対的記載事項は、この記載を欠くと定款が無効となり、設立無効原因となるものである。

定款の絶対的記載事項

〔930〕 定款の絶対的記載事項は次のとおりである（27条)。

① 会社の目的　　これは会社の事業内容のことである（これにより、会社の権利能力の範囲が制限されるかどうかについて→169-171）〈→定款2条〉。

② 会社の商号　　株式会社の商号には「株式会社」の文字を使用しなければならない（6条2項）〈→定款1条〉。銀行業、信託業などの事業を営む会社は、商号中に「銀行」「信託」の文字を用いなければならない（銀行6条1項、信託業14条1項)。

③　本店の所在地　　これは、独立最小行政区画（市町村、東京都の場合は区）で示されればよい〈→定款３条〉。本店の所在地は、株主総会・取締役会の議事録、定款・株主名簿および計算書類等の開示場所（318条２項、371条１項、31条１項、125条１項、442条１項）として重要な意味を有する。

④　設立に際して出資される財産の価額（またはその最低額）　　平成17年改正前の商法では、(i)会社が発行する株式の総数（発行可能株式総数）と、(ii)設立に際して発行する株式の総数（設立時発行株式数）を定款の絶対的記載事項と定めていた（改正前商166条１項３号・６号）。会社法では、設立に際して出資される財産の価額（またはその最低額）を定めて、これを定款に記載させることとした。発行可能株式総数は、設立過程における株式の引受状況を見ながら、設立手続の完了時までに定款で定めればよい（37条、98条）。

⑤　発起人の氏名・名称および住所　　発起人の同一性を明らかにするために要求されている。なお、発起人の氏名・住所の記載を欠く場合でも、発起人の署名とそれに付記された住所があれば、定款は無効とはならないと解されている。

〔931〕　②相対的記載事項は、その記載を欠いても定款自体は有効であるが、定款に記載がないとその事項の法律的効果が生じないものである。会社法28条に規定される事項（変態設立事項→947）がその典型例である。

〔932〕　③任意的記載事項は、定款に記載がなくても定款が無効とはならず（絶対的記載事項とこの点で異なる）、また、定款で定めなくてもその事項の効力が否定されないものである（相対的記載事項とこの点で異なる）。このような事項の記載がなされるのは、事柄を明確にするためである。一度定款に記載されたならば、変更を行う場合には定款変更の手続（→927）を要することとなる。定時株主総会の招集時期、取締役および監査役の員数、決算期などが任意的記載事項として記載される場合が多い〈→定款12条、18条、27条、33条〉。

3　社員の確定と機関の設置

〔933〕　定款の作成の後、社員の確定および機関の設置の手続がなされる。この段階で、会社の設立は、「発起設立」と「募集設立」とに分かれる。

(1)　発起設立

〔934〕 発起設立では、会社の設立に際して発行する株式の総数を発起人が引き受ける。発起人は株式を引き受けた後に遅滞なく全額の払込みを行う。発起人が現物出資（→948）を行う場合には、その現物出資を払込期日までに履行しなければならない（34条１項）。株式の払込みは、発起人が定めた銀行等、信託会社その他これに準ずるもの（施７条）の払込取扱場所で行わなければならない（34条２項）。

〔935〕平成17年の会社法制定前まで、発起設立における株式の払込みについては、払込取扱機関（銀行、信託会社）に払込金保管証明をさせていた。払込取扱機関は、発起人または取締役の請求があれば、払込金の保管に関して証明をなす義務があり、払込取扱機関は、その証明した払込金額について払込みがなかったことまたはその返還に関する制限（発起人が借入金を返済するまで払込金を引き出さないという約束など）をもって会社に対抗することができないものとされていた。もっとも、発起設立においては、出資者である発起人自身が、出資財産の保管に携わることができるため、払込金保管証明制度で出資財産の保管状況を明らかにする必要性が乏しく、会社法では、払込取扱機関に対して保管証明を行う義務を課さなかった。発起設立では、銀行口座の残高証明等の方法によって、払い込まれた金銭の額を証明することで足りる。発起人が払込みを行わなかった場合、他の発起人からの催告後、株主となる権利を失う（36条）。

〔936〕 出資が履行されたならば、発起人は設立に際して取締役となる者（設立時取締役）および他の役員（設立時役員等）を選任する（38条）。この選任により機関の設置が完了する。発起人は引き受けた株式１株につき１個の議決権を有する（40条２項）。設立時取締役等の選任は、発起人の議決権の過半数の決議をもって行われる（同条１項）。

〔937〕 発起人は、定款で会社法28条に規定される事項が定められているときは（→947）、その調査を行うために裁判所に対して検査役の選任を求めなければならない（33条１項）。調査事項が相当であるとの検査役の報告を裁判所が認めた場合に、設立登記により、会社が成立する。一方、検査役の報告

の後、裁判所が定款の定めを不当であると認めた場合には、裁判所は会社法28条に規定される事項を変更する決定を行う（33条７項）。この裁判所の変更の決定に発起人が同意する場合には、変更されたところに従い設立手続が進む。しかしながら、この変更に発起人が不服である場合には、自己の株式の引受けを取り消すことができる（同条８項）。発起人は、その全員の同意によって、裁判所の決定により変更された事項についての定めを廃止する定款の変更をすることができる（同条９項）。

⑵　募集設立

〔938〕　募集設立においては、発起人はすべての株式を引き受けずに、残りの株式について引受人の募集が行われる（57条）。一般公衆から広く株式の募集を行う場合には、発起人は金融商品取引法のもと、募集の届出を行わなければならない（→285）。ただし、日本における株式会社設立の際には金融商品取引法が適用されるような事例はほとんどない。

〔939〕　募集設立における株式の払込みは、払込取扱機関として指定された銀行または信託会社等においてなされる（63条１項）。払込取扱機関は、払い込まれた金銭の額を証明しなければならない（払込金保管証明書を交付することを要する。64条１項）。証明書を交付した払込取扱機関は、証明書の記載が事実と異なること、または払い込まれた金銭の返還に関する制限があることをもって成立後の株式会社に対抗することができない（同条２項）。募集設立では、株式会社が法主体として成立する前に、設立手続を実行する者以外が出資をする。そこで、出資者が出資した財産の保管状況を明らかにするために払込取扱証明制度が存在する（発起設立との比較→935）。

〔940〕　金銭の払込みの期日またはその期間の末日のうち最も遅い日以降に発起人は、遅滞なく、創立総会の開催を行う（65条１項）。創立総会は株式を引き受け、設立される会社の株主となるもの（設立時株主）により構成される。設立時株主は引き受けた株式１株につき１個の議決権を有する（72条１項）。創立総会の決議は、設立時株主の議決権の過半数であって、出席した当該設立時株主の議決権の３分の２以上に当たる多数をもって行われる（73条１項）。創立総会では発起人が会社の設立に関する事項を報告し（87条１項）、設

立時取締役等の選任が行われる（88条）。設立時取締役と設立時監査役の選任により会社の機関が設置される。

〔941〕 募集設立でも、発起人は、定款で会社法28条に規定される事項が定められているときは（→947）、その調査を行うために裁判所に対して検査役の選任を求めなければならない（33条1項）。募集設立では、検査役の報告は創立総会に提出される（87条2項1号）。この報告に基づき創立総会がこれらの事項を不当と認めた場合には、創立総会が定款の変更をすることができる（96条）。この変更に不服のあるものは株式の引受けを取り消すことができる（97条）。

4　設立の登記

(1)　登記の手続

〔942〕 設立の登記は、本店所在地において行われなければならない。発起設立の場合には、設立時取締役の調査が終了した日または発起人が定めた日のいずれか遅い日から2週間以内に行わなければならない（911条1項）。募集設立の場合には、創立総会の終結の日またはその他所定の日のいずれか遅い日から2週間以内に行わなければならない（同条1項・2項）。登記事項には、会社の目的、商号など定款記載事項の一部のほか、資本金の額、発行可能株式総数、取締役の氏名、代表取締役の氏名・住所などが含まれる（911条3項）。

〔943〕 設立の登記をなすためには、定款、株式の申込・引受けを証する書面、検査役もしくは設立時取締役の調査報告書、株式払込金保管証明書などの書類を添付する必要がある（商登47条2項）。さらに、資本金の額の0.7%に当たる額（最低15万円）を登録免許税として納付しなければならない（登録免許税法別表第1第24号(1)イ）。

〔944〕 登記事項に変更が生じた場合には、本店所在地において2週間（支店所在地では3週間。932条）以内に、変更登記をしなければならない（915条）。

(2)　登記の効果

〔945〕　設立の登記によって株式会社が成立する（49条）。会社の成立により、設立時株主は株主となり、設立時取締役等が会社の機関となる。株式の払込金および現物出資の目的財産に対する権利は会社に帰属する。発起人が設立中の会社の機関として行った開業準備行為および発起人が負担した設立費用については、それらの効果の帰属に関して多くの議論がなされている。

〔946〕　設立の登記がなされると、株式引受人は、錯誤、詐欺または強迫を理由としてその引受けを取り消すことができなくなる（51条）。これは、できるだけ株式の引受けを確保し、会社の基盤を安定させるためのものである。また、会社の成立前における株主となる権利（権利株）の譲渡は当事者間では有効であるが成立後の会社には対抗することができない（35条）。この権利株の譲渡を自由にすると設立手続が煩雑となり、迅速な設立が阻害されるためである。会社の成立により権利株の譲渡制限は当然に消滅する。さらに、株券発行会社は成立後遅滞なく株券の発行を行わなければならない（215条1項）。

5　変態設立事項

〔947〕　発起人が会社設立に当たり自己または第三者の利益を図るおそれの大きい事項がある。会社法はこれらの事項は原始定款に記載することによってはじめて効力を有するものとしている（相対的記載事項。28条）。その上で、原則として、裁判所が選任する検査役の調査を要求している（不当な場合、定款変更がなされる→937。33条7項）。そのため、これらの事項は、通常の設立手続と異なるため、「変態設立事項」とよばれることがある。なお、検査役の調査が不要な場合が規定されている（同条10項。募集株式の発行の場合にも同様の規定がある→280）。

(1) 現物出資

〔948〕 現物出資とは金銭以外の財産による出資をいう。株式会社では労務や信用の出資ができず、財産出資のみが認められる。この財産出資は、動産、不動産、債権または特許権といった無体財産などの出資でもよい。しかし、金銭による出資と異なり、現物出資はその財産の価値が過大に評価され、会社の財産的基礎を害する危険性がある。そのため、会社法は現物出資について、財産価額の塡補責任を定め、その濫用を防止している（→953-955）。新株を発行する場合も、同様の弊害がある（→302）。

(2) 財産引受

〔949〕 財産引受とは、発起人が将来成立する会社に必要な一定の財産を第三者から譲り受けることを約する契約をいう。これは、会社が成立した後に直ちに事業を開始することのできるように必要な財産を会社設立手続中から確保するためになされるもので、開業準備行為の１つである。財産引受は、設立の際における過大評価の危険性が存在する点で先の現物出資と変わるところはない。そのため、会社法は、財産引受についても現物出資と同様の規制を定めることとしている。

〔950〕 財産引受の規制は、現物出資に対する規制を、売買という形で回避するのを防止するために定められているものである。もっとも、特定の財産について事前に譲受けの話合いのみを行い、発起人が会社成立後取締役になってから譲渡の契約を締結したことにすれば、財産引受の規制の回避が可能となる。そのため、会社法は、会社がその成立後２年以内に、成立前より存在する財産で事業のために継続して使用すべきものを資本の20％以上に当たる対価をもって取得する契約を行う場合には、株主総会の特別決議を要するとしている（467条１項５号）。このような手続を要するものを「事後設立」とよんでいる。

〔951〕 発起人が開業準備行為として財産引受を行うことができることの説明としては見解が対立している。判例（最判昭33・10・24民集12・14・3228〔百選５事件〕）・多数説は、開業準備行為は本来発起人の権限外の行為であるが、実際上の必要から、一定の条件を付して財産引受のみを例外的に許容したもの

と解している。これに対して、開業準備行為も本来発起人の権限内のものであるが、濫用の弊害を考慮して、発起人が行うことのできるものを財産引受のみに制限したものであると解する見解もある。

〔952〕 財産引受を会社が追認することができるかどうかについても争いがある。追認を認めることは財産引受について厳格な要件を定める法の趣旨に合致しないとして否定する見解と会社の資本充実の観点から追認を認める見解が対立している。多数説は財産引受の追認を認めている。判例も、あまりに長期間が経過した後に無効主張をすることは信義則に反して許されないとする（最判昭 61・9・11 判時 1215・125〔百選 6 事件〕）。

(3) 財産価額の塡補責任

〔953〕 現物出資または財産引受があり、それらの目的たる財産の実価が定款で定めた価額に著しく不足する場合には、発起人および設立時取締役は、連帯して、この不足額を支払う義務がある（52 条 1 項）。もっとも、現物出資または財産引受に関する事項につき裁判所の選任する検査役の調査を受けたとき、またはその職務を行うについて注意を怠らなかったことを証明したときには責任を負わない（同条 2 項）。

〔954〕 発起設立の場合、この責任は過失責任である。他方、募集設立の場合、無過失責任を課している（103 条 1 項、52 条 2 項）。募集設立では、発起人以外に募集株式の引受人が存在し、現物出資を行う発起人と金銭出資しか行うことができない引受人との間に実質的な拠出額の公平の確保が必要とされ、引受人の保護のために、発起設立との違いが設けられた。

〔955〕 現物出資または財産引受の対象となった財産の実価が定款に定めた価額に著しく不足する場合、専門家証明または鑑定評価を行った弁護士等は会社に対してその不足額の支払いについて連帯責任を負う（52 条 3 項）。かかる責任は過失責任で、無過失の挙証責任は、証明または鑑定評価を行った専門家が負う（同項ただし書）。

(4)　発起人の報酬・特別利益

〔956〕　発起人の報酬は通常、確定金額で会社の経費として支払われる。会社設立についての発起人の功労に報いるため、発起人に対して、会社が利益の配当に関する優先権、会社施設の利用などの権利を認めることがある。このような利益の提供を発起人だけの話合いで決めるとするならば、過大もしくは不当な特別利益の取決めがなされる危険性がある。発起人の報酬と発起人に対する特別利益との違いは、報酬は会社成立後一時に支払われる点にあるとされるが、両者の区別の実益は存在しない。

(5)　設立費用

〔957〕　設立費用とは、発起人が会社設立中に会社設立のために支出する費用をいう。これには事務所の賃貸料、事務員の給料、株式申込証の印刷代などが含まれる。このような費用は、会社成立後は発起人が当然に会社に請求することのできるものであるが、無制限な支払いがなされる危険性があるので規制の対象とされている。

〔958〕　会社が負担すべき設立費用のうち、定款にかかる印紙税、株式の引換えに関する金銭の払込みの取扱いについて銀行等に支払うべき手数料、報酬、検査役の報酬、設立登記の登録免許税は、定款に記載せずとも、当然に会社が負担すべきものとされる（28条4号、施5条）。これらの例外は、金額に客観性があり、過度の支払いがなされる危険性が少ないことを理由とする。

〔959〕　発起人が支出した会社の設立費用は、会社成立後に、定款に記載された範囲内において、発起人が会社に求償することとなる。会社成立までに発起人によって設立費用が支払われていない場合に、会社に債務の支払義務があるのかについて見解が分かれている。判例は、かつて、定款に記載された額の範囲において、債務は会社に帰属すると解していた（大判昭2・7・4民集6・428〔百選7事件〕）。しかし、成立後に会社に帰属する債務の範囲が定款の記載という会社の内部事情により定まるとするならば、取引先の保護に欠けるとして、多くの学説はこれに反対している。学説には、未払いの債務は会社に帰属し、会社は支払いを行った後に、定款記載額を超える部分について発起人

に求償することができると解する説がある。また、未払いの債務は依然として発起人に帰属し、発起人はその履行後に、定款記載額の範囲内において会社に求償することができると解する説もある。

6　仮装の払込み

〔960〕 株式会社を設立する場合には、株式の払込みが確実に行われなければならない。しかし、株式の払込みが仮装され、株式会社の資本の充実が阻害されることがある。特に個人企業が株式会社に組織変更する場合に、このような仮装の払込みがなされることが多い。

(1) 預合い

〔961〕 預合い（あずけあい）とは、発起人が発起人の資格で払込取扱機関から資金の借入れを行い、この借入金で同じ払込取扱機関に株式の払込みを行うものである。この場合には、発起人は取締役になった後も借入金を払込取扱機関に返済するまでは、会社が払込金の引出しを行わないことを約束する。この方法により、会社法が要求する株式の払込みという形式は整えられることとなる。会社設立後、株式払込金はただちに取締役（元発起人）によって引き出され、取締役の個人としての借入れの支払いのために利用される。このような行為により設立された会社には資本が存在しないこととなる。

〔962〕 募集設立での払込みに際しては、払込取扱機関は株式の払込みについて払込金を保管していることを証明しなければならない。この払込取扱機関は、その証明した金額について、払込みがなかったこと、あるいは借入金の返済に関する特約があることを主張し、会社に対して払込金の返還を拒むことはできない（→939）。また、払込金保管証明書は設立の登記の添付書類となっているために（商登47条2項5号)、その証明書がなければ設立の登記はなされない。このような規制が存在するために、払込取扱機関は実際の払込みがある場合にしか保管の証明をなさないこととなり、仮装の払込みが未然に防止されている。発起設立では、銀行口座の残高証明等の任意の方法で設立に際して払い込まれた金銭の額を証明する（→935）。

〔963〕　このような仮装の払込みは払込みとして無効である（立案担当者の見解として有効な払込みと解するものがある（坂本三郎編著『立案担当者による平成 26 年改正会社法の解説』別冊商事法務 393 号〔2015〕152 頁））。株式の払込みが仮装のもので、かつ払込取扱機関と発起人との間にその払込みの仮装につき通謀があったと認定された場合には刑事罰の適用がある（965 条）。

⑵　見 せ 金

〔964〕　見せ金（みせがね）とは、発起人が払込取扱機関以外から借入れを行い、この借入金を株式の払込みに当て、会社の成立後、払込取扱機関からこの払込金を引き出し、借入先に返済することをいう。このような仮装の払込みによる会社設立は上記の預合いの規制を潜脱する目的で行われるものである。ただし、預合いと異なり、見せ金では形式的にせよ資金の移動による現実の払込みがなされている。そのため、このような株式の払込みが有効であるかどうかについて従来から争いがある。

〔965〕　判例（最判昭 38・12・6 民集 17・12・1633）・多数説は、見せ金による株式の払込みは、計画的に行われた仮装の払込みであり、実質的にみて有効な払込みとはいえないとしている。もっとも、学説においては、現実の払込みがなされていることから、その払込みを有効と解した上で、問題の解決を、刑法上の背任罪または業務上横領罪（刑 247 条、253 条）もしくは会社法上の特別背任罪（960 条）（→ 150）（発起人〔取締役〕が個人の借入金の返済のために会社の資金を利用したこと）に求める見解も主張されている。払込みが仮装であることを秘して設立の登記申請をすると、公正証書原本不実記載罪（刑 157 条）

〈見せ金〉

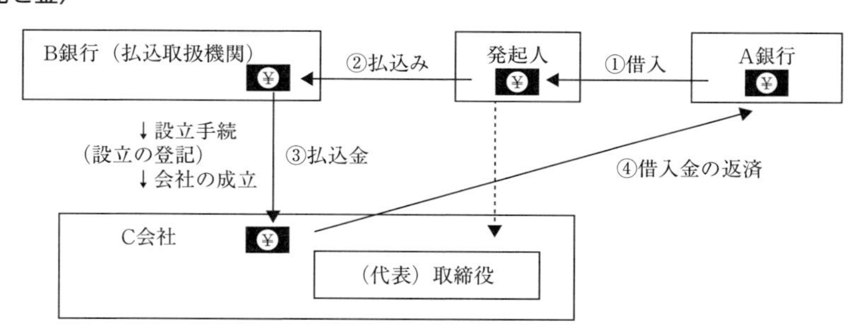

が成立する（最判昭41・10・11刑集20・8・817）。

⑶　仮装出資の履行責任

〔966〕　発起人は、株式についての金銭の払込みまたは現物出資財産の給付を仮装した場合は、会社に対して、仮装した出資にかかる金銭の全額の支払いまたは財産の全部の給付を行う義務がある（52条の2第1項）。会社が財産の給付に代えて財産の価額に相当する金銭の支払いを請求した場合は、その金額の全額を支払う義務がある。この責任は無過失責任である。募集設立における株式の引受人が払込みを仮装した場合は、会社に対して、仮装した出資に係る金銭の全部の支払いをする義務を負う（102条の2第1項）。この責任も無過失責任である。出資の履行の仮装に関与した発起人（設立時取締役として法務省令で定める者）も、同様の責任を負うが、注意を怠らなかったことを証明したときは、責任を免れる（52条の2第2項、103条2項）。これらの責任は、連帯責任である（52条の2第3項、103条2項本文）。

〔967〕　出資の履行を仮装した発起人や払込みを仮装した引受人は、上記の責任を履行した後でなければ、出資の履行・払込みを仮装した株式について、権利行使をすることができない（52条の2第4項、102条3項）。ただし、株式（権利株）が譲渡された場合には、譲受人は、悪意または重過失があるときを除き、株式についての権利行使をすることができる（52条の2第5項、102条4項）。これらの規制は、平成26年の改正で導入された（募集株式の発行に関する仮装の払込みについて→303、304）。

7　会社設立の無効と会社の不成立・不存在

⑴　会社設立の無効

〔968〕　設立の登記により会社が成立した場合でも、設立手続が違法であれば、会社の設立は無効なはずである。もっとも、会社の設立という外観が誕生するため、会社の設立を無効とすれば、法的安定性を害する危険性がある。そのため、会社法のもとでは、設立無効の主張は、設立手続に瑕疵があった場合

に訴えによってのみ行うことができる（828条1項1号）。

〔969〕　無効原因は、定款の絶対的記載事項（→930）を欠く場合、定款について認証（→927）がない場合、創立総会（→940）が適法に開催されない場合、設立の登記（→942）が無効の場合など、設立手続に重大な瑕疵がある場合などに限られる。設立無効の訴えは、株主、取締役または清算人などに限り提起することができる（828条2項1号）。設立無効の訴えの提訴期間は会社成立の日から2年以内とされる（同条1項1号）。会社法では、無効の主張の制限により、会社が正当に成立したと仮定して発生する第三者の債権および債務に重大な影響を及ぼさないよう配慮している。

〔970〕　設立無効の判決が確定すれば、訴訟の当事者だけでなく、すべての者との間で設立が無効であったものとされる（838条）。設立無効判決には遡及効が否定され、判決は将来に向かってのみ効力を有する（839条）。これは、会社の存在を前提として積み重ねられてきた法律関係の混乱を回避するためである。なお、無効判決が確定したならば、会社は登記ならびに清算の手続を行う必要がある（937条1項1号イ、475条2号）。

⑵　会社の不成立と不存在

〔971〕　設立の無効が認められるのは、無効原因を有する会社が設立の登記により一度は存在するに至った場合である。これに対して、設立の登記に至る前に設立手続が中途で終了し、法律上も事実上も会社の成立に至らなかった場合には、会社は不成立となる。会社の不成立は、誰でもどのような方法でも主張することができる。

〔972〕　会社の不成立の場合、会社の設立に関して行われた行為については発起人が連帯責任を負う。また、すでに会社の設立に関して支出した費用は全額発起人が負担する（56条）。

〔973〕　設立の登記はなされたものの、設立手続がまったく実践されていないような場合、会社の実態を肯定することはできず、会社は不存在といわざるを得ない。会社の不存在は、誰でもいつでも主張できる。

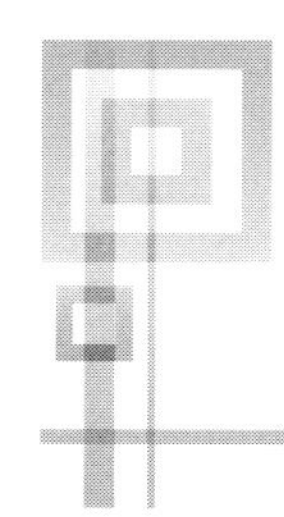

第５節　解散・清算

1　会社の解散

(1)　解散の意義

〔974〕　会社は、①定款で定めた存続期間の満了、②定款で定めた解散の事由の発生、③株主総会の決議、④合併（合併により当該株式会社が消滅する場合に限る)、⑤破産手続開始の決定、⑥解散を命じる裁判によって解散する（471条)。さらに、⑦休眠会社についてはみなし解散制度がある（472条)。①から④は、株主の意思による解散事由で、⑤から⑦は株主の意思によらない解散事由である。

休眠会社の整理

〔975〕　長期にわたって、事実上事業活動を行わない会社が法律の上で（登記簿上）存在していれば、登記と実体とが一致せず、商号選択の自由、取引の安全を損なう危険性がある。そのために休眠会社の整理が解散事由とされている。この制度によると、法務大臣は、最後の登記後12年間を経過した会社について、官報で「最後の登記後12年を経過した会社は、本店所在地を管轄する登記所にまだ事業を廃止していない旨の届出をなすべき」ことを公告する。その公告の日から２月以内に命令に従って届出をなさないときは、その会社は期間満了の日に解散したものと見なされる（472条１項)。

〔976〕　平成17年の改正前まで、最後の登記後５年を経過した場合に休眠会社の整理が行われた。これは、取締役の任期が２年であり、最低２年に一度は変更登記の必要があるという点を考慮して、５年という期間を定めたものであった。会社法では、取締役の任期を、一部の会社で、定款の定めにより10年まで延長することができる（→561)。かかる会社では、10年に１度の変更登記が必要となる。そこで、休眠会社の整理も、最後の登記があった日から12年を経過した場合に行うものとなった。

〔977〕　株式会社が解散したときは、合併および破産による解散の場合を除き、会社は清算手続に入る（475条1号）。これらの手続終了後、会社は消滅する。解散をした場合には解散の登記をしなければならない（926条）。

⑵　解散命令と解散判決

〔978〕　株主の意思によらない解散事由の１つとして解散を命じる裁判がある。これらの解散理由には解散命令と解散判決がある。

〔979〕　会社の解散命令とは、①会社の設立が不法な目的に基づいてなされた場合、②会社が正当な理由がないのにその成立の日から１年以内にその事業を開始せず、または引き続き１年以上その事業を休止した場合、③業務執行取締役、執行役または業務を執行する社員が、法令・定款で定める会社の権限を逸脱しもしくは濫用する行為または刑罰法令に触れる行為をした場合において、法務大臣から書面による警告を受けたにもかかわらず、なお継続的にまたは反復して当該行為をした場合、会社の存在が公益を害し、その存続を許すことができないときに、法務大臣、株主、債権者その他の利害関係人の請求をもとに、裁判所がその会社の解散を命じるものである（824条）。もっとも、この制度はほとんど利用されず、そのため、休眠会社を整理する制度（→975）が導入された。

〔980〕　解散判決とは、①会社が業務の執行において著しく困難な状況に至り、会社に回復することができない損害を生じまたは生じるおそれがある場合、②会社財産の管理または処分が著しく不当で、会社の存立を危うくする場合で、「やむを得ない事由」があるときに、解散を命じる判決である（833条）。総株主の議決権の10％（定款で軽減することができる）以上の議決権を有する株主または発行済株式総数の10％以上に当たる株式（定款で軽減することができる）を有する株主が請求することができる。

〔981〕　①として、50％ずつの議決権を有する派閥対立で、役員の選解任をすることが困難な場合に、解散判決がなされた例がある（東京地判平元・7・18判時1349・148〔百選95事件〕）。②として、多数派と少数派の対立があり、多数派によって業務執行が不公正かつ利己的に行われ、少数派がいわれのない恒常的な不利益を被っていた場合に解散判決がなされた例がある（持分会社の事例。

最判昭61・3・13民集40・2・229〔百選82事件〕)。

〔982〕 解散命令が公益の侵害を理由とするのに対して、解散判決は株主の利益保護を理由とするものである。後者は、特に、解散に必要な株主総会の特別決議を成立させることができない状況で、株主の正当な利益を保護するためには解散しか手段がないときに少数株主権として解散の訴え提起を認めるものである。

2　会社の清算

(1) 清算の意義

〔983〕 清算手続とは、解散した会社の法律関係を整理し、残余財産を株主に公平に分配する手続をいう。会社は清算の結了まで、清算の目的の範囲内で存続する（476条）。通常の清算（通常清算）のほか、通常清算の遂行に著しい支障をきたす場合などには特別清算制度が規定されている（510条）。

(2) 清 算 人

〔984〕 会社が清算手続に入ると、取締役はその地位を失う。しかし、清算事務を行う清算人には解散時の取締役がなるのが原則である（478条１項１号）。ただし、定款や株主総会で別の者を清算人に選任することもできる（同項２号・３号）。このような清算人がいないとき、設立無効・株式移転無効の判決が確定したことによって解散したとき、利害関係人の請求により裁判所が清算人を選任する（同条２項・４項）。解散命令・解散判決によって解散したときは、裁判所は、利害関係人もしくは法務大臣の申立てによりまたは職権で清算人を選任する（同条３項）。

〔985〕 裁判所が選任した場合以外は、株主総会の普通決議で清算人は解任される（479条１項）。少数株主による裁判所への解任請求制度も定められている（同条２項）。

〔986〕 清算人は、①現務の結了、②債権の取立ておよび債務の弁済、③残余財産の分配といった職務を行う（481条）。清算会社では、１名または２名以

上の清算人を置かなければならない（477条1項）。清算人が会社を代表する（483条1項。定款、定款の定めに基づく清算人の互選または総会の決議で、代表清算人を定めることもできる。同条3項）。清算人が2名以上ある場合、定款に別段の定めがある場合を除き、その過半数で清算業務を決定する（482条2項）。定款の定めで、清算人会を置くこともできる（477条2項）。この場合、清算人会が清算人のなかから代表清算人を選定・解職する（489条3項・4項）。

⑶　通常清算

〔987〕　清算人は解散当時完了していない事務を完了させる清算事務を行う（たとえば、売買契約履行のための物品の購入、債権の取立て、債務の弁済などがこれに当たる）。債務の弁済については、清算人は一定期間（2月以上）内に債権の申出を行うよう催告をなし、この期間が経過した後、申出を行った債権者全員に弁済を行う（499条〜501条）。清算人は、これらの債務の弁済をなした後に、会社の残余財産を株主に分配することができる（504条〜506条）。残余財産の分配は、原則として各株主の有する株式数に応じてなされる（504条3項）。

〔988〕　金銭以外の財産による残余財産の分配も可能である。株主が金銭での分配を請求した場合（505条1項）、残余財産の価額に相当する金銭を支払うこととなる。ここにいう相当する金銭とは、市場価格のある財産の場合には、市場価格として法務省令で定める方法で算定した額であり、それ以外の場合には、会社の申立てにより裁判所が定めた額となる（同条3項）。

〔989〕　清算事務が終了したときは、遅滞なく、決算報告を作成しなければならない（507条1項）。清算人会設置会社では、決算報告は清算人会の承認を受けなければならない（同条2項）。清算人は、決算報告を株主総会に提出・提供し、その承認を受ける必要がある（同条3項）。清算人は、総会による決算報告承認後、本店所在地で2週間以内に清算結了の登記をしなければならない（929条1号）。この清算の結了の登記により会社は消滅する。

⑷　特別清算

〔990〕　特別清算とは、①清算の遂行に著しい支障をきたすべき事情がある

と認める場合、②会社に債務超過の疑いがあると認める場合に、裁判所の命令によって開始される清算手続である（510条）。

〔991〕 特別清算開始の申立ては、債権者、清算人、監査役または株主が行うことができる（511条1項）。会社に債務超過の疑いがある場合には清算人は特別清算開始の申立てを行わなければならない（同条2項）。

〔992〕 特別清算の場合も、清算人が清算事務を行う。清算人は、会社、株主および債権者に対して公平かつ誠実に清算事務を処理する義務がある（523条）。

〔993〕 特別清算開始の命令があったときは、清算は裁判所の監督に服することとなる（519条1項）。裁判所は、いつでも、会社に対して、清算事務および財産の状況の報告を命じ、その他監督上必要な調査をすることができる（520条）。また、必要があると認めるときは、清算人、監査役、債権の申出をした債権者、知れている債権者の債権総額の10％以上の債権者、総株主の議決権の3％以上の数の株式を6月以上有する株主の申立てにより、または職権で、特別清算に至った事情、会社の業務および財産の状況、保全処分の必要があるかどうか等について、調査委員による調査を命じることができる（522条）。

〔994〕 特別清算の実行上必要がある場合には、いつでも債権者集会が招集される（546条1項）。会社が招集するのが原則であるものの（同条2項）、裁判所の許可を得て、債権者が招集することもできる（547条）。債権者集会は、裁判所が指揮する（552条1項）。その決議は、出席した議決権者の過半数の同意があり、かつ出席した議決権者の議決権の総額の50％を超える議決権を有する者の同意による（554条1項）。

〔995〕 会社は、債権者集会に対して、協定の申出をすることができる（563条）。協定では、債権者の権利の全部または一部の変更に関する条項（債務の減免、期限の猶予等）が定められる（564条）。協定による権利の変更の内容は、債権者の間で平等でなければならない（565条本文）。債権者集会で、会社から申出のあった協定の可決・変更などをすることができる。この場合、出席した議決権者の過半数で、かつ議決権者の議決権の総額の3分の2以上の議決権を有する者の同意が必要である（567条1項）。

〔996〕 監督委員は、会社の業務および財産の管理の監督を行う権限を有す

る者であり、必要があるときは、裁判所によって１名または２名以上が選任される（527 条、528 条）。特別清算では、財産の処分、借財、訴えの提起、和解・仲裁合意、権利の放棄、その他裁判所が指定する行為については、裁判所の許可が必要である（535 条１項本文）。もっとも、裁判所は、監督委員に、裁判所の許可に代わる同意をする権限を付与することができる（527 条１項）。

〔997〕　裁判所は、調査命令を行う場合に、１名または２名以上の調査委員を選任することができる（533 条）。

〔998〕　裁判所は、特別清算が結了し、あるいはその必要がなくなったときは、その終結を決定する（573 条）。特別清算が結了した場合には、これにより会社は消滅する。また、特別清算の必要がなくなった場合には、通常清算に移行するか、または会社が存続する。なお、特別清算開始の命令があったにもかかわらず、①協定の見込みがないとき、②協定の実行の見込みがないとき、③特別清算によることが債権者の一般の利益に反するとき、裁判所は破産法に従い破産手続開始の決定をしなければならない（574 条１項）。特別清算開始後、協定が否決されたとき、協定の不認可の決定が確定したとき、会社に破産手続開始の原因となる事実が認められれば、裁判所は、職権で、破産法に従い、破産手続開始の決定をすることができる（同条２項）。

令和○年6月25日改正

同志社物産株式会社　定款

第1章　総　　則

（商号）

第1条　当会社は、同志社物産株式会社と称する。英文ではDOSHISHA TRADING CORPORATIONとする。

（目的）

第2条　当会社は、次の事業を営むことを目的とする。

⑴　食糧、酒類その他飲料、農産製品・水産製品の売買および貿易業

（略）

⑽　前各号に付帯関連する一切の事業

（本店）

第3条　当会社は、本店を京都府京都市に置く。

（機関）

第4条　当会社は、株主総会および取締役のほか、次の機関を置く。

⑴　取締役会

⑵　監査役

⑶　監査役会

⑷　会計監査人

（公告方法）

第5条　当会社の公告方法は、電子公告とする。ただし、事故その他やむを得ない事由により、電子公告をすることができない場合は、日本経済新聞に掲載して行う。

第2章　株　　式

（発行可能株式総数）

第6条　当会社の発行可能株式総数は10億株とする。

（自己株式の取得）

第７条　当会社は、取締役会の決議によって、自己の株式を市場取引等により取得することができる。

（単元株式数および単元未満株式の買増し）

第８条　当会社の単元株式数は、100株とする。

２　当会社の株主は、当会社に対して、その有する単元未満株式の数と併せて単元株式数となる数の株式の売渡しを請求することができる。

（単元株主の権利）

第９条　当会社の株主は、その有する単元未満株式について、次に掲げる権利以外の権利を行使することができない。

⑴　会社法第189条２項各号に掲げる権利

⑵　会社法第166条１項の規定による請求をする権利

⑶　募集株式または募集新株予約権の割当を受ける権利

⑷　前条２項に規定する請求をする権利

（株主名簿管理人）

第10条　当会社は、株主名簿管理人を置く。

２　株主名簿管理人およびその事務取扱場所は、取締役会の決議により定め、これを公告する。

３　当会社の株主名簿および新株予約権原簿の作成ならびにこれらの備え置きその他株主名簿および新株予約権原簿に関する事務は株主名簿管理人に委託し、当会社においてはこれを取り扱わない。

（株式取扱規程）

第11条　当会社の株主の権利行使等に関する取扱いその他株式および新株予約権に関する取扱いならびにこれらに関する手数料については、取締役会の定める株式取扱規程による。

第３章　株主総会

（招集）

第12条　当会社の定時株主総会は、毎年６月に招集し、臨時株主総会は、必要あるときに随時これを招集する。

（定時株主総会の基準日）

第13条　当会社の定時株主総会の議決権の基準日は、毎年３月31日とする。

（招集権者および議長）

第14条　株主総会は、取締役社長がこれを招集し、議長となる。

２　取締役社長に事故があるときは、取締役会においてあらかじめ定めた順序に従い、他の取締役が株主総会を招集し、議長となる。

（株主総会参考書類等のインターネット開示）

第15条　当会社は、株主総会の招集に際し、株主総会参考書類、事業報告、計算書類に記載または表示すべき事項に係る情報を、法令に定めるところに従い、インターネットを利用する方法で開示することにより、株主に対して提供したものとみなすことができる。

（決議の方法）

第16条　株主総会の決議は法令または本定款に定めがある場合を除き、出席した議決権を行使することができる株主の議決権の過半数をもって決する。

2　会社法第309条2項に定める決議（特別決議）は、議決権を行使することができる株主の議決権の3分の1以上を有する株主が出席し、その議決権の3分の2以上をもって決する。

（議決権の代理行使）

第17条　株主は当会社の議決権を有する他の株主1名を代理人として議決権を行使することができる。

2　株主または代理人は、株主総会ごとに代理権を証明する書面を当会社に提出しなければならない。

第4章　取締役および取締役会

（員数）

第18条　当会社の取締役は、10名以内とする。

（選任）

第19条　取締役は、株主総会において選任する。

2　取締役の選任決議は、議決権を行使することができる株主の議決権の3分の1以上を有する株主の出席を要する。

3　取締役の選任決議は、累積投票によらないものとする。

（任期）

第20条　取締役の任期は、選任後1年以内に終了する事業年度のうち最終のものに関する定時株主総会の終結の時までとする。

（取締役会の招集通知）

第21条　取締役会を招集するには、各取締役および監査役に対して会日より3日前に通知を発するものとする。ただし、緊急の必要があるときはさらにこの期間を短縮することができる。

（代表取締役）

第22条　取締役会は、その決議によって代表取締役を選定する。

（取締役会の書面決議）

第23条　当会社は、会社法第370条に基づき、取締役の全員または電磁的記録による同意の意思表示その他法令に定める要件を満たしたときは、取締役会の決議があったものとみなす。

（取締役会規程）

第24条　取締役会に関する事項については、法令および本定款に定めのあるものほかは取締役会の定める取締役会規程による。

（取締役の責任免除）

第25条　当会社は、取締役会の決議によって、法令の定める限度において、取締役の責任を免除することができる。

2　当会社は、会社法第427条1項の規定により、取締役（業務執行取締役等であるものを除く）との間に、任務を怠ったことによる損害賠償責任を限定する契約を締結することができる。ただし、当該契約に基づく限度額は、1,000万円以上であらかじめ定める額または法令に定める額のいずれか高い額とする。

（執行役員）

第26条　当会社は、取締役会の決議によって、執行役員を定め、当会社の業務を分担して執行させることができる。

第5章　監査役および監査役会

（員数）

第27条　当会社の監査役は5名以内とする。

（選任）

第28条　監査役は、株主総会において選任するものとして、その決議は議決権を行使することができる株主の議決権の3分の1以上を有する株主の出席を要する。

（任期）

第29条　監査役の任期は、選任後4年以内に終了する事業年度のうち最終のものに関する定時株主総会の終結の時までとする。

（監査役会の招集通知）

第30条　監査役会を招集するには、各監査役に対して会日より3日前に通知を発するものとする。ただし、緊急の必要があるときはさらにこの期間を短縮することができる。

（監査役会規程）

第31条　監査役会に関する事項については、法令および本定款に定めのあるもののほかは監査役会の定める監査役会規程による。

（監査役の責任免除）

第32条　当会社は、取締役会の決議によって、法令の定める限度において、監査役の責任を免除することができる。

2　当会社は、会社法第427条1項の規定により、監査役との間に、任務を怠ったことによる損害賠償責任を限定する契約を締結することができる。ただし、当該契約に基づく限度額は、1,000万円以上であらかじめ定める額または法令に定める額のいずれか高い額とする。

第6章　計　　算

（事業年度）

第33条　当会社の事業年度は、毎年4月1日から翌年3月31日までの1年とする。

（剰余金の配当の基準日）

第34条　当会社の期末配当の基準日は、毎年3月31日とする。

（中間配当の基準日）

第35条　当会社は、取締役会の決議によって、毎年9月30日を基準日として中間配当を行うことができる。

（配当の徐訴期間）

第36条　配当財産が金銭である場合には、その支払開始の日から満3年を経過しても受理されないときは当会社はその支払いを免れる。

コーポレートガバナンス・コード
（平成30年6月1日改訂）（基本原則・原則）

【基本原則1】

上場会社は、株主の権利が実質的に確保されるよう適切な対応を行うとともに、株主がその権利を適切に行使することができる環境の整備を行うべきである。

また、上場会社は、株主の実質的な平等性を確保すべきである。

少数株主や外国人株主については、株主の権利の実質的な確保、権利行使に係る環境や実質的な平等性の確保に課題や懸念が生じやすい面があることから、十分に配慮を行うべきである。

【原則1－1．株主の権利の確保】

上場会社は、株主総会における議決権をはじめとする株主の権利が実質的に確保されるよう、適切な対応を行うべきである。

【原則1－2．株主総会における権利行使】

上場会社は、株主総会が株主との建設的な対話の場であることを認識し、株主の視点に立って、株主総会における権利行使に係る適切な環境整備を行うべきである。

【原則1－3．資本政策の基本的な方針】

上場会社は、資本政策の動向が株主の利益に重要な影響を与え得ることを踏まえ、資本政策の基本的な方針について説明を行うべきである。

【原則1－4．政策保有株式】

上場会社が政策保有株式として上場株式を保有する場合には、政策保有株式の縮減に関する方針・考え方など、政策保有に関する方針を開示すべきである。また、毎年、取締役会で、個別の政策保有株式について、保有目的が適切か、保有に伴う便益やリスクが資本コストに見合っているか等を具体的に精査し、保有の適否を検証するとともに、そうした検証の内容について開示すべきである。

上場会社は、政策保有株式に係る議決権の行使について、適切な対応を確保するための具体的な基準を策定・開示し、その基準に沿った対応を行うべきである。

【原則1－5．いわゆる買収防衛策】

買収防衛の効果をもたらすことを企図してとられる方策は、経営陣・取締役会の保身を目的とするものであってはならない。その導入・運用については、取締役会・監査役は、株主に対する受託者責任を全うする観点から、その必要性・合理性をしっかりと検討し、適正な手続を確保するとともに、株主に十分な説明を行うべきである。

【原則１－６．株主の利益を害する可能性のある資本政策】

支配権の変動や大規模な希釈化をもたらす資本政策（増資、MBO等を含む）については、既存株主を不当に害することのないよう、取締役会・監査役は、株主に対する受託者責任を全うする観点から、その必要性・合理性をしっかりと検討し、適正な手続を確保するとともに、株主に十分な説明を行うべきである。

【原則１－７．関連当事者間の取引】

上場会社がその役員や主要株主等との取引（関連当事者間の取引）を行う場合には、そうした取引が会社や株主共同の利益を害することのないよう、また、そうした懸念を惹起することのないよう、取締役会は、あらかじめ、取引の重要性やその性質に応じた適切な手続を定めてその枠組みを開示するとともに、その手続を踏まえた監視（取引の承認を含む）を行うべきである。

【基本原則２】

上場会社は、会社の持続的な成長と中長期的な企業価値の創出は、従業員、顧客、取引先、債権者、地域社会をはじめとする様々なステークホルダーによるリソースの提供や貢献の結果であることを十分に認識し、これらのステークホルダーとの適切な協働に努めるべきである。

取締役会・経営陣は、これらのステークホルダーの権利・立場や健全な事業活動倫理を尊重する企業文化・風土の醸成に向けてリーダーシップを発揮すべきである。

【原則２－１．中長期的な企業価値向上の基礎となる経営理念の策定】

上場会社は、自らが担う社会的な責任についての考え方を踏まえ、様々なステークホルダーへの価値創造に配慮した経営を行いつつ中長期的な企業価値向上を図るべきであり、こうした活動の基礎となる経営理念を策定すべきである。

【原則２－２．会社の行動準則の策定・実践】

上場会社は、ステークホルダーとの適切な協働やその利益の尊重、健全な事業活動倫理などについて、会社としての価値観を示しその構成員が従うべき行動準則を定め、実践すべきである。取締役会は、行動準則の策定・改訂の責務を担い、これが国内外の事業活動の第一線にまで広く浸透し、遵守されるようにすべきである。

【原則２－３．社会・環境問題をはじめとするサステナビリティーを巡る課題】

上場会社は、社会・環境問題をはじめとするサステナビリティー（持続可能性）を巡る課題について、適切な対応を行うべきである。

【原則２－４．女性の活躍促進を含む社内の多様性の確保】

上場会社は、社内に異なる経験・技能・属性を反映した多様な視点や価値観が存在することは、会社の持続的な成長を確保する上での強みとなり得る、との認識に立ち、社内における女性の活躍促進を含む多様性の確保を推進すべきである。

【原則2－5．内部通報】

上場会社は、その従業員等が、不利益を被る危険を懸念することなく、違法または不適切な行為・情報開示に関する情報や真摯な疑念を伝えることができるよう、また、伝えられた情報や疑念が客観的に検証され適切に活用されるよう、内部通報に係る適切な体制整備を行うべきである。取締役会は、こうした体制整備を実現する責務を負うとともに、その運用状況を監督すべきである。

【原則2－6．企業年金のアセットオーナーとしての機能発揮】

上場会社は、企業年金の積立金の運用が、従業員の安定的な資産形成に加えて自らの財政状態にも影響を与えることを踏まえ、企業年金が運用（運用機関に対するモニタリングなどのスチュワードシップ活動を含む）の専門性を高めてアセットオーナーとして期待される機能を発揮できるよう、運用に当たる適切な資質を持った人材の計画的な登用・配置などの人事面や運営面における取組みを行うとともに、そうした取組みの内容を開示すべきである。その際、上場会社は、企業年金の受益者と会社との間に生じ得る利益相反が適切に管理されるようにすべきである。

【基本原則3】

上場会社は、会社の財政状態・経営成績等の財務情報や、経営戦略・経営課題、リスクやガバナンスに係る情報等の非財務情報について、法令に基づく開示を適切に行うとともに、法令に基づく開示以外の情報提供にも主体的に取り組むべきである。

その際、取締役会は、開示・提供される情報が株主との間で建設的な対話を行う上での基盤となることも踏まえ、そうした情報（とりわけ非財務情報）が、正確で利用者にとって分かりやすく、情報として有用性の高いものとなるようにすべきである。

【原則3－1．情報開示の充実】

上場会社は、法令に基づく開示を適切に行うことに加え、会社の意思決定の透明性・公正性を確保し、実効的なコーポレートガバナンスを実現するとの観点から、（本コードの各原則において開示を求めている事項のほか、）以下の事項について開示し、主体的な情報発信を行うべきである。

(i) 会社の目指すところ（経営理念等）や経営戦略、経営計画

(ii) 本コードのそれぞれの原則を踏まえた、コーポレートガバナンスに関する基本的な考え方と基本方針

(iii) 取締役会が経営陣幹部・取締役の報酬を決定するに当たっての方針と手続

(iv) 取締役会が経営陣幹部の選解任と取締役・監査役候補の指名を行うに当たての方針と手続

(v) 取締役会が上記(iv)を踏まえて経営陣幹部の選解任と取締役・監査役候補の指名を行う際の、個々の選解任・指名についての説明

【原則3−2．外部会計監査人】

外部会計監査人及び上場会社は、外部会計監査人が株主・投資家に対して責務を負っていることを認識し、適正な監査の確保に向けて適切な対応を行うべきである。

【基本原則4】

上場会社の取締役会は、株主に対する受託者責任・説明責任を踏まえ、会社の持続的成長と中長期的な企業価値の向上を促し、収益力・資本効率等の改善を図るべく、

(1) 企業戦略等の大きな方向性を示すこと

(2) 経営陣幹部による適切なリスクテイクを支える環境整備を行うこと

(3) 独立した客観的な立場から、経営陣（執行役及びいわゆる執行役員を含む）・取締役に対する実効性の高い監督を行うことをはじめとする役割・責務を適切に果たすべきである。

こうした役割・責務は、監査役会設置会社（その役割・責務の一部は監査役及び監査役会が担うこととなる）、指名委員会等設置会社、監査等委員会設置会社など、いずれの機関設計を採用する場合にも、等しく適切に果たされるべきである。

【原則4−1．取締役会の役割・責務(1)】

取締役会は、会社の目指すところ（経営理念等）を確立し、戦略的な方向付けを行うことを主要な役割・責務の一つと捉え、具体的な経営戦略や経営計画等について建設的な議論を行うべきであり、重要な業務執行の決定を行う場合には、上記の戦略的な方向付けを踏まえるべきである。

【原則4−2．取締役会の役割・責務(2)】

取締役会は、経営陣幹部による適切なリスクテイクを支える環境整備を行うことを主要な役割・責務の一つと捉え、経営陣からの健全な企業家精神に基づく提案を歓迎しつつ、説明責任の確保に向けて、そうした提案について独立した客観的な立場において多角的かつ十分な検討を行うとともに、承認した提案が実行される際には、経営陣幹部の迅速・果断な意思決定を支援すべきである。

また、経営陣の報酬については、中長期的な会社の業績や潜在的リスクを反映させ、健全な企業家精神の発揮に資するようなインセンティブ付けを行うべきである。

【原則4−3．取締役会の役割・責務(3)】

取締役会は、独立した客観的な立場から、経営陣・取締役に対する実効性の高い監督を行うことを主要な役割・責務の一つと捉え、適切に会社の業績等の評価を行い、その評価を経営陣幹部の人事に適切に反映すべきである。

また、取締役会は、適時かつ正確な情報開示が行われるよう監督を行うとともに、内部統制やリスク管理体制を適切に整備すべきである。

更に、取締役会は、経営陣・支配株主等の関連当事者と会社との間に生じ得る利益相反を

適切に管理すべきである。

【原則４－４．監査役及び監査役会の役割・責務】

監査役及び監査役会は、取締役の職務の執行の監査、外部会計監査人の選解任や監査報酬に係る権限の行使などの役割・責務を果たすに当たって、株主に対する受託者責任を踏まえ、独立した客観的な立場において適切な判断を行うべきである。

また、監査役及び監査役会に期待される重要な役割・責務には、業務監査・会計監査をはじめとするいわば「守りの機能」があるが、こうした機能を含め、その役割・責務を十分に果たすためには、自らの守備範囲を過度に狭く捉えることは適切でなく、能動的・積極的に権限を行使し、取締役会においてあるいは経営陣に対して適切に意見を述べるべきである。

【原則４－５．取締役・監査役等の受託者責任】

上場会社の取締役・監査役及び経営陣は、それぞれの株主に対する受託者責任を認識し、テークホルダーとの適切な協働を確保しつつ、会社や株主共同の利益のために行動すべきである。

【原則４－６．経営の監督と執行】

上場会社は、取締役会による独立かつ客観的な経営の監督の実効性を確保すべく、業務の執行には携わらない、業務の執行と一定の距離を置く取締役の活用について検討すべきである。

【原則４－７．独立社外取締役の役割・責務】

上場会社は、独立社外取締役には、特に以下の役割・責務を果たすことが期待されることに留意しつつ、その有効な活用を図るべきである。

(i) 経営の方針や経営改善について、自らの知見に基づき、会社の持続的な成長を促し中長期的な企業価値の向上を図る、との観点からの助言を行うこと

(ii) 経営陣幹部の選解任その他の取締役会の重要な意思決定を通じ、経営の監督を行うこと

(iii) 会社と経営陣・支配株主等との間の利益相反を監督すること

(iv) 経営陣・支配株主から独立した立場で、少数株主をはじめとするステークホルダーの意見を取締役会に適切に反映させること

【原則４－８．独立社外取締役の有効な活用】

独立社外取締役は会社の持続的な成長と中長期的な企業価値の向上に寄与するように役割・責務を果たすべきであり、上場会社はそのような資質を十分に備えた独立社外取締役を少なくとも２名以上選任すべきである。

また、業種・規模・事業特性・機関設計・会社をとりまく環境等を総合的に勘案して、少なくとも３分の１以上の独立社外取締役を選任することが必要と考える上場会社は、上記にかかわらず、十分な人数の独立社外取締役を選任すべきである。

【原則４－９．独立社外取締役の独立性判断基準及び資質】

取締役会は、金融商品取引所が定める独立性基準を踏まえ、独立社外取締役となる者の独

立性をその実質面において担保することに主眼を置いた独立性判断基準を策定・開示すべきである。また、取締役会は、取締役会における率直・活発で建設的な検討への貢献が期待できる人物を独立社外取締役の候補者として選定するよう努めるべきである。

【原則４－10．任意の仕組みの活用】

上場会社は、会社法が定める会社の機関設計のうち会社の特性に応じて最も適切な形態を採用するに当たり、必要に応じて任意の仕組みを活用することにより、統治機能の更なる充実を図るべきである。

【原則４－11．取締役会・監査役会の実効性確保のための前提条件】

取締役会は、その役割・責務を実効的に果たすための知識・経験・能力を全体としてバランス良く備え、ジェンダーや国際性の面を含む多様性と適正規模を両立させる形で構成されるべきである。また、監査役には、適切な経験・能力及び必要な財務・会計・法務に関する知識を有する者が選任されるべきであり、特に、財務・会計に関する十分な知見を有している者が１名以上選任されるべきである。取締役会は、取締役会全体としての実効性に関する分析・評価を行うことなどにより、その機能の向上を図るべきである。

【原則４－12．取締役会における審議の活性化】

取締役会は、社外取締役による問題提起を含め自由闊達で建設的な議論・意見交換を尊ぶ気風の醸成に努めるべきである。

【原則４－13．情報入手と支援体制】

取締役・監査役は、その役割・責務を実効的に果たすために、能動的に情報を入手すべきであり、必要に応じ、会社に対して追加の情報提供を求めるべきである。

また、上場会社は、人員面を含む取締役・監査役の支援体制を整えるべきである。

取締役会・監査役会は、各取締役・監査役が求める情報の円滑な提供が確保されているかどうかを確認すべきである。

【原則４－14．取締役・監査役のトレーニング】

新任者をはじめとする取締役・監査役は、上場会社の重要な統治機関の一翼を担う者として期待される役割・責務を適切に果たすため、その役割・責務に係る理解を深めるとともに、必要な知識の習得や適切な更新等の研鑽に努めるべきである。このため、上場会社は、個々の取締役・監査役に適合したトレーニングの機会の提供・斡旋やその費用の支援を行うべきであり、取締役会は、こうした対応が適切にとられているか否かを確認すべきである。

【基本原則５】

上場会社は、その持続的な成長と中長期的な企業価値の向上に資するため、株主総会の場以外においても、株主との間で建設的な対話を行うべきである。経営陣幹部・取締役（社外取締役を含む）は、こうした対話を通じて株主の声に耳を傾け、その関心・懸念に正当な関心を払うとともに、自らの経営方針を株主に分かりやすい形で明確に説明しその理解を得る努力を行い、株主を含むステークホルダーの立場に関するバランスのとれた理解と、そうした理解を踏まえた適切な対応に努めるべきである。

【原則５－１．株主との建設的な対話に関する方針】

上場会社は、株主からの対話（面談）の申込みに対しては、会社の持続的な成長と中長期的な企業価値の向上に資するよう、合理的な範囲で前向きに対応すべきである。取締役会は、株主との建設的な対話を促進するための体制整備・取組みに関する方針を検討・承認し、開示すべきである。

【原則５－２．経営戦略や経営計画の策定・公表】

経営戦略や経営計画の策定・公表に当たっては、自社の資本コストを的確に把握した上で、収益計画や資本政策の基本的な方針を示すとともに、収益力・資本効率等に関する目標を提示し、その実現のために、事業ポートフォリオの見直しや、設備投資・研究開発投資・人材投資等を含む経営資源の配分等に関し具体的に何を実行するのかについて、株主に分かりやすい言葉・論理で明確に説明を行うべきである。

事項索引

※ 数字は段落番号

【あ】

【い】

【う】

【え】

【お】

【か】

【き】

【く】

【け】

【こ】

【さ】

【す】

【せ】

【そ】

【た】

【ち】

【つ】

【て】

【と】

【な】

【に】

【ね】

【の】

【は】

【ひ】

【ふ】

【へ】

【ほ】

【ま】

【み】

【む】

【め】

【も】

【や】

【ゆ】

【よ】

【ら】

【り】

【る】

【れ】

【ろ】

【わ】

【欧文】

判例索引

※ 数字は段落番号

【大審院・最高裁判所】

【高等裁判所】

【地方裁判所】

〔著者紹介〕

河本一郎（かわもと・いちろう）

元神戸大学名誉教授、元日本学士院会員

主著 『有価証券振替決済制度の研究』（有斐閣）、『注釈手形法・小切手法』〔共著〕（有斐閣）、『証券取引法（新版）』〔共著〕（有斐閣）、『現代会社法（新訂第9版）』（商事法務）、『鑑定意見 会社法・証券取引法』〔共著〕（商事法務）、『約束手形法入門（第5版補訂版）』〔共著〕（有斐閣）、『有価証券法研究』（商事法研究第1巻）（成文堂）、『株券の法理』（商事法研究第2巻）（成文堂）、『手形法における悪意の抗弁』（商事法研究第3巻）（成文堂）

川口恭弘（かわぐち・やすひろ）

同志社大学教授、法学博士

主著 『米国金融規制法の研究——銀行・証券分離規制の展開』（東洋経済新報社）、『金融商品取引法』〔共著〕（青林書院）、『新・金融商品取引法読本』〔共著〕（有斐閣）、『現代の金融機関と法（第5版）』（中央経済社）、『Corporations and Partnership in Japan』〔共著〕（Wolters Kluwer）、『金融商品取引法への誘い』（有斐閣）

新・日本の会社法〔第2版〕

2015年12月17日 初 版第1刷発行
2020年10月25日 第2版第1刷発行

著 者 河本一郎
　　　 川口恭弘

発行者 石川雅規

発行所 株式会社 商事法務

〒103-0025 東京都中央区日本橋茅場町3-9-10
TEL 03-5614-5643・FAX 03-3664-8844〔営業〕
TEL 03-5614-5649〔編集〕
https://www.shojihomu.co.jp/

落丁・乱丁本はお取り替えいたします。　印刷／ヨシダ印刷㈱
© 2020 I.Kawamoto, Y.Kawaguchi　Printed in Japan
Shojihomu Co., Ltd.
ISBN978-4-7857-2819-9
＊定価はカバーに表示してあります。

JCOPY <出版者著作権管理機構 委託出版物>
本書の無断複製は著作権法上での例外を除き禁じられています。
複製される場合は、そのつど事前に、出版者著作権管理機構
（電話 03-5244-5088、FAX 03-5244-5089、e-mail:info@jcopy.or.jp）
の許諾を得てください。